W9-CDL-911

LE VIOLON

DU MÊME AUTEUR
CHEZ POCKET

Chroniques des vampires

1. Entretien avec un vampire
2. Lestat le vampire
3. La reine des damnés
4. Le voleur de corps
5. Memnoch le démon

La saga des sorcières

1. Le lien maléfique
2. L'heure des sorcières
3. Taltos

Les infortunes de la belle au bois dormant

1. L'initiation
2. La punition
3. La libération

La momie
Le violon
La voix des anges

COLLECTION TERREUR
dirigée par Patrice Duvic

ANNE RICE

LE VIOLON

PLON

Titre original :
VIOLIN

Traduit de l'anglais par
Frank Straschitz

Si vous souhaitez recevoir régulièrement
notre zine **« Rendez-vous ailleurs »**, écrivez-nous à :

« Rendez-vous ailleurs »
Service promo Pocket
12, avenue d'Italie
75627 PARIS Cedex 13

ISBN 2-266-09094-1

POUR

Annelle Blanchard, M.D.
Rosario Tafaro
Karen
et, comme toujours et à jamais,

POUR

Stan, Christopher et Michele Rice
John Preston
et
Victoria Wilson
et en hommage au talent de
Isaac Stern
et de
Leila Josefowicz

L'ange du Seigneur vint annoncer à Marie.
Et elle conçut par l'opération du Saint-Esprit.

Prologue

Ce que je cherche à faire ici n'est peut-être pas possible avec des mots. Peut-être la musique serait-elle seule capable de l'exprimer. Je vais pourtant essayer de le dire avec des mots, car je veux donner à cette histoire une véritable structure narrative : un commencement, un milieu et une fin, des événements déployant leur charge par l'intermédiaire de phrases reflétant fidèlement l'impact qu'ils ont eu sur l'auteur.

Il n'est pas nécessaire que vous connaissiez les compositeurs dont les noms reviennent si souvent dans ces pages : Beethoven, Mozart, Tchaïkovski – ni les improvisations endiablées des violonistes du Kentucky ou les lamentations des violons gaéliques. Mes mots devraient suffire à communiquer l'essence même du chant.

Sinon, c'est qu'il y a ici quelque chose qui échappe à l'écriture.

S'agissant de l'histoire que je porte en moi, l'histoire que je me sens tenue de faire partager – ma vie, ma tragédie, mon triomphe et ce qu'il m'a coûté –, je n'ai d'autre choix que de m'y mettre.

Pour commencer, n'essayez pas de relier les événements passés de ma vie en une chaîne cohérente, tels les grains d'un chapelet. Je ne l'ai pas fait. Les scènes jaillissent dans le désordre, comme des perles projetées au hasard en pleine lumière. Même si elles étaient reliées de sorte à composer un rosaire – et j'ai autant d'années qu'un rosaire a de grains : cinquante-quatre –, mon passé ne constituerait pas une suite de Mystères – ni le Douloureux, ni le Joyeux, ni le Glorieux. Quand tout est dit, aucun crucifix ne rachètera ces cinquante-quatre années. Je vous livre simplement les moments flamboyants, ceux qui importent.

Ne me considérez pas, ne vous en déplaise, comme une vieille femme. De nos jours, cinquante-quatre ans, ce n'est rien. Si vous y tenez absolument, voyez-moi comme une femme de un mètre cinquante-cinq, rondelette, avec un buste informe qui a été le fléau de toute ma vie d'adulte ; j'ai cependant un visage de jeune fille, d'épais et longs cheveux noirs, des poignets et des chevilles minces. La graisse n'a pas changé l'expression de mon visage, qui est restée la même que quand j'avais vingt ans. Lorsque je mets des vêtements amples et flottants, on dirait une petite jeune femme en forme de cloche.

En ce qui concerne mon visage, Dieu s'est montré plus généreux, mais sans excès. Il est typiquement germano-irlandais, carré ; j'ai de grands yeux marron, et mes cheveux, dont la frange est coupée juste au-dessus des sourcils, cachent ce que j'ai de plus vilain, un front bas. « Quel joli minois », disent les gens des petites boulottes comme moi. Mon ossature reste juste assez visible sous l'enveloppe de chair pour accrocher la lumière d'une façon avantageuse. Mes traits sont quelconques. Si j'attire le regard d'un passant, c'est à cause de l'acuité de mon regard, qui trahit une intelligence soigneusement cultivée, et aussi parce que quand je souris, je parais vraiment jeune, juste un instant.

A notre époque, il n'est pas rare d'être si jeune à cinquante-quatre ans, mais je tiens à le noter car, lorsque j'étais enfant, une personne qui avait vécu plus d'un demi-siècle était vieille, même s'il n'en est plus ainsi.

Quand nous atteignons la cinquantaine ou la soixantaine – peu importe l'âge exact –, nous continuons à nous balader autant que notre forme le permet – libres, forts, nous habillant comme les jeunes si cela nous chante, assis les pieds sur la table, à l'aise –, premiers bénéficiaires d'une santé sans précédent, conservant souvent jusqu'à la fin de la vie le goût de la découverte.

Voilà donc votre héroïne, si c'est ce que je dois être.

Et votre héros ? Ah ! lui, il a vécu un siècle et plus.

L'histoire commence par son arrivée – pareil à un ténébreux séducteur peint par une jeune fille, Lord Byron sur une falaise, face à l'abîme, sombre et mystérieuse incarnation du romantisme. Il était tout cela, et à juste titre. Il incarnait à la perfection ce noble type, à la fois exquis et profond, aussi tragique et séduisant qu'une *mater dolorosa*, et il a payé pour ce qu'il était. Il a payé.

Voici... ce qui est arrivé.

1

Il est venu la veille de la mort de Karl.

C'était une fin d'après-midi, la ville paraissait toute poussiéreuse et assoupie ; sur St Charles Avenue, la circulation était toujours aussi bruyante, et le dallage en pierre était couvert de grandes feuilles de magnolia, car je n'étais pas sortie pour balayer.

Je l'ai vu marcher le long de l'avenue, et quand il est arrivé au coin, il n'a pas traversé la Troisième Rue. Non, il s'est arrêté devant la boutique du fleuriste, s'est retourné, a penché la tête de côté, et m'a regardée.

Je me tenais derrière les rideaux de la fenêtre donnant sur l'avenue. Notre maison a de grandes fenêtres en longueur, et des vérandas aux proportions généreuses. Je regardais simplement l'avenue, les voitures, les gens – sans raison particulière, comme je l'ai fait toute ma vie durant.

Il n'est pas tellement facile de me voir à travers les rideaux. Le croisement est très fréquenté ; bien que déchirés, les rideaux de dentelle sont épais, car le monde ne cesse d'affirmer sa présence, tout près, tout autour de vous.

Il n'avait pas de violon cette première fois, ou alors cela ne se voyait pas, seulement un sac qu'il portait en bandoulière. Il se contentait de rester là, à regarder la maison. Il avait fait demi-tour, comme s'il avait fini sa promenade et s'apprêtait à remonter lentement l'avenue, à pied, de la même façon qu'il était venu – un promeneur parmi d'autres, profitant de l'après-midi pour faire un tour.

Il était grand et très maigre, mais cela ne lui allait pas mal du tout. Ses cheveux noirs en désordre étaient longs comme ceux d'un musicien de rock, avec deux nattes sur la nuque pour qu'ils ne lui tombent pas dans les yeux. Je me souviens que la façon dont elles pendaient sur son dos, quand il s'était retourné, m'avait beaucoup plu. C'est pour cette raison que je me souviens de son manteau : un vieux manteau noir poussiéreux, terriblement poussiéreux, comme s'il avait dormi à la belle étoile. Je m'en souviens à cause des cheveux noirs et luisants, longs et tout dépeignés, rebelles et tellement charmants.

Ses yeux étaient sombres, je les voyais en dépit de la distance : des yeux profondément enfoncés, comme sculptés dans le visage pour mieux cacher leur secret sous les sourcils arqués, le genre d'yeux dont on ne perçoit la chaleur que de très près. Il était efflanqué, mais non dénué de grâce.

Il me regardait et il regardait la maison. Et soudain il s'en est retourné, d'un pas léger, régulier, trop régulier sans doute. Mais que savais-je des fantômes en ce temps-là ? De leur façon de marcher quand ils passent de ce côté ?

Il n'est revenu que deux jours – deux nuits – après la mort de Karl. Je n'avais dit à personne que Karl était mort, et le répondeur téléphonique mentait à ma place. Ces deux jours étaient à moi, à moi seule.

Les heures qui avaient suivi la disparition de Karl – je parle de sa disparition définitive, sans retour, lorsque tout le sang s'était accumulé dans les parties inférieures de son corps, tandis que ses mains et ses jambes devenaient très blanches –, j'avais été transportée d'enthousiasme comme on ne peut l'être qu'après une mort, et j'avais dansé, dansé longtemps aux accents de Mozart.

Mozart a toujours été mon gardien radieux, je l'appelais le Petit Génie, le Maître du Chœur des Anges. C'était cela, Mozart, tandis que Beethoven est le Maître de mon Cœur ténébreux, le capitaine de ma vie brisée et de tous mes échecs.

La première nuit – Karl n'était mort que depuis cinq heures –, après avoir changé les draps, nettoyé le corps de Karl et disposé ses mains le long de son corps, il ne m'était plus possible d'écouter les anges de Mozart. Que Karl repose avec eux. Par pitié, après tant de souffrances. Et le livre que Karl avait commencé, et presque terminé, mais pas tout à fait... les feuillets du manuscrit et les illustrations éparpillés sur la table. Cela pouvait attendre. Tant de douleur.

Je me suis tournée vers Beethoven, qui ne m'a jamais fait défaut.

Allongée sur le parquet du salon, la vaste et claire pièce d'angle donnant sur l'avenue, avec des fenêtres sur la façade et sur le côté, j'ai mis la *Neuvième* de Beethoven. La partie la plus terrible, la plus torturée : le deuxième mouvement. Mozart ne pourrait jamais me transporter vers la mort et m'en faire revenir. Le temps de l'angoisse était venu. Beethoven savait, le deuxième mouvement de la symphonie savait.

Peu importe qui meurt, peu importe à quel moment, le deuxième mouvement de la *Neuvième Symphonie* continue à aller de l'avant.

Quand j'étais toute jeune, j'aimais le dernier mouvement de la *Neuvième Symphonie* de Beethoven, comme tout le monde. J'adorais surtout le chœur de l'« Hymne à la joie ». Je l'ai entendu je ne sais plus combien de fois : ici, une fois à Vienne, et à plusieurs reprises à San Francisco, pendant les tristes années où j'étais loin de ma ville.

Mais ces dernières années, avant même d'avoir rencontré Karl, c'était le deuxième mouvement que j'avais réellement fait mien.

On dirait que c'est une musique faite pour marcher, la musique d'une personne qui gravit une montagne avec obstination, comme si elle était animée par la vengeance. Elle suit son cours, sans répit, comme si cette personne ne pouvait pas, ne voulait pas cesser de marcher. Ensuite, elle débouche sur un lieu paisible, dans la forêt viennoise peut-être, comme si le marcheur, hors d'haleine mais exultant, se trouvait soudain face au panorama de la ville qui était son but ; levant triomphalement les bras au ciel, il se mettrait à danser en rond. C'est là qu'intervient le cor, qui évoque immanquablement la forêt et les clairières, les vallons et les bergers, mais alors même que vous sentez la paix et le silence de la forêt, que vous éprouvez le sommet de bonheur atteint par cette personne...

... alors, les tambours retentissent. Et l'ascension reprend, la marche déterminée, obstinée. Marcher, marcher encore et toujours.

L'on peut danser sur cette musique si l'envie vous en prend, se balancer d'avant en arrière, de gauche à droite, et c'est ce que je fais, comme une folle, jusqu'au vertige, les cheveux retombant tantôt d'un côté, tantôt de l'autre. L'on peut aussi marcher en rond, faire le tour de la chambre d'un pas résolu, les poings serrés, de plus en plus vite, faisant parfois une pirouette avant de se remettre à marcher. Vous pouvez rejeter la tête en avant puis en arrière, les cheveux retombant comme un rideau devant vos yeux, puis se dressant, et vous voyez de nouveau le plafond.

C'est une musique implacable. Le marcheur ne s'avouera jamais vaincu. Avancer, monter, avancer, monter, et peu importent la forêt et les arbres, tout cela ne compte plus. La seule chose qui importe, c'est de marcher... et quand resurgit un tout petit peu de joie – la douce exultation du plateau –, elle est prise dans le rythme de la marche. Parce que c'est sans fin.

Jusqu'à la conclusion.

Et c'est la fin du deuxième mouvement. C'est le moment de rouler sur moi-même pour appuyer de nouveau sur le bouton, et je baisse la tête tandis que le mouvement reprend, autonome, indépendant de tout, même des nobles et splendides assurances que Beethoven, semble-t-il, cherchait à exprimer, comme pour nous dire à tous qu'un jour, le mystère s'éclaircira, et que cette vie valait la peine d'être vécue.

Cette nuit-là, la nuit qui a suivi la mort de Karl, j'ai écouté le deuxième mouvement jusqu'au matin, jusqu'à ce que la lumière du soleil emplisse la pièce, faisant briller le parquet. Les trous des rideaux projetaient de grands faisceaux éblouissants. Au-dessus de moi, privé de la lumière des phares qui s'étaient succédé sans relâche toute la nuit, le plafond était devenu d'un blanc uniforme, pareil à une page vierge.

Une fois, à midi, j'ai écouté la symphonie d'un bout à l'autre. J'ai fermé les yeux. L'après-midi était vide, il n'y avait que les voitures dehors, le flot sans fin des voitures sur St Charles Avenue, trop de voitures pour ces voies étroites, roulant trop vite pour cette artère bordée de vieux chênes et de réverbères doucement recourbés, noyant sous leur tonnerre profane jusqu'au grondement beau et régulier de l'antique tramway. Cliquetis, grincements, ferraillement : un vacarme que l'on trouvait sans doute épouvantable jadis, encore que de ma vie entière, et j'ai plus d'un demi-siècle, ne l'oubliez pas, je n'aie jamais connu l'avenue totalement silencieuse, sauf peut-être au petit matin.

Toute cette journée, je suis restée étendue en silence, incapable de bouger, incapable de faire quoi que ce soit. Lorsque la nuit est revenue, j'ai fini par monter à l'étage. Les draps étaient toujours propres. Le corps était raide. C'était la rigidité cadavérique, je le savais ; son visage avait à peine changé ; pour que sa bouche reste fermée, j'avais enroulé une longue bande de tissu blanc et propre autour de sa tête, et je lui avais moi-même fermé les paupières. Toute la nuit, je suis restée allongée dans le lit, blottie contre lui, ma main sur sa poitrine, mais ce n'était pas pareil que quand il était doux et souple.

Vers le milieu de la matinée, il est redevenu souple. Son corps tout entier s'est détendu, rien de plus. Les draps étaient souillés. Il y avait des odeurs nauséabondes, mais j'étais résolue à ne pas en tenir compte. Il était facile de lever ses bras, maintenant. Je l'ai de nouveau lavé. J'ai entièrement refait le lit, comme une vraie infirmière, faisant rouler le corps d'un côté pour mettre un drap propre, puis de l'autre pour ramener le drap et le border.

Il était blanc et squelettique, mais il avait retrouvé sa souplesse. Bien que sa peau commençât à s'affaisser, brouillant les traits de son visage, c'était toujours le visage de mon Karl, et je voyais les petits sillons de ses lèvres, toujours pareils à eux-mêmes, et les extrémités de ses cils, très pâles, presque incolores là où le soleil les éclairait.

La chambre de l'étage, la chambre donnant à l'ouest : c'était là qu'il avait voulu que nous dormions, parce que la lumière du soleil, entrant par les petites fenêtres mansardées, l'éclaire jusqu'à une heure tardive. Et c'est là qu'il est mort.

C'est ce que nous appelons un *cottage*, cette immense maison, avec ses six colonnes corinthiennes et ses balustrades de fonte noire. Rien de plus qu'un bungalow, en réalité, avec de vastes espaces au rez-de-chaussée, et de petites chambres aménagées dans un attique jadis sombre et caverneux. Quand j'étais toute petite, ce n'était encore qu'un grenier, et il sentait si bon, il sentait le bois, le bois et le grenier. Les chambres sont venues plus tard, en même temps que mes sœurs cadettes.

La chambre donnant à l'ouest était vraiment jolie. Il avait eu raison de la choisir, de la meubler et de la décorer avec une telle munificence, de tout réparer. Cela ne lui avait posé aucun problème.

Je n'ai jamais su où il mettait son argent, ni combien il y en avait, et pas davantage ce que deviendrait cet argent après. Nous n'étions mariés que depuis quelques années. Il m'avait semblé que ce serait un manque de tact de poser ces questions. J'étais trop âgée pour avoir des enfants. Mais il avait été si généreux – me donnant tout ce que je désirais. Il était ainsi.

Il passait ses journées à travailler sur ses images et ses commentaires concernant un saint, un saint qui s'était emparé de son imagination, saint Sébastien. Il avait espéré finir le livre avant de mourir. Il avait presque gagné la partie : il ne restait plus que quelques corvées ingrates, quelques vérifications laborieuses. Il faudrait que je m'en occupe. Plus tard.

J'appellerai Lev pour lui demander conseil. Lev était mon premier mari. Il pourrait m'aider. Lev était professeur d'université.

Longtemps, je suis restée étendue à côté de Karl. La nuit venue, je me suis dit, et voilà, il y a deux jours qu'il est mort et j'ai sans doute enfreint la loi.

Et alors ? C'est sans importance, non ? Que peuvent-ils faire ? Ils savent de quoi il est mort, ils savent qu'il avait le sida et que c'était sans espoir, et quand ils viendront, ils vont tout détruire. Ils emmèneront son corps pour le brûler.

Je crois que c'est surtout pour cette raison que je l'ai gardé si longtemps. Je n'avais pas peur des fluides et des choses de ce genre, et lui-même avait été tellement prudent au cours des derniers mois, exigeant que l'on mette des masques, des gants. Même après sa mort, quand tout était tellement sale, je m'étais allongée là, dans une épaisse robe de chambre en velours, enfermée dans ma peau intacte, à l'abri d'un éventuel virus traînant aux alentours.

Nos moment érotiques étaient exclusivement une affaire de mains, peau contre peau, tout ce qui pouvait être lavé – jamais l'union téméraire.

Le sida ne m'avait jamais atteinte. Et maintenant, maintenant seulement, après ces deux jours, lorsque je me suis dit qu'il faudrait les appeler, les mettre au courant, maintenant seulement, je me rendis compte que j'aurais souhaité être contaminée. C'est du moins ce que je pensais.

Il est si facile de souhaiter la mort quand on est en parfaite santé ! Si facile de tomber amoureuse de la mort, comme je l'ai été ma vie durant, tout en voyant ses plus fervents adorateurs s'effondrer au dernier moment, hurlant et suppliant pour rester en vie, comme si tous ces voiles noirs, et les lys, et l'odeur des cierges, et les grandioses promesses de la tombe ne signifiaient rien.

Je savais cela. Pourtant, j'ai toujours aspiré à la mort. C'était une façon comme une autre de continuer à vivre.

Je suis restée un moment à regarder par la petite fenêtre. Il faisait presque nuit ; c'était l'heure où les réverbères s'allumaient, où la vitrine du fleuriste s'éclairait au moment même où ses portes se fermaient au public.

Je voyais que le dallage de l'allée était plus que jamais recouvert de feuilles de magnolia, sèches et dures et ondulées. Je voyais que les briques bordant la clôture étaient dans un état pitoyable ; il faudrait les réparer avant que quelqu'un ne trébuche. Je voyais les chênes, couverts de la poussière soulevée par les voitures qui passaient en vrombissant.

Eh bien voilà, me suis-je dit, embrasse-le une dernière fois. Tu sais ce qui va suivre. Il est doux et souple, mais ensuite arrive la décomposition, et une odeur qui ne doit avoir aucun rapport avec lui, que tu ne dois pas associer avec lui, jamais.

Je me suis penchée en avant et j'ai embrassé ses lèvres. Je l'ai embrassé, embrassé, embrassé, ce partenaire de quelques brèves années et d'un déclin si rapide. Je l'ai embrassé, et ensuite, bien que j'eusse envie de me recoucher, je suis descendue et j'ai mangé du pain blanc en tranches à même l'emballage en cellophane, et j'ai bu du soda basses calories tiède, pris dans le carton posé par terre, par simple indifférence, ou plutôt parce que j'avais la certitude que le plaisir, sous toutes ses formes, était interdit.

La musique. Pourquoi ne pas essayer, une fois encore. Une dernière soirée à écouter mes disques, seule dans la maison, avant qu'ils n'arrivent en glapissant. Avant que sa mère, à Londres, ne dise au téléphone, entre deux sanglots, « Dieu merci, le bébé est né ! Il a attendu, il a attendu que sa sœur ait son bébé ! »

J'étais sûre qu'elle dirait exactement cela, et c'était sans doute vrai : il avait attendu la naissance du bébé de sa sœur, mais il n'avait pas attendu suffisamment longtemps pour que celle-ci rentre à la maison, et c'est cela qui la ferait se lamenter plus longtemps que je n'aurai la patience de l'écouter. Brave vieille femme. Au chevet de qui vous rendez-vous? A celui de votre fille qui accouche à Londres, ou à celui de votre fils qui agonise ?

La maison était d'une saleté répugnante.

Ah ! j'avais pris bien des libertés, ces derniers jours ; de toute façon, les infirmières n'avaient pas vraiment envie de venir. Il existe des saints, des saintes qui restent au chevet des mourants jusqu'au dernier instant, mais en l'occurrence, il n'y avait pas besoin de saints, puisque j'étais là.

Chaque jour, mes fidèles Althea et Lacomb étaient venus frapper, mais j'avais laissé le mot sur la porte : « Tout va bien. Laissez un message. »

Il y avait de la saleté et des ordures partout : miettes de biscuits, boîtes de conserve vides, poussière. Même des feuilles mortes ; une fenêtre avait dû s'ouvrir, sans doute dans la grande chambre que nous n'utilisions jamais, et le vent avait éparpillé les feuilles sur le tapis orange.

Je suis allée dans la pièce donnant sur l'avenue. Je me suis couchée par terre. Je voulais tendre le bras et appuyer sur le bouton pour remettre une fois de plus le deuxième mouvement, et me retrouver seule avec Beethoven, capitaine de cette douleur. Mais je n'ai pas pu.

Le moment semblait même propice au Petit Génie, Mozart. Peut-être ? Le doux et paisible rayonnement des anges babillant et riant et faisant des cabrioles dans la lumière céleste. J'aurais voulu... Mais je suis restée immobile... des heures durant. J'écoutais Mozart dans ma tête ; j'entendais son violon impétueux, surtout son violon. Il ne me quittait pas un instant, ce violon que j'aimais tant.

De temps à autre, j'entendais Beethoven : la félicité plus substantielle de son unique *Concerto pour violon*, que je connaissais par cœur depuis longtemps, du moins les phrases faciles à retenir. Mais nulle musique ne se faisait entendre dans la maison où j'étais étendue, avec l'homme mort en haut. Le plancher était glacé. C'était le printemps, le temps changeait constamment, passant d'une chaleur estivale à un froid de canard. S'il se met à faire froid, me suis-je dit, le corps se conservera mieux, non ?

Quelqu'un a frappé à la porte. Puis est reparti. La circulation a atteint son paroxysme, puis il y a eu un moment de calme. Le répondeur téléphonique continuait à débiter ses mensonges : clic et clic et clic-clic.

Ensuite, j'ai dormi. Pour la première fois, peut-être.

Et j'ai fait un rêve, le plus beau des rêves.

2

Je rêvais d'une mer inondée de soleil ; jamais je n'avais vu une mer pareille, nulle part. La terre était un immense arceau à l'intérieur duquel la mer s'agitait, comme à Waikiki ou sur la côte au sud de San Francisco. Plus précisément, je voyais au loin, à gauche et à droite, de grands bras de terre s'efforçant désespérément de contenir toute cette eau.

Mais qu'elle était furieuse, cette mer, et brillante sous ce soleil immense et éclatant. Je ne voyais pas le soleil lui-même, mais seulement sa lumière. Les énormes lames se succédaient et formaient des rouleaux, qui retenaient un instant une vive clarté verte avant de se briser, et alors chaque vague faisait une danse – oui, une danse – comme je n'en avais jamais vu.

De chaque vague mourante naissait une abondante mousse écumeuse, et cette masse d'écume projetait alors de hautes protubérances, six pour chaque vague, parfois huit, et ces grandes langues ressemblaient étonnamment à des êtres humains – des êtres faits des bulles étincelantes de l'écume, s'avançant vers la terre ferme comme s'ils cherchaient à l'atteindre, à atteindre la plage, et peut-être aussi le soleil, là-haut.

Dans mon rêve, je regardais la mer, encore et toujours. Je savais que je la regardais d'une fenêtre. Émerveillée, j'essayais de compter les silhouettes dansantes avant leur mort inéluctable, étonnée que l'écume ait pu leur donner une forme aussi parfaite ; elles dodelinaient de la tête et tendaient désespérément les bras avant de retomber comme si l'air leur avait porté un coup fatal, se dissolvant pour renaître à chaque vague à la crête verte, avec toute une nouvelle gamme de mouvements gracieux et implorants.

Êtres d'écumes, fantômes de la mer : c'est ainsi qu'ils m'apparaissaient, et tout au long de la plage, aussi loin que mon regard portait de cet observatoire qui m'abritait, toutes les vagues qui se succédaient faisaient pareil. Elles s'incurvaient, vertes et étincelantes, avant de se briser pour devenir ces personnages suppliants, certains se faisant face en hochant doucement la tête, d'autres se tournant le dos, avant de sombrer de nouveau dans l'immensité sauvage de l'océan.

J'ai vu bien des mers, mais jamais des mers dont les vagues donnaient naissance à des danseurs. Lorsque le soleil disparut à l'horizon, une lumière artificielle inonda les sables lissés par le flot, et les danseurs continuèrent à apparaître, la tête haute, avec de longues épines dorsales, tendant leurs bras implorants vers la terre.

Ces créatures d'écume n'évoquaient rien tant que des fantômes – esprits trop chétifs pour prendre forme dans le monde matériel, mais suffisamment forts pour s'incarner un instant dans cette mousse d'écume éphémère, la contraignant à prendre forme humaine avant que la nature ne reprenne ses droits.

Que ce spectacle était beau ! Je l'ai regardé toute la nuit ; c'est du moins ce que me disait le rêve, à la manière des rêves. Ensuite, je me suis vue dans le rêve et le jour s'est levé. La vie avait repris son cours agité. Mais la mer, la mer était toujours aussi immense, et si bleue que j'ai failli pleurer en la regardant.

Je me suis vue à la fenêtre ! Dans mes rêves, une telle perspective ne se présente pour ainsi dire jamais. Jamais ! Mais c'était bien moi : mon visage carré, mes cheveux noirs à la frange coupée net et tout le reste long et droit. Je me tenais à une fenêtre de forme carrée, percée dans la façade blanche d'un édifice d'apparence luxueuse. Je distinguais mes traits : peu prononcés, quelconques, arborant un éternel sourire, sans intérêt, parfaitement ordinaires, inoffensifs, n'exprimant pas le moindre défi, mon visage avec des mèches tombant presque jusqu'aux cils, et ma bouche au sourire facile – j'ai un visage qui ne prend vie que grâce à ses sourires. Même dans le rêve, je me disais, ah ! Triana, que tu dois être heureuse ! Mais il n'en a jamais fallu beaucoup pour me faire sourire. J'ai une connaissance intime de la douleur et de la joie !

Je pensais à tout cela dans le rêve. Au bonheur, à la souffrance. Et j'étais heureuse. Dans le rêve, je me voyais debout à la fenêtre, tenant sous le bras gauche un grand bouquet de roses rouges, tandis que du bras droit je faisais signe à des gens, au-dessous de moi.

Mais où peut bien se trouver cet endroit ? me demandais-je dans mon sommeil de plus en plus léger, presque au seuil de l'éveil. Je ne dors jamais longtemps. Mon sommeil n'est jamais profond. Déjà, j'étais prise de doutes terrifiants. C'est un rêve, Triana ! Tu n'es pas ici. Tu n'es pas dans un lieu chaud et ensoleillé, face à une mer immense. Tu n'as pas de roses.

Pourtant, le tissu du rêve ne se déchirait pas, ses couleurs ne pâlissaient même pas.

Je me voyais là-haut, encadrée par la fenêtre, faisant toujours de grands gestes, tenant le bouquet qui s'inclinait mollement. Je vis alors que je saluais un groupe de jeunes gens, hommes et femmes, qui se se tenaient sur le trottoir. De grands enfants, en réalité, des gamins de vingt-cinq ans tout au plus – rien que des gamins, et je savais que c'étaient eux qui m'avaient offert les roses. Je les adorais. Je ne cessais de leur faire signe de la main, et ils faisaient de même, et quand ils se sont mis à danser et à bondir de joie, je leur ai envoyé des baisers.

Avec les doigts de ma main droite, j'envoyais baiser sur baiser à ces admirateurs, tandis que derrière eux la mer infinie et bleue resplendissait, et la nuit est tombée, tout d'un coup, presque brutalement. Derrière ces danseurs juvéniles qui bondissaient sur le dallage blanc et noir du trottoir, la mer avait repris sa danse, et la cohorte des figures éphémères naissait de nouveau des vagues écumeuses, et ce monde paraissait tellement réel que je ne pouvais me résoudre à le qualifier de rêve.

« C'est à toi que cela arrive, Triana ! Tu es ici ! »

C'était le moment ou jamais de se montrer perspicace. Je connaissais ces hallucinations hypnagogiques, ces tours que les rêves vous jouent ; je connaissais les démons qui surgissent devant vous à la frontière entre le rêve et l'état de veille. Je savais. Je me suis retournée brusquement pour essayer de voir la chambre où je me trouvais. « Où suis-je ? Quel est ce lieu ? Comment aurais-je pu l'imaginer ? »

Mais je ne voyais toujours que la mer. Le ciel nocturne et les étoiles. Et, à perte de vue, la danse délirante des spectres d'écume.

Oh ! Ame ! Oh ! âmes perdues ! déclamai-je à voix haute. Êtes-vous heureuses, êtes-vous plus heureuses que dans une vie aux angles si durs et si coupants, qui nous réserve de telles souffrances ? Ils ne répondaient pas, ces fantômes ; ils ne faisaient que tendre les mains en vain, avant d'être engloutis par l'eau éblouissante et lisse.

Je me réveillai en sursaut.

Karl me murmurait à l'oreille : « Non, pas comme ça ! Tu n'as pas compris. Arrête ! »

Je me redressai. J'étais ébranlée d'avoir si bien évoqué sa voix, de l'avoir imaginée si près de moi. Mais ce n'était pas vraiment inopportun, ni déplaisant. Je ne ressentais aucune peur.

J'étais seule dans la grande pièce jonchée de débris. Les phares des voitures projetaient les motifs de la dentelle d'un bout à l'autre du plafond. Sur le manteau de la cheminée, le halo doré du saint Sébastien luisait doucement. Les craquements et grincements de la maison se mêlaient à la rumeur sourde de la circulation.

« Tu es ici. C'était, oui, c'était un rêve si vivace, et Karl était là, tout près de moi ! »

Pour la première fois, je pris conscience d'une odeur qui flottait dans la maison. Assise en tailleur sur le plancher, encore toute pleine du rêve et du ton autoritaire de Karl – « Non, pas comme ça ! Tu n'as pas compris. Arrête ! » –, je sentis dans la maison l'odeur qui signifiait que son corps avait commencé à se décomposer.

Je connaissais cette odeur. Nous la connaissons tous. Même ceux qui ne sont jamais allés dans des morgues ou sur des champs de bataille la connaissent. Nous l'avons perçue quand un rat est mort dans un mur creux, et que personne n'arrive à le trouver.

Je la sentais, maintenant... légère, mais emplissant toute la maison aux vastes pièces si bien décorées, envahissant même ce salon, où saint Sébastien vous toise du haut de son cadre doré et où la chaîne stéréo est à portée de la main. Une fois de plus, le téléphone faisait clic, clic pour un mensonge, clic. Peut-être y avait-il un message.

Mais n'oublie pas, Triana, tu as rêvé tout cela. Et cette odeur ne peut être tolérée. Non, pas cela, non, parce que ce n'est pas Karl, cette puanteur infecte. Ce n'est pas mon Karl. Ce n'est qu'un corps, un cadavre.

Je pensais que je ferais bien de bouger, lorsque quelque chose m'arrêta. C'était de la musique, mais elle ne venait pas de mes disques, éparpillés sur le plancher, et ce n'était pas une musique que je connaissais. Je connaissais toutefois l'instrument.

Seul un violon peut chanter ainsi, seul un violon peut supplier et gémir ainsi dans la nuit. Comme j'aspirais à tirer un tel son d'un violon, quand j'étais enfant !

Dehors, quelqu'un jouait du violon. J'entendais la musique. Je l'entendais s'élever tendrement, couvrant l'incessante rumeur de l'avenue, désespérée et poignante comme si elle était inspirée par Tchaïkovski, magistrale succession de phrases jouées avec une rapidité et une dextérité à proprement parler magiques.

Je me levai et m'approchai de la fenêtre, à l'angle de la maison.

Il était là. Le grand à la longue et brillante chevelure de musicien de rock, au manteau tout poussiéreux. Celui que j'avais déjà vu. Cette fois, il était de mon côté de la rue, sur le trottoir aux briques cassées et disjointes, devant ma clôture en fer, et il jouait du violon tandis que je le regardais de la fenêtre. Je laissai retomber le rideau. La musique me donnait envie de sangloter.

Je vais en mourir, pensai-je. Je mourrai de la mort et de la puanteur qui emplit cette maison, et de l'absolue beauté de cette musique.

Pourquoi était-il venu ? Pourquoi était-il venu à moi ? Pourquoi, et de surcroît en jouant du violon, l'instrument que j'aime entre tous, et que jadis, quand j'étais enfant, j'avais désespérément essayé d'apprendre – mais qui n'aime pas le violon ? Pourquoi était-il venu en jouer devant ma fenêtre ?

Oh ! mais tu rêves, ma mignonne ! Ce n'est que l'ultime traquenard, le pire des pièges hypnagogiques. Tu n'es pas sortie du rêve. Tu dors toujours, tu ne t'es pas réveillée. Reviens en arrière, retrouve-toi là où tu sais que tu es... allongée par terre. Trouve-toi toi-même.

« Triana ! »

Je fis volte-face.

Karl se tenait sur le seuil de la porte. Sa tête était toujours enveloppée du bandage blanc, son visage était d'une blancheur de marbre, et son corps n'était plus guère qu'un squelette autour duquel flottait le pyjama de soie noire que je lui avais mis.

« Non, pas cela ! » dit-il.

La voix du violon s'éleva. L'archet s'abattit sur les cordes de *ré* et de *sol*, les plus graves, avec cette vibration poignante, déchirante, si proche de la dissonance, qui devint en ce moment précis l'expression même de mon désespoir.

« Karl, Karl ! » Avais-je réellement poussé ce cri ? J'en suis presque certaine.

Mais Karl avait disparu. Il n'y avait pas de Karl. Le violon continuait à chanter, à chanter sans répit. Me retournant, je le vis de nouveau, avec ses cheveux noirs et luisants, ses larges épaules, et le violon, brun et satiné à la lumière de la rue, et il abattait l'archet avec une telle violence que j'en avais des frissons jusque dans la nuque et les bras.

« Continuez ! m'écriai-je. Continuez à jouer ! »

Il tanguait comme un ivrogne ou comme un forcené, seul au coin de la rue, où la lueur rougeâtre venue du magasin de fleurs se mêlait à la pâle lumière du réverbère recourbé, à l'ombre des branches du magnolia qui s'enchevêtraient au-dessus des vieilles briques du trottoir. Il jouait. Sa musique parlait d'amour et de douleur, de perte et de deuil. Il jouait et parlait de toutes les choses en lesquelles je voulais croire en ce monde. Je me mis à pleurer.

Je sentis de nouveau cette puanteur.

J'étais éveillée. C'était certain. Je donnai un coup sur la vitre, mais pas assez fort pour la briser. Je le regardai par-dessus la clôture.

Il se tourna dans ma direction, l'archet levé, et, le regard fixé sur moi, il attaqua une mélodie plus tendre, si bas que la rumeur des voitures la couvrait presque.

Un bruit soudain me fit sursauter. Quelqu'un frappait avec insistance à la porte de derrière. Assez fort pour casser les carreaux.

Je ne bougeai pas. Je n'avais aucune envie de quitter la fenêtre, mais je savais que quand les gens frappent de cette façon, ils finissent par entrer. A coup sûr, quelqu'un s'était rendu compte que Karl était mort ; il fallait que j'y aille, que je dise des choses sensées et rassurantes. Ce n'était pas le moment d'écouter de la musique.

Pas le moment, vraiment ? Il étira les notes en un faible gémissement, puis le son monta, devint plus âpre, et s'acheva par un cri perçant.

Je m'écartai de la fenêtre.

Il y avait quelqu'un dans le salon, mais ce n'était pas Karl. C'était une femme. Elle venait de l'entrée. Je la connaissais. C'était ma voisine. Elle s'appelait Hardy. Miss Nanny Hardy.

« Triana chérie, cet homme vous importune ? » Elle vint vers moi.

Elle était tellement extérieure à sa chanson... J'étais consciente de sa présence avec une toute petite partie de mon esprit ; tout le reste de mon être était en harmonie avec lui. Brusquement, je me rendis compte qu'*il* était réel.

Elle venait de le prouver.

« Triana, ma chérie, cela fait deux jours que vous n'ouvrez pas la porte. J'ai juste poussé un peu fort et elle s'est ouverte. Je m'inquiétais à votre sujet, Triana. Et pour Karl aussi. Triana, dites-moi si vous voulez que je fasse déguerpir cet affreux bonhomme. Pour qui se prend-il ? Regardez-le ! Il reste planté devant cette maison, et écoutez-moi ça, jouer du violon à une heure pareille ! Il ne sait donc pas qu'il y a un malade ici... »

Ce n'étaient que des sons minuscules, presque imperceptibles, ces mots, comme de petits cailloux que l'on sème en chemin. La musique continuait, tendre et grave, pour aboutir à un finale empli de compassion. *Je connais ta douleur. Je sais. Mais la folie n'est pas pour toi. Elle ne l'a jamais été. Tu es celle qui ne devient jamais folle.*

Je le regardai fixement, puis je fis de nouveau face à Miss Hardy. Miss Hardy était en robe de chambre. Elle était venue en chaussons, événement rare pour une dame tellement comme il faut. Elle me regarda, puis promena autour de la pièce un regard circonspect, ne s'attardant sur aucun objet, comme il convient à une personne de bonne éducation. En dépit de sa discrétion, elle avait sûrement remarqué les disques éparpillés et les boîtes de soda vides, l'emballage froissé du pain, le courrier qui n'avait pas été ouvert.

Ce n'était pas pour cela, cependant, que son expression changea soudain. Quelque chose l'avait prise au dépourvu, l'avait assaillie. Quelque chose de déplaisant s'était imposé à elle.

Elle avait senti l'odeur. Le corps de Karl.

La musique cessa. Je me retournai en m'exclamant : « Ne le laissez surtout pas partir ! »

Mais le grand homme efflanqué aux cheveux noirs et soyeux avait déjà commencé à s'éloigner, portant le violon et l'archet. En traversant la Troisième Rue, il s'est retourné pour me regarder ; arrivé devant le fleuriste, il m'a fait signe de la main, oui, il m'a fait signe, et, prenant précautionneusement l'archet de la main gauche qui tenait déjà le violon, il a levé la main droite et m'a envoyé un baiser, délibérément, tendrement.

Il m'a envoyé un baiser, comme l'avaient fait ces gosses dans le rêve, les gosses qui m'avaient offert les roses.

Roses, roses, roses... Il me semblait entendre quelqu'un dire ces mots, mais c'était dans une langue étrangère, ce qui faillit me faire rire en me remémorant le vers célèbre : « Ce que nous nommons rose sous tout autre nom sentirait aussi bon. »

« Triana », dit Miss Hardy avec une grande douceur, en avançant le bras pour toucher mon épaule. « Permettez-moi d'appeler quelqu'un. » Ce n'était pas vraiment une question.

« Vous avez raison, Miss Hardy, mais c'est à moi de le faire. » Chassant les mèches qui tombaient sur mon front, clignant des yeux pour mieux la distinguer à la faible lumière venant de la rue, je l'ai vue très clairement, dans son peignoir à fleurs.

« C'est l'odeur, n'est-ce pas ? Vous l'avez sentie. »

Elle hocha très lentement la tête. « Au nom du ciel, pourquoi sa mère vous a-t-elle laissée seule ici ?

– À cause d'un bébé, Miss Hardy, né à Londres il y a quelques jours. Si vous voulez connaître les détails, tout est sur le répondeur, il y a un message. J'ai encouragé sa mère à y aller. Elle ne voulait pas quitter Karl. Vous savez, personne ne peut savoir exactement quand un agonisant va mourir, ni quand un bébé va naître. C'était le premier de la sœur de Karl, Karl lui a dit d'y aller, j'ai insisté, et puis... et puis, j'en avais assez de tous ces gens qui venaient. »

Son expression était impénétrable. Je ne pouvais même pas imaginer ce qu'elle pensait. Peut-être ne le savait-elle pas elle-même, en un moment pareil. Je la trouvais fort jolie dans sa robe de chambre, une robe blanche, avec des fleurs pastel, froncée à la taille, et Miss Hardy portait des mules en satin, comme il convenait à une lady du Garden District ; elle était très riche, à en croire les gens. Ses cheveux gris impeccablement coiffés entouraient son visage de petites boucles légères.

Je jetai un coup d'œil sur l'avenue. Le grand homme maigre avait disparu. J'entendais de nouveau ses mots. *Tu es celle qui ne devient jamais folle !* Je ne me souvenais pas de l'expression de son visage. Avait-il souri ? Ses lèvres avaient-elles bougé ? Et la musique... rien que d'y penser, mes larmes se remettaient à couler.

C'était une musique d'un sentimentalisme éhonté, tellement proche de Tchaïkovski envoyant promener le monde entier et laissant jaillir la plus douce, la plus tendrement triste des douleurs, à sa manière à lui, si différente de mon Mozart et de mon Beethoven.

Je regardais les rues vides, les maisons au loin. Un tramway approchait lentement du croisement. Mon Dieu ! il était là ! Le violoniste. Il avait traversé jusqu'au terre-plein et se tenait à l'arrêt du tram, mais il n'y monta pas. Il était trop loin pour que je puisse distinguer ses traits, trop loin sans doute pour me voir derrière le rideau. Soudain, il tourna le dos et s'éloigna.

La nuit restait pareille à elle-même. La puanteur était toujours la même.

Miss Hardy s'était figée ; son immobilité était terrifiante.

Elle paraissait infiniment triste, navrée. Sans doute me croyait-elle folle. Peut-être avait-elle simplement horreur de cette situation, de m'avoir trouvée dans cet état, d'être obligée, peut-être, de faire quelque chose. Je ne sais pas.

Elle sortit du salon. Pour chercher le téléphone, sans doute. Elle n'avait plus rien à me dire. Elle pensait que j'avais perdu l'esprit, qu'il ne servirait à rien de me parler raisonnablement, et qui aurait pu le lui reprocher ?

Ce que j'avais dit au sujet du bébé né à Londres était vrai, en tout cas. Mais j'aurais laissé son corps reposer là-haut même s'ils avaient tous été là. Ç'aurait été plus difficile, voilà tout.

Je me précipitai hors du salon. Après avoir traversé la salle à manger et la pièce étroite réservée au petit déjeuner, je montai l'escalier en courant. C'est un petit escalier aux marches étroites, pas comme dans ces grandes maisons à étage d'avant-guerre, un tout petit escalier en colimaçon fait pour monter au grenier d'une villa néoclassique.

Après avoir claqué la porte, je tournai la clef en laiton. Il tenait absolument à ce que chaque porte eût sa clef, et pour la première fois, je m'en félicitai.

Maintenant, elle ne pourrait plus entrer. Personne ne pourrait entrer.

Comme j'avais ouvert les fenêtres, la chambre était glaciale, et l'odeur était omniprésente, mais, après avoir avidement empli mes poumons d'air frais, je me glissai sous les couvertures, pour être à ses côtés une dernière fois, rien qu'une fois, quelques minutes seulement, avant qu'ils ne brûlent ses doigts et ses orteils jusqu'au dernier, ses lèvres, ses yeux. Laissez-moi simplement être avec lui.

Laissez-moi être avec eux tous.

Au loin, je l'entendais vociférer, mais, de plus loin encore, me parvenait un autre son. La musique d'un violon. Une pavane triste et digne. *Vous êtes donc là, et vous jouez.*

Pour vous, Triana.

Je me blottis contre l'épaule de Karl. Il était tellement mort, tellement plus mort qu'hier. Fermant les yeux, je ramenai sur nous le grand édredon doré – il avait beaucoup d'argent, il aimait les belles choses –, sur notre lit, un grand lit à colonnes de style Prince de Galles qu'il m'avait offert, et pour la dernière fois, j'ai rêvé de lui : le rêve de la tombe.

La musique en faisait partie. Elle était si faible que je n'aurais su dire si ce n'était qu'un souvenir de ce que j'avais entendu en bas, mais elle était présente. La musique.

Karl. J'ai posé la main sur ses joues osseuses dont toute douceur avait disparu.

Une dernière fois, laissez-moi me vautrer dans la mort, avec la musique de mon nouvel ami, cette fois, venu à moi comme si le Diable l'avait fait surgir de l'Enfer, ce violoniste, spécialement à l'intention de ceux d'entre nous qui sont « enamourés de la mort apaisante ».

Père, Mère, Lily, donnez-moi vos ossements. Donnez-moi la tombe. Emmenons-y Karl pour qu'il repose à nos côtés. Que nous importe, à ceux d'entre nous qui sont morts, qu'il soit mort de quelque maladie virulente : nous sommes tous ensemble, dans la terre humide. Nous sommes ensemble dans la mort.

3

Creuse, mon âme, creuse profondément pour trouver le cœur – le sang, la chaleur, le temple, le havre de repos. Creuse le terreau humide jusqu'au lieu où ils reposent, ceux que j'aime : Mère, aux cheveux bruns défaits dont il ne reste rien, aux ossements depuis longtemps repoussés au fond du caveau par d'autres cercueils venus prendre sa place, mais dans ce rêve je les dispose autour de moi pour les tenir dans mes bras, comme si elle était là, Mère, dans sa robe rouge foncé, avec ses cheveux bruns, et lui – mon Père mort depuis peu, sans doute toujours enduit de cire et de baumes, enterré sans cravate parce qu'il n'en voulait pas et que je l'ai retirée et ai déboutonné sa chemise alors qu'il était déjà dans le cercueil, sachant combien il détestait les cravates, et ses membres étaient lisses et intacts grâce aux fluides des embaumeurs, ou, qui sait, peut-être abritaient-ils déjà une vie puisée aux tendres bouches de la terre, venues se lamenter et dévorer avant de prendre congé, et elle, la plus jeune, ma toute belle, chauve à cause du cancer mais adorable comme un ange né sans cheveux et parfait, mais laissez-moi lui redonner sa longue chevelure dorée que les médicaments ont fait tomber, ses fins cheveux qu'il était si doux de brosser, blond fraise, la plus jolie petite fille du monde, chair de ma chair – ma fille, morte depuis tant d'années qu'elle serait devenue femme si elle avait vécu...

Creuse, creuse profond... que je puisse reposer à vos côtés, reposons tous ici, de nouveau réunis.

Reposez avec moi, avec Karl et moi. Karl, qui est déjà un squelette !

Elle est ouverte, cette tombe où nous sommes si tendrement et joyeusement réunis. Il n'existe pas de mots pour décrire une union si douce et si totale, nos corps, nos cadavres, nos os, unis dans une si lourde étreinte.

Je ne connais nulle séparation, de personne. Mère, Père, Karl, Lily, tous les morts et tous les vivants ne font qu'un – une seule et même souche – dans cette tombe humide et croulante, ce lieu privé et secret, notre cachette, ce profond caveau de terre où nous pourrirons et nous unirons quand viendront les fourmis, attirées par les moisissures couvrant notre peau.

Ce détail est sans importance.

Soyons ensemble, nul visage oublié, chaque rire sonnant aussi clair qu'il y a vingt ans, ou deux fois vingt ans, rire s'élevant joyeusement comme la musique d'un violon spectral, un violon incertain et parfait ; notre rire, notre musique qui mêlait intimement les âmes et les esprits, nous unissant à jamais.

Pluie chaude et sonore, tombe doucement sur cette vaste tombe, abri caché et douillet. Que serait cette tombe, sans la pluie ? Notre douce pluie du Sud.

Tombe, légère et douce comme un baiser pour ne pas troubler cette étreinte qui nous fait vivre – moi et eux, les morts, comme si nous ne faisions qu'un. Cette crevasse est notre maison, notre *home*. Que les gouttes soient des larmes pareilles à des chansons, faites de sons et de silences plutôt que d'eau, car ici rien ne doit être perturbé, je ne veux que douceur satinée parmi vous, à jamais. Lily, blottis-toi contre moi ; Mère, laisse-moi enfouir mon visage dans ton cou bien que nous ne fassions qu'une, et Karl nous enlace tous de ses bras, et Père aussi.

Venez, fleurs ! Nul besoin de répandre des tiges brisées ou des pétales cramoisis. Inutile de leur apporter de grands bouquets entourés de rubans brillants.

La terre célébrera cette tombe ; elle donnera son herbe sauvage et maigre, ses simples fleurs agitées par le vent, boutons d'or et pâquerettes et coquelicots, couleurs bleue, jaune et rose, teintes moelleuses du jardin éternel, anarchique et envahissant.

Laisse-moi me blottir contre toi, laisse-moi reposer dans tes bras, laisse-moi t'assurer qu'aucun signe extérieur de la mort ne peut me faire oublier l'amour et ce que nous avons vécu, toi et moi, jadis, et nous tous quand nous étions vivants, et je ne voudrais être nulle part si ce n'est avec vous, ici, à l'abri de cette corruption patiente.

Il m'a été donné de préserver ma conscience jusque dans cette ultime étreinte ! Je suis intime avec la mort, et pourtant je vis pour la connaître et la savourer.

Que les arbres s'inclinent pour cacher ce lieu, qu'ils s'entrelacent pour former devant mes yeux un rideau de plus en plus épais, non pas vert mais noir comme s'il avait piégé la nuit, repoussant le moindre regard fouineur tandis que l'herbe pousse haut – afin que nous puissions être seuls, rien que nous, toi et moi, et ceux que j'ai tant aimés et sans lesquels je ne puis vivre.

Coule. Enfonce-toi dans les profondeurs de la terre. Sens la terre se refermer autour de toi. Que les mottes humides scellent notre quiétude. C'est mon unique désir.

Fermement unie à vous, en sécurité, je peux maintenant envoyer au diable tout ce qui cherche à s'interposer entre nous.

Venez, étrangers dont les pas résonnent dans l'escalier.

Brisez la serrure, oui, brisez le bois, arrachez les gonds et emplissez l'air de fumée blanche. Ne meurtrissez pas mes bras, car je ne suis pas ici, je suis dans la tombe, et c'est une image rigide et furieuse de moi-même que vous venez importuner. Les draps sont propres, vous voyez ! J'aurais pu vous le dire.

Enroulez-le dans les draps, serrez-les bien si vous y tenez, cela n'a pas la moindre importance : il n'y a pas de sang, vous voyez, rien de virulent qui puisse vous contaminer. Il n'est pas mort de chancres béants, il s'est consumé de l'intérieur, comme il arrive souvent à ceux qui ont le sida, même respirer lui faisait mal, et que vous reste-t-il à craindre, maintenant ?

Je ne suis pas avec vous ni avec ceux qui posent des questions sur le lieu et l'heure, qui parlent de numéros qu'il faudrait appeler ; je ne peux pas répondre à ceux qui veulent « aider ». Je suis à l'abri dans la tombe. Je presse mes lèvres sur le crâne de mon père. Je prends la main osseuse de ma mère. Laissez-moi vous tenir dans mes bras !

La musique parvient toujours à mes oreilles. Dire que ce violoniste solitaire est venu à travers les hautes herbes, sous la pluie battante, dans l'épaisse fumée d'une nuit imaginée, d'une vision de ténèbres, pour rester auprès de moi et jouer sa lamentation, pour donner voix à ces mots qui m'emplissent la tête, tandis que la terre se gorge d'humidité et que toutes les créatures qui vivent en elle semblent n'être que naturelles, bienveillantes et même belles, un tout petit peu belles !

Il n'y a plus de sang dans notre tombe douce et obscure, tout le sang est parti, sauf le mien, et dans notre berceau de terre, je saigne aussi facilement que je soupire. Et si l'on a besoin de sang pour quelque raison que ce soit ici-bas, j'en ai assez pour nous tous.

La peur n'a pas accès à ce lieu. La peur n'existe plus. Faites tinter les clefs et empilez les tasses. Tapez bruyamment les pots contre le poêle en fonte, en bas. Emplissez la nuit de hurlements de sirènes si vous y tenez. Faites couler l'eau, couler, jusqu'à emplir la baignoire. Je ne vous vois pas. Je ne vous connais pas.

Aucun souci, aucune préoccupation mesquine n'est de mise dans cette tombe où nous reposons. La peur a disparu – de même que la jeunesse et cette vieille angoisse, quand je les regardais vous confier à la terre, un cercueil après l'autre : celui de Père, d'un bois si précieux, et celui de Mère, je m'en souviens, et celui de Lily tout blanc et si petit, et le vieux monsieur qui refusait notre argent car ce n'était qu'une petite enfant. Non, tous ces soucis ont disparu.

La peur et les soucis nous rendent sourds à la vraie musique. La crainte nous empêche d'étreindre les ossements de ceux que nous aimons.

Vivante, je suis avec vous maintenant, et c'est la première fois, vraiment la première fois que je réalise que vous serez toujours auprès de moi.

Père, Mère, Karl, Lily, serrez-moi fort !

Peut-être est-ce un péché de demander leur compassion aux morts, à ceux qui ont eu une fin douloureuse, à ceux que je n'ai pu sauver faute de connaître les adieux et les charmes propres à repousser la panique ou l'agonie, à ceux qui, en ces ultimes moments de détachement et de dissonance, n'ont pas vu de larmes peut-être, ou n'ont pas entendu la promesse de les pleurer à jamais.

Maintenant, je suis ici ! Ici, avec vous ! Être mort, je sais ce que cela veut dire. Je laisse la boue me recouvrir, je laisse mon pied s'enfoncer dans le flanc spongieux de la tombe.

Ceci, ma maison, est une vision. Ils n'existent pas pour moi, et ce qu'ils disent est sans conséquence :

« Vous entendez cette musique ?
– Je pense qu'elle devrait reprendre une douche ! Il faut qu'elle soit désinfectée à fond !
– Il faudrait brûler tout ce qu'il y a dans cette chambre...
– Pas ce superbe lit à colonnes, tout de même, ce serait absurde ; quand quelqu'un est mort de cela, il ne font pas sauter toute la chambre d'hôpital...
– ... et son manuscrit, surtout n'y touchez pas. »
Vous n'avez pas intérêt à toucher à son manuscrit !
« Chut, pas devant...
– Vous ne voyez donc pas qu'elle est folle ?
– ... sa mère a pris le premier avion à Gatwick.
– ... complètement folle, folle à lier.
– Je vous en prie, vous deux ! Pour l'amour du ciel, si vous aimez votre sœur, taisez-vous. Vous la connaissiez bien, Miss Hardy ?
– Tenez, Triana, buvez ceci. »
Voici ma vision. Ma maison : je suis assise dans le salon, lavée et brossée comme si c'était moi que l'on allait enterrer, les cheveux dégoulinant d'eau. Qu'importe que le soleil du matin frappe les miroirs. Renversez l'urne d'argent, éparpillez les brillantes plumes de paon dans toute la chambre. Ne couvrez pas de voiles sinistres tout ce qui brille. Scrutez le miroir pour découvrir le fantôme qui s'y cache.

Ceci est ma maison. Et ceci est mon jardin, les roses grimpent sur les hautes balustrades, et nous sommes aussi dans notre tombe, et les deux ne font qu'un.

Nous sommes dans la tombe et nous sommes dans la maison, tout le reste n'est qu'une défaillance de l'imagination.

Dans ce domaine doux et pluvieux où l'eau chante en gouttant du feuillage qui s'assombrit, tandis que la terre s'effrite, tombant des bords irréguliers, je suis la fille, l'épouse et la mère, titres vénérables et précieux que je revendique.

Vous êtes à moi pour toujours ! Jamais, jamais je ne vous laisserai partir, jamais je ne m'en irai.

Soit. Nous avons donc commis une erreur, une fois de plus. Nous avons abattu nos cartes. Nous avons doucement poussé la lourde porte de la folie, puis nous nous sommes jetés contre elle comme ils l'ont fait avec la porte de Karl, mais la porte de la folie ne s'est pas brisée, et le rêve, c'est le territoire inconnu et dangereux de la tombe.

Pourtant, à travers elle, j'entends sa musique.

Cela m'étonnerait qu'ils l'entendent. Il y a une voix dans ma tête, et le violon est sa voix à lui, dehors. Ensemble, nous gardons le secret : cette tombe est ma vision et je ne peux pas vraiment être avec vous en ce moment, ô mes morts. Les vivants ont besoin de moi.

Le vivants ont besoin de moi, maintenant, tellement besoin de moi, comme ils ont toujours besoin des veuves affligées après un décès, il leur faut ceux qui ont soigné jusqu'au bout, qui sont restés assis le plus longtemps dans le silence, ils sont avides avec leurs questions et leurs suggestions, affirmations et déclarations, et leurs papiers à signer. Ils ont besoin que je regarde les sourires les plus étranges et que je m'arrange pour accepter avec grâce les condoléances les plus maladroites.

Mais je viendrai. Le moment venu, je viendrai. Et lorsque je serai là, la tombe nous accueillera tous. Et l'herbe poussera au-dessus de nous.

Je vous donne de l'amour, tout mon amour. Que la terre se gorge d'eau et que mes membres vivants s'y enfoncent ! Donnez-moi des crânes pareils à des pierres, que je les presse contre mes lèvres; donnez-moi des os, que je les serre entre mes doigts – et si les cheveux ont disparu, soie la plus fine, il n'importe. Mes cheveux sont assez longs pour nous servir de linceul à tous. Regardez-la, cette longue chevelure ! Laissez-moi nous couvrir tous.

La mort n'est pas la mort que je croyais jadis, lorsque la peur était foulée aux pieds. Les cœurs brisés devraient battre éternellement contre les vitres blanchies par l'hiver.

Serrez-moi, serrez-moi fort, retenez-moi ici. Ne me laissez jamais m'attarder en un autre lieu.

Oubliez la jolie dentelle, les murs peints avec art, les luisantes incrustations du bureau. La porcelaine qu'ils manient avec tant de soin, posant sur la table l'une après l'autre les tasses et les soucoupes aux fins motifs bleu et or. Les affaires de Karl. Tourne-toi. Ne sens pas ces bras vivants.

Ce qui est important, lorsque le café s'écoule d'un bec d'argent, c'est la façon dont la lumière du matin l'éclaire de l'intérieur, donnant au brun foncé du café une teinte d'ambre doré, tandis que le jet virevolte comme une danseuse jusqu'à ce que la tasse soit pleine, pour s'arrêter soudain tel un génie que l'on remet dans sa bouteille.

Retourne là où le jardin tombe en ruine. Tu nous y trouveras tous ensemble. Là-bas, tu nous trouveras.

De mémoire, une image parfaite : la chapelle du Garden District au crépuscule, Notre-Dame-du-Bon-Secours, notre petite église aménagée dans une ancienne maison de maître. Elle n'est qu'à quelques minutes de mon portail, au début de Prytania Street. Les hautes fenêtres sont emplies de reflets rosés. De longs cierges couverts de coulures dans des bougeoirs d'épais verre rouge sont disposés devant un saint que nous aimons et révérons sous le nom de « La Petite Fleur ». L'obscurité y est pareille à de la poussière. Mais elle n'est pas impénétrable.

Mère, ma sœur Rosalind et moi sommes agenouillées devant la froide balustrade en marbre de l'autel. Nous déposons nos bouquets de petites fleurs cueillies de-ci de-là sur les vieux murs, à travers des clôtures en fer semblables à la nôtre : humbles résédas, adorables dentelaires d'un si joli bleu, petites fleurs de lantaniers brun et or. Jamais de fleurs cultivées. Seulement celles qui poussent en désordre au pied des grilles où s'accroche la vigne vierge, et qu'il ne faudrait jamais négliger. Tels sont nos bouquets, et nous n'avons rien pour les attacher, si ce n'est nos mains. Nous les posons sur la balustrade de l'autel. Pendant que nous nous signons et disons nos prières, je suis prise d'un doute :

« Es-tu sûre que la Sainte Vierge et le petit Jésus recevront ces fleurs ? »

Devant nous, au pied de l'autel, les personnages de la Cène, en bois sculpté, sont alignés dans une profonde niche vitrée. Plus haut, sur un tissu brodé, sont posés les bouquets « officiels » de la chapelle, fleurs géantes, d'une blancheur de neige sur leurs tiges se dressant comme des lances. Elles ont une telle autorité, un tel pouvoir ! Ce sont des fleurs aussi puissantes que les grands cierges en cire.

« Bien sûr, dit Mère. Quand nous serons parties, le Frère viendra prendre nos petites fleurs. Il les mettra dans un vase et les posera devant l'Enfant Jésus, là-bas, ou devant la Sainte Vierge. »

L'Enfant Jésus se trouve tout au fond, à droite ; la fenêtre ne donne plus qu'une faible lumière, on le voit à peine. Je distingue tout de même le Globe qu'Il tient dans ses mains, et l'or qui luit sur Sa couronne, et je sais que ses doigts sont levés en un geste de bénédiction, et que cette statue, c'est l'Enfant Jésus de Prague, avec Sa somptueuse cape rose et Ses adorables joues incarnat.

Mais en ce qui concerne les fleurs, cela m'étonnerait... Elles sont trop humbles. Qui se souciera de telles fleurs, abandonnées au crépuscule dans la chapelle qui s'emplit d'ombres ; je le sens, car Mère, anxieuse, serre plus fort la main de ses deux petites filles, Rosalind et Triana. Après avoir fait nos génuflexions, nous nous dirigeons vers la porte. Nous portons des *Mary Janes* en cuir verni qui font du bruit sur le sol de linoléum foncé. L'eau du bénitier est tiède. La nuit est vibrante de lumière, mais il n'y en a plus assez pour s'aventurer entre les bancs de la chapelle.

Je me fais du souci au sujet des fleurs.

En tout cas, il y a longtemps que je ne me soucie plus de ces petites choses.

Je ne chéris que le souvenir, qui me dit que nous étions là un jour. Si je puis le voir, le ressentir, et entendre le violon qui chante ce chant, je suis là de nouveau, et, comme je l'ai dit : Mère, nous sommes réunis.

Non, je ne me soucie plus du reste. Aurait-elle, mon enfant, aurait-elle vécu si j'avais remué ciel et terre pour l'emmener dans une lointaine clinique ? Et mon Père, ne serait-il pas mort, si le débit de l'oxygène avait été mieux réglé ? Avait-elle peur, ma Mère, lorsqu'elle a dit « Je meurs » aux cousins qui s'occupaient d'elle ? Souhaitait-elle notre présence ?

Au nom du Ciel, arrête !

Ni pour les vivants, ni pour les morts, ni pour les fleurs vieilles de cinquante ans, je ne voudrais revivre ces accusations !

Dans la lumière incertaine de la chapelle, les saints ne répondent pas. L'icône de Notre-Dame-du-Bon-Secours luit doucement dans l'ombre solennelle. L'Enfant Jésus de Prague attend ses fidèles avec sa couronne émaillée de joyaux et ses yeux non moins étincelants.

Mais vous, vous mes morts, ma chair, mes trésors, ceux que j'ai aimés si totalement, vous tous qui êtes maintenant dans la tombe avec moi – sans yeux, ni chair pour me tenir chaud – vous êtes avec moi !

Tous les adieux étaient des illusions. Tout est parfait.

« La musique a cessé.

– Dieu merci !

– Vous êtes sûrs ? » C'était la voix douce et profonde de Rosalind, ma sœur qui ne mâche pas ses mots. « Ce type était fantastique. C'était... plus que de la musique.

– Il est très fort, je te l'accorde. » C'était Glenn, son mari, mon beau-frère chéri.

« Il était là quand je suis arrivée. » La voix de Miss Hardy. « De fait, s'il n'était pas venu jouer du violon, je ne l'aurais jamais trouvée. Le voyez-vous encore, dehors ? »

Ma sœur Katrinka :

« Je pense qu'elle devrait aller sans tarder à l'hôpital, pour subir toute une batterie de tests. Il faut être absolument sûr qu'elle n'a pas contracté...

– Chut ! je vous interdis de parler ainsi. » Merci, parfait étranger.

« Triana chérie, c'est Miss Hardy. Regardez-moi, ma chérie. Je suis navrée de m'être querellée avec vos sœurs, excusez-moi. J'aimerais que vous buviez ceci. C'est juste une tasse de chocolat. Vous vous souvenez, quand vous étiez venue un après-midi ? Nous avions bu du chocolat, et vous aviez dit que vous adoriez cela. J'ai mis plein de crème, j'aimerais vraiment que vous... »

Je levai les yeux. Comme cette grande pièce était fraîche et plaisante à la lumière du matin qui faisait étinceler la porcelaine sur la table. Une table ronde. J'ai toujours aimé les tables rondes. Les disques, les emballages de biscuits et les boîtes vides, tout avait été enlevé. Les guirlandes de fleurs en stuc du plafond avaient repris leur air gai et solennel, maintenant qu'elles n'étaient plus souillées par ces détritus.

Je me levai et fis quelques pas. Arrivée à la fenêtre, je tirai de côté l'épais rideau jaunissant. Le monde entier était là, jusqu'au ciel, et le vent soulevait les feuilles mortes sur la véranda, juste devant moi.

La ruée matinale vers le centre avait commencé. Le vacarme des camions. Je voyais les feuilles du chêne frémir, ébranlées par le tonnerre de tant de roues. Je sentais la maison elle-même trembler. Mais il y avait un siècle peut-être qu'elle tremblait ainsi ; cela ne la ferait pas tomber. Tout le monde avait fini par s'en rendre compte. Ils avaient renoncé à démolir ces belles demeures aux colonnes blanches. Ils ne vomissaient plus des mensonges sur l'impossibilité d'entretenir ou de chauffer ces maisons. Ils luttaient au contraire pour les préserver.

Quelqu'un m'a secouée par l'épaule. Ma sœur Katrinka. Elle paraissait hors d'elle, son mince visage crispé par la colère : la colère, son alliée, son amie. La colère qui ne cessait de bouillonner en elle, guettant la moindre occasion de déborder, comme c'était le cas maintenant ; elle était dans une telle rage qu'elle avait du mal à parler.

« Je veux que tu ailles en haut.

– Pour quoi faire ? » répondis-je avec froideur. Il y a des années, tant d'années que je n'ai plus peur de toi. Depuis le départ de Faye, je crois. Faye était la plus petite d'entre nous. Faye était celle que nous aimions toutes.

« Je veux que tu te laves de nouveau, des pieds à la tête, puis que tu ailles à l'hôpital.

– Tu es stupide. Tu l'as toujours été. Rien ne m'y oblige. »

Je regardai Miss Hardy.

Je ne sais trop quand, au cours de cette nuit interminable et discordante, elle avait dû rentrer chez elle. Elle portait maintenant une coquette robe chemisier, et s'était recoiffée. Son sourire était réconfortant.

« Ils l'ont emmené ? demandai-je à Miss Hardy.

– Son livre, le livre sur saint Sébastien : j'ai tout rangé, sauf les dernières pages. Elles étaient sur la table, à côté du lit. Ils...

– Je les ai mises en bas avec le reste, elles ne risquent rien. » C'était mon gentil beau-frère Glenn.

Parfait. J'avais montré à Glenn où Karl rangeait son travail. On n'est jamais trop prudent... *brûler tout ce qu'il y a dans la chambre.*

Derrière moi, des bruits de voix, une dispute. Rosalind s'efforçait de calmer sa sœur cadette Katrinka, perpétuellement angoissée, avec ses longues diatribes qu'elle débite les dents serrées. Un jour, Katrinka se brisera les dents au beau milieu d'une phrase.

« Elle est folle ! disait Katrinka. Et elle a probablement attrapé le virus !

– S'il te plaît, Trink, calme-toi. Je t'en conjure... » Depuis longtemps déjà, Rosalind ne savait plus être méchante. Les mauvais souvenirs de l'enfance avaient été arrachés comme des mauvaises herbes, ou d'autres les avaient chassés.

Je me tournai vers Rosalind pour la regarder. Elle était perchée sur la table, lourde, affaissée, l'air ensommeillé. Haussant ses sourcils foncés, elle dit de sa voix profonde et directe, en faisant un petit geste de la main :

« Ils vont l'incinérer. » Elle soupira. « C'est la loi. Mais ne t'inquiète pas, j'ai veillé à ce qu'on ne démonte pas la chambre entière, plancher compris. » Elle partit d'un rire à la fois malicieux et arrogant, ce qui était parfait. « Si on écoutait Katrinka, elle ferait démolir tout le pâté de maisons... » Le rire la secouait.

Katrinka se mit à rugir.

Je souris à Rosalind. Je me demandais si elle avait des craintes d'ordre financier. Karl était tellement généreux. Ils pensaient tous à l'argent, c'était certain. Aux libéralités de Karl, qui lui coûtaient si peu.

Et l'on se disputerait sûrement un peu au sujet des funérailles. C'est toujours le cas, même si l'on a pris ses dispositions à l'avance – et Karl avait tout prévu. Incinéré ! Cette idée m'était intolérable. Dans ma tombe, parmi ceux que j'aime, il n'y a pas de place pour des cendres anonymes.

Rosalind ne le dirait jamais, mais j'étais *sûre* qu'elle pensait à l'argent. C'était Karl qui donnait à Rosalind et à son mari, Glenn, de quoi vivre et faire tourner leur petit magasin de disques et de livres anciens qui n'a jamais rapporté un sou, pour autant que je sache. Craignait-elle que l'argent cesse d'arriver ? J'aurais voulu la rassurer.

Miss Hardy haussa le ton. Katrinka sortit en claquant la porte. Katrinka est l'un des deux adultes de ma connaissance qui font claquer les portes quand ils sont en colère. L'autre était à des milles de là, sorti de ma vie depuis longtemps, et tendrement remémoré pour d'autres raisons que ce genre de violence gratuite.

Rosalind – notre aînée, devenue plus qu'un peu rondelette, dont la chevelure superbe a blanchi mais a gardé ses adorables boucles –, Rosalind se contenta de hausser les épaules avec ce petit sourire affecté dont elle avait le secret.

« Rien ne t'oblige à courir à l'hôpital. Tu le sais parfaitement. » Rosalind avait été infirmière pendant longtemps, trop longtemps, à traîner des bouteilles d'oxygène et à essuyer le sang. « Il n'y a aucune urgence », m'assura-t-elle avec autorité.

Je connais un meilleur endroit où aller. L'avais-je dit, ou seulement pensé ? Il me suffisait de fermer les yeux pour que la pièce disparaisse, cédant la place à la tombe, et alors venait le doute torturant : où est le rêve, où, la réalité ?

Je posai le front contre la vitre ; elle était froide, et sa musique... la musique de mon violoniste vagabond... Je l'invoquai : *Tu es là, n'est-ce pas ? Allons, je sais que tu n'es pas parti. T'imaginais-tu que je n'écoutais pas...?* Le violon se fit de nouveau entendre. Grave et exubérant à la fois, angoissé et pourtant empli d'une exaltation naïve.

Derrière moi, Rosalind se mit à fredonner tout bas, joignant sa voix à la mélodie lointaine, toujours en retard d'une ou deux mesures.

« Tu l'entends ?

– Ouais », fit-elle avec son haussement d'épaules caractéristique. « On peut dire que tu as un drôle d'ami, dehors. Un vrai rossignol, mais le soleil ne l'a pas chassé. Bien sûr, que je l'entends. »

L'eau continuait à goutter de mes cheveux, mouillant le parquet. Katrinka sanglotait dans le couloir. Il y avait deux autres voix, des voix féminines apparemment, trop indistinctes pour que je pusse les identifier. « Je peux pas supporter ça, pas maintenant, c'en est trop ! disait Katrinka. Vous ne voyez donc pas qu'elle est folle ? Je ne peux pas, peux pas, peux pas... »

J'avais l'impression d'être à la croisée des chemins. Je savais où se trouvait la tombe, j'en connaissais la profondeur exacte. Rien ne m'empêchait d'y aller. Pourquoi ne le faisais-je pas ?

Il jouait maintenant une mélodie lente et noble, grave et aérienne, qui semblait ne faire qu'un avec le matin, comme si nous sortions ensemble du cimetière. En un éclair d'une netteté troublante, une image surgit : nos petits bouquets sur la balustrade en marbre blanc de la chapelle.

« Viens, Triana. » Ma mère était si jolie, un béret cachait ses cheveux, sa voix était si patiente, elle avait des yeux immenses. « Allez, viens, Triana ! »

Tu vas mourir loin de nous, Mère. Belle et sans un seul cheveu gris. Le moment venu, je n'aurai même pas l'idée de t'embrasser pour te dire adieu, alors que je ne te reverrai plus jamais. Au contraire, je me réjouirai de ton départ car tu es tellement soûle et malade, et que je suis si lasse de m'occuper de Katrinka et de Faye. Mère, tu connaîtras la mort effroyable d'une alcoolique avalant sa langue. Et je donnerai naissance à une petite fille qui te ressemble, elle a tes grands yeux ronds, tes tempes et ton front si beaux, et elle mourra, Mère, elle mourra avant même d'avoir six ans, entourée de machines, pendant les quelques minutes, les quelques rares minutes, Mère, pendant lesquelles j'essayais de récupérer un peu, comme on dit. Je l'ai trouvée morte, je...

Loin de moi, regrets torturants ! Rosalind et moi courons sur le trottoir dallé ; Mère nous suit lentement, souriante ; elle n'a pas peur de l'obscurité ce soir, le ciel est trop vibrant. Telles étaient les années que nous avons vécues. La guerre n'est pas finie. Les voitures qui descendent lentement Prytania Street ressemblent à des criquets bossus ou à des scarabées.

« Arrêtez, vous dis-je ! » J'avais parlé toute seule. Je levai la main pour tâter mes cheveux mouillés. Quelle horreur d'être ici, entourée de ce vacarme, et de surcroît toute trempée. Écoutez la voix autoritaire de Miss Hardy. Elle prend les choses en main.

Dehors, le soleil projette une lumière crue sur les vérandas, les voitures qui filent sur l'avenue, les vieux tramways en bois à la peinture écaillée qui passent à quelques mètres de moi ; le tram venant du centre faisait tinter sa cloche d'une manière aussi théâtrale que le funiculaire de San Francisco.

« Comment a-t-elle pu nous faire ça ? » se lamentait Katrinka. Mais c'était derrière la porte. La porte qu'elle avait claquée. Katrinka beuglait dans le couloir.

On sonna à la porte, mais j'étais trop sur le côté de la maison pour voir qui montait les marches du perron, même en me penchant.

Je voyais seulement les azalées blanches qui bordent la clôture jusqu'à l'angle de la propriété, et au-delà. Quelle beauté, quelle merveille ! Karl avait payé tout cela : les jardiniers et la terre de bruyère, les menuisiers, les clous et les marteaux, la peinture blanche pour les colonnes. Regardez ! les chapitaux corinthiens restaurés, les feuilles d'acanthe se dressant pour soutenir le toit. Regardez ! le bleu profond du plafond de la véranda, pour que les guêpes, croyant que c'est le ciel, n'y construisent pas leurs nids.

« Venez, ma chérie. » C'était une voix d'homme, cette fois. Je le connaissais. Pas vraiment un intime ; un homme en lequel j'avais confiance, mais impossible de me rappeler son nom, peut-être parce que, là-bas, Katrinka continuait à s'égosiller.

« Triana chérie... » C'était Grady Dubosson, mon avocat. Tiré à quatre épingles, costume trois pièces et cravate, il ne paraissait même pas ensommeillé, et maîtrisait à la perfection l'expression de son visage comme s'il savait, de même que tant de gens ici, comment se comporter face à la mort sans la nier ni manifester de sentiments hypocrites.

« Ne vous inquiétez pas, Triana chérie », dit-il de sa voix la plus naturelle, sur le ton de la confidence. « Tant que je suis là, ils ne toucheront pas une seule fourchette en argent. Le Dr Guidry va vous emmener en ville. Reposez-vous. La cérémonie n'aura pas lieu tant que les autres ne seront pas revenus de Londres.

– Le livre de Karl. Il restait quelques feuillets en haut. »

De nouveau la voix grave et réconfortante de Glenn, avec son accent du Sud : « Je les ai rangés, Triana. J'ai descendu tous ses papiers, personne ne brûlera quoi que ce soit là-haut...

– Désolée de vous avoir causé tant d'ennuis », murmurai-je.

« Complètement fêlée ! » C'était Katrinka, évidemment.

Rosalind soupira. « Je n'ai pas l'impression qu'il ait souffert. On dirait qu'il s'est endormi. » Elle disait cela pour me réconforter. Me détournant une fois de plus de la fenêtre, je la remerciai d'un geste secret ; s'en rendant compte, elle me sourit.

Le sourire de Rosalind était d'une douceur incomparable. Je l'aimais immensément. Elle releva ses lunettes à monture épaisse, qui ne cessaient de glisser sur son nez. Quand elle était jeune, mon père lui criait tout le temps de remonter ses lunettes. Mais cela ne marchait pas vraiment car, contrairement au sien, son nez était plutôt petit. Elle avait exactement l'allure qu'il détestait : rêveuse et débraillée, les lunettes jamais en place, toujours une cigarette à la main, de la cendre plein son manteau, mais si douce, débordant d'amour, le corps lourd, déformé par les ans. Je l'aimais plus que je ne puis dire.

« Je ne pense pas qu'il ait souffert, pas du tout, disait-elle. Ne fais pas attention à ce que raconte la petite

Trink. Dis donc, Trink, as-tu jamais pensé à tous ces lits d'hôtel où tu as dormi avec Martin ? Je veux dire, à ceux qui les avaient occupés avant vous, avec le sida ? »

J'avais envie d'éclater de rire.

« Venez, ma chérie », dit Grady.

Le Dr Guidry prit ma main dans les siennes. Quel jeune homme ! J'ai du mal à m'habituer à avoir des médecins plus jeunes que moi. Le Dr Guidry est incroyablement blond, et d'une propreté méticuleuse. On voit toujours une petite bible dépasser de la poche de son veston. Un catholique ne ferait jamais cela. Il est sûrement baptiste. Et je me sens tellement sans âge. Mais c'est parce que je suis morte, n'est-ce pas ? Je suis dans la tombe.

Non. Cela ne marche jamais longtemps.

« Suivez mon conseil, je vous assure », dit le Dr Guidry avec autant de douceur que s'il m'embrassait. « Et ne vous faites pas de souci, Grady s'occupera de tout.

– Ça s'est arrêté, dit Rosalind.

– Hein ? Qu'est-ce qui s'est arrêté ? » Katrinka était apparue à la porte donnant sur le couloir. Elle se moucha, roula le Kleenex en boule et le jeta par terre, puis me lança un regard furieux : « As-tu pensé aux conséquences de ton comportement, à ce que cela nous faisait, à nous tous ? »

Je ne daignai pas répondre.

« Le violoniste, expliqua Rosalind. Ton troubadour. J'ai l'impression qu'il est parti.

– Quel violoniste ? Je n'ai jamais entendu de violoniste », dit Katrinka, les mâchoires serrées. « Qu'est-ce que c'est que ces histoires de violoniste ? A vous entendre, on dirait que ce fichu violoniste est plus important que ce que j'essaie de vous dire ! »

Miss Hardy arriva à son tour, passant devant Katrinka comme si celle-ci n'existait pas. Miss Hardy portait des escarpins d'une blancheur immaculée. J'en conclus que ce devait être le printemps, car les dames du Garden District ne portent des chaussures blanches qu'à la belle saison. Il faisait froid, pourtant. J'en étais sûre.

Elle m'avait apporté un manteau et une écharpe. « Venez, ma chérie, laissez-moi vous aider à les mettre. »

Katrinka continuait à me regarder fixement. Ses lèvres tremblaient, ses yeux globuleux étaient tout rouges, ses larmes continuaient à couler. Elle avait eu une vie tellement triste... mais au moins, Mère n'était pas imbibée d'alcool quand elle lui avait donné le jour. Katrinka était jolie et robuste, alors que Faye avait survécu de justesse, petite chose souriante qu'il avait fallu mettre dans une machine pendant des semaines, et qui n'avait jamais eu confiance en elle, en son charme si singulier de petit elfe.

« Qu'est-ce qui te retient ici ? demandai-je à Katrinka. Il y a déjà trop de monde. Où est Martin ? Téléphone-lui pour qu'il vienne te chercher. » Martin était son mari, jadis avocat fort réputé dans la région, devenu un as de l'immobilier.

Rosalind se mit à rire tout bas. Soudain, je compris le message de son petit ricanement affecté et un peu dédaigneux. Évidemment ! Cela sautait aux yeux.

Les bras croisés sur la poitrine, Rosalind se pencha en avant jusqu'à ce que ses seins reposent sur la table, et remonta ses lunettes.

« Ta place est à l'asile, disait Katrinka d'une voix tremblante. Quand ta fille est morte, tu as perdu la tête ! Qu'avais-tu besoin de t'occuper tout le temps de Père, de prendre tellement soin de lui ? Une infirmière était là jour et nuit. Les médecins venaient sans cesse. Tu es folle, tu ne peux pas rester dans cette maison... »

Elle se tut, prenant elle aussi conscience de sa maladresse.

« Je dois dire que vous ne mâchez pas vos mots, ma jeune dame, dit Miss Hardy. Si vous voulez bien m'excuser...

– Miss Hardy, permettez-moi de vous remercier de tout ce que avez fait. Je suis terriblement... »

Elle me fit signe de me calmer – tout était oublié.

Je me tournai vers Rosalind. Elle continuait à rire doucement, hochant la tête de droite à gauche, regardant Katrinka par-dessus ses lunettes, grande et belle et lourde, avec l'autorité que donnent le poids et les ans.

Face à elle, Katrinka : athlétique, mince, séduisante, les seins tendant férocement la soie de son corsage à manches courtes, les bras incroyablement minces et musclés. De nous quatre, Katrinka était celle qui avait reçu en partage un corps parfait, et la seule qui eût les cheveux blonds, vraiment blonds.

Un silence. Qu'annonçait-il ? Lentement, Rosalind se redressa, leva le menton et dit dans un souffle, mais sur un ton d'une telle solennité qu'il semblait résonner dans la pièce entière :

« Tu n'auras pas cette maison, Katrinka. »
Elle abattit la main sur la table pour ponctuer ses mots, et son rire s'éleva bruyamment.
J'éclatai de rire, moi aussi. Pas très fort, bien sûr. Mais c'était vraiment trop drôle.
« Comment oses-tu m'accuser de la sorte ! » C'était à moi que Katrinka s'adressait. « Tu t'enfermes ici pendant deux jours avec un cadavre, et j'essaie de leur faire comprendre que tu es malade, qu'il faut t'enfermer, qu'il faut t'examiner, que tu devrais être au lit, et tu t'imagines que je veux cette maison, que c'est pour cela que je suis venue en un moment pareil... comme si je n'avais pas ma propre maison hypothéquée à mort, un mari, des filles, et tu crois que... tu oses me dire cela en présence de gens que nous connaissons... »
Grady s'approcha d'elle et lui parla à voix basse, avec insistance. Le docteur voulut prendre Katrinka par le bras, mais elle se dégagea.
Rosalind eut un haussement d'épaules résigné. « Désolée de te le rappeler, Trink, mais cette maison appartient à Triana jusqu'à sa mort. Elle est à elle et à Faye, si celle-ci vit toujours. Il se peut que Triana soit folle, mais elle n'est pas morte. »
Je ne pus m'empêcher de rire de nouveau, d'un petit rire malicieux. Rosalind se joignit à moi.
« Quel dommage que Faye ne soit pas là », dis-je à Rosalind.
Faye était notre sœur cadette. Faye, ce petit bout de femme, cette petite laissée-pour-compte née d'un ventre malade et affamé.
Depuis deux ans, personne n'avait vu ma Faye bien-aimée, personne n'avait eu de ses nouvelles. Faye !
« Vous savez, c'est peut-être ça le problème, depuis toujours », finis-je par dire en me frottant les yeux, au bord des larmes.
« De quoi parles-tu ? » demanda Rosalind. Elle paraissait presque trop douce, trop calme pour être vraiment normale. Elle se leva lourdement de la chaise, s'approcha de moi et déposa un baiser sur ma joue.
« Quand ça va mal, nous avons toujours besoin de Faye, répondis-je. Toujours. Nous avons toujours eu besoin de Faye. Appelez-la. Faye pourra nous aider pour un tas de choses. Tout le monde avait toujours besoin de Faye, besoin de sa présence, de pouvoir se reposer sur elle. »

Katrinka se planta devant moi. Son expression de mépris, de rejet absolu, me coupa le souffle. Rien à faire, je ne m'y habituerai jamais. Depuis toute petite, je connaissais ce mépris intolérant et rageur à mon égard, cette intense répugnance, cette aversion peinte sur son visage qui me donnaient envie de me ratatiner, de disparaître en silence, sans jamais tenter d'avoir le dessus lors d'une bagarre, ou gain de cause dans une discussion.

« En tout cas, Faye serait sans doute *en vie* maintenant, cracha Katrinka, si toi et ton défunt mari n'aviez pas financé sa fuite, si vous ne l'aviez pas aidée à disparaître sans laisser de trace. »

Rosalind lui dit de la fermer, sans prendre de gants. Faye ? Morte ?

Elle dépasse la mesure, pensai-je en me souriant à moi-même. Elle est allée trop loin, et tout le monde s'en rend compte. Faye avait disparu, certes, mais morte ? Et pourtant, que ressentais-je, moi, la grande sœur ? J'avais peur pour Trink, j'avais envie de la protéger. Oui, elle était allée trop loin, et cette fois ils ne la ménageraient pas. Pauvre Katrinka. Elle se mettrait à pleurer, à pleurer, sans jamais comprendre. Et à cause de cela, ils la mépriseraient, et elle en serait tellement blessée...

« Il ne faut pas... », commençai-je.

Le Dr Guidry fit signe aux autres de me faire sortir. Grady me prit par le bras.

Je ne comprenais plus rien. Rosalind était à côté de moi.

Katrinka ne cessait de gémir et de sangloter. Elle allait s'effondrer si cela continuait. Il fallait absolument l'aider. Glenn, peut-être ? Glenn était toujours prêt à secourir les autres, même Katrinka.

Le sens de la petite phrase de Katrinka – « sans doute en vie » – m'apparut soudain dans toute sa clarté.

« Faye n'est pas morte ? demandai-je. Ce n'est pas vrai ? » Si j'en avais été certaine, après ces années d'attente angoissée, j'aurais pu l'inviter à descendre avec nous dans la tombe humide, et nous aurions tous été réunis, Faye et Lily, Mère et Père, Karl, et j'aurais inclus Faye dans ma litanie. Mais Faye n'était pas morte, ce n'était pas possible. Pas ma Faye chérie.

« Pas Faye » : voilà qui ramenait à de plus justes proportions ma superbe excentricité, ma sagesse apparemment excessive et mes sentiments élevés.

« Personne n'a eu la moindre nouvelle de Faye, me dit Rosalind à l'oreille. Faye est sans doute en train de boire de la tequila à un arrêt de bus, quelque part au Mexique. » Elle m'embrassa de nouveau. Son bras était lourd et tendre.

Nous étions arrivés à la porte d'entrée, Grady et moi – la veuve devenue folle et le gentil et plus très jeune avocat de la famille.

J'adore la porte d'entrée de ma maison. C'est une grande porte à deux battants, située exactement au centre de la façade ; elle s'ouvre sur une large véranda qui fait tout le tour de la maison, et l'on peut aller à gauche ou à droite, comme on veut. C'est tellement joli. Pas un jour de ma vie n'a passé sans que je pense à cette maison, en me disant combien elle est charmante.

Il y a des années de cela, Faye et moi allions souvent danser sur la véranda de cette maison. Plus jeune que moi de huit ans, elle était assez petite pour que je la prenne dans les bras, comme un ouistiti, et nous chantions : « Casey, il valsait, valsait avec la fille qu'il adorait, et l'orchestre jouait... »

Regardez ces azalées dans les plates-bandes, à côté des marches, rouge sang et tellement fournies ! Pas de doute, c'était le printemps. Elles étaient en fleurs partout, ces plantes dorlotées. Une vraie maison du Garden District, avec ses colonnes blanches comme neige.

Tiens, Miss Hardy ne portait pas des chaussures blanches. Absolument pas. Elles étaient grises.

Derrière moi, dans la maison, Rosalind criait à Katrinka : « Ne parle pas de Faye, pas maintenant ! Ne parle pas de Faye ! »

La réponse de Katrinka était un grondement sourd et prolongé, un de ces rugissements spectaculaires dont elle a le secret.

Quelqu'un me prit le pied. C'était Miss Hardy, qui me passait un chausson. En bas, le portail était ouvert. Grady me tenait toujours par le bras.

Le Dr Guidry était là, à côté d'une ambulance aux portes ouvertes.

Grady me demanda alors si j'acceptais d'aller au Mercy Hospital. Je pourrais en sortir dès que je voudrais. Seulement pour alimenter mon organisme.

Le Dr Guidry vint me prendre par la main. « Vous êtes complètement déshydratée, Triana. Vous n'avez rien mangé. Il n'est pas question de vous enfermer quelque part. Je tiens à ce que vous alliez à l'hôpital, c'est tout. Vous avez besoin de repos. Et je vous le promets, on ne vous fera rien d'autre. Pas de tests, rien. »

Je poussai un long soupir. Tout s'éclaircissait.

« Ange de Dieu, murmurai-je, mon cher gardien auquel m'a confié le divin amour... »

Soudain, je vis avec une grande clarté ceux qui m'entouraient.

« Je suis désolée, tellement désolée... Je regrette vraiment tout cela, je... Je suis désolée... désolée ! » Je sanglotais tout en parlant. « Vous pouvez faire des tests. Oui, des tests. Faites tout le nécessaire. Je suis désolée... tellement désolée. »

Je m'arrêtai au beau milieu de l'allée. Mes chers Althea et Lacomb se tenaient à côté du portail. Ils paraissaient inquiets. Peut-être n'osaient-ils pas approcher parce que la présence de tous ces Blancs – le docteur, l'avocat, la dame aux souliers gris – les intimidait ?

La bouche d'Althea frémit, comme si elle allait pleurer ; elle croisa ses bras généreux et pencha légèrement la tête de côté.

« Nous sommes là, patronne », dit Lacomb de sa voix de basse.

J'allais lui répondre, lorsque quelque chose attira mon attention, de l'autre côté de l'avenue.

« Que se passe-t-il, ma chérie ? » demanda Grady. Il avait une adorable pointe d'accent du Mississippi.

« C'est le violoniste. » Rien de plus qu'une lointaine silhouette noire, sur le trottoir opposé, déjà à mi-chemin de la Troisième Rue et de Carondelet, se retournant de temps en temps pour regarder dans notre direction.

Lorsque je relevai les yeux, il avait disparu.

Peut-être était-il seulement caché par les voitures et par les arbres. Un instant, je l'aperçus de nouveau, tenant son instrument, cet étrange gardien de la nuit, avançant à grandes enjambées régulières, tournant parfois la tête.

Je montai dans l'ambulance et m'allongeai sur le brancard, ce qui fut assez laborieux. Apparemment, ce n'était pas la procédure habituelle, mais c'est ce que nous avons fait, parce que j'avais commencé à monter dans l'ambulance avant que quiconque ne pût intervenir. Je tirai le drap pour me couvrir et fermai aussitôt les yeux. Le

Mercy Hospital. Toutes mes tantes, qui y avaient été infirmières pendant de longues années, avaient disparu. Je me demandai si mon violoniste errant en trouverait le chemin.

« Vous savez parfaitement que cet homme n'est pas réel. » Je me réveillai en sursaut. « Mais alors... Rosalind, et aussi Miss Hardy... Elles l'ont entendu, non ? »

Ou bien ? Était-ce aussi un rêve au sein d'une vie où le rêve et la réalité étaient si intimement entrelacés que l'un d'eux, inévitablement, finissait par triompher de l'autre ?

4

Trois jours de sommeil d'hôpital. Un sommeil léger, empli de contrariétés et d'horreurs.

Karl avait-il déjà été incinéré ? S'étaient-ils vraiment assurés qu'il était mort, avant de le pousser dans cet horrible four ? Je ne pouvais chasser ces questions de mon esprit. Mon mari était-il réduit en cendres ?

Revenue d'Angleterre, la mère de Karl, Mrs. Wolfstan, ne cessait de pleurer et de se lamenter à mon chevet ; elle ne pouvait se pardonner de m'avoir laissée seule avec son fils mourant. Et je ne cessais de lui répéter que c'était avec joie que je m'étais occupé de lui, qu'elle n'avait rien à se reprocher. N'était-il pas merveilleux qu'un enfant fût né au moment où Karl se mourait ?

Nous regardions en souriant des photos du bébé qui avait vu le jour à Londres. J'avais mal au bras à cause des aiguilles. Parfois, ma vision se troublait.

« Vous n'aurez plus jamais à vous faire de souci », dit Mrs. Wolfstan.

Je savais ce qu'elle voulait dire. J'aurais voulu la remercier, lui dire que Karl m'avait tout expliqué, mais j'en étais incapable. Je me mis à pleurer. Du souci, je m'en ferai de nouveau, bien sûr. A propos de choses que toute la générosité de Karl ne pouvait changer.

J'avais des sœurs que j'aimais, que je risquais de perdre. Où était Faye ?

Je m'étais rendue malade. Il suffisait de se laisser aller pendant deux jours dans une maison, en ne buvant que quelques gorgées de soda et en ne mangeant qu'une ou deux tranches de pain sec, pour que votre pouls devienne irrégulier.

Mon beau-frère Martin, le mari de Katrinka, est venu. Elle était très inquiète, me dit-il, mais elle ne pouvait pas mettre les pieds dans un hôpital, c'était au-dessus de ses forces.

On pratiqua les tests.

La nuit suivante, je me réveillai en sursaut, et mon esprit me dit : Ceci est une chambre d'hôpital, et Lily est dans le lit ; moi, je dors par terre ; il faut que je me lève pour vérifier si ma petite fille va bien. A ce moment, surgit un de ces souvenirs acérés comme un éclat de verre, tellement brutal et douloureux que je me sentis vidée de tout mon sang.

Dehors il pleuvait, j'avais bu, en arrivant je l'avais regardée, allongée sur son lit ; cinq ans seulement, chauve, décharnée, presque morte déjà ; j'avais fondu en larmes.

« Maman, maman ! Pourquoi tu pleures ? Maman, tu me fais peur ! »

Comment as-tu pu faire une chose pareille, Triana !

Une nuit, bourrée de Percodan, de Phénergan et d'autres opiacés pour me calmer et me faire dormir, pour que je cesse de poser des questions stupides – la maison était-elle bien fermée, ne risquait-elle rien ? Où était passée l'esquisse de Karl représentant saint Sébastien ? –, il m'est venu à l'esprit que la malédiction de la mémoire, c'est ceci : *tout est éternellement présent*.

Ils m'ont demandé l'autorisation de téléphoner à Lev, mon premier mari. Pas question, ai-je répondu, je vous interdis de déranger Lev. Je l'appellerai moi-même. Quand je le jugerai bon.

Droguée comme je l'étais, je n'aurais même pas pu descendre téléphoner.

Ils ont pratiqué une deuxième batterie de tests. Un matin, je faisais les cent pas dans le couloir, interminablement, jusqu'à ce qu'une infirmière me dise : « Il faut retourner au lit.

– Pourquoi ? Qu'est-ce que j'ai ?

– Absolument rien. Vous iriez parfaitement bien, s'ils cessaient de vous administrer des calmants. Mais il faut diminuer les doses progressivement. »

Rosalind a amené un petit magnétophone noir. Elle m'a coiffée du casque, et tout doucement, me sont parvenues les voix de Mozart – les anges extravagants de *Cosi fan tutte*, tendres sopranos chantant à l'unisson.

Dans mon esprit, j'ai revu un film. *Amadeus*. Un film merveilleux, d'une vie extraordinaire. J'avais vu ce film, dans lequel le méchant compositeur Salieri, magnifiquement interprété par F. Murray Abraham, poussait au désespoir un Mozart rieur et enfantin. Dans une des scènes du film, du haut d'une loge toute de velours et d'or, Salieri regarde les interprètes de Mozart ainsi que le petit chef d'orchestre lui-même, chérubin hystérique, et F. Murray Abraham dit alors : « J'ai entendu la voix des anges. »

Oh oui, mon Dieu ! Oh oui !

Mrs. Wolfstan ne voulait plus partir. Pourtant, il ne restait plus rien à faire : les cendres étaient au Mausolée de la Métairie, et les tests de dépistage du VIH étaient négatifs. Tous les autres aussi, d'ailleurs. J'étais l'image même de la santé, et j'avais à peine perdu plus de deux kilos. Mes sœurs étaient avec moi.

« Je vous assure, Mrs. Wolfstan, rien ne vous retient. Je l'aimais de tout mon cœur, et cela n'a jamais eu le moindre rapport avec ce qu'il m'a donné, ni avec ce qu'il a donné aux autres. »

Baisers, bouffées de parfum.

Oui, disait Glenn. Cessez de vous tracasser. Le livre de Karl a été confié aux spécialistes que Karl a désignés dans son testament. Dieu merci, ai-je pensé : inutile d'appeler Lev ; sa place est parmi les vivants.

Tout le reste était entre les mains de Grady, et Althea, mon Althea bien-aimée, s'était mise au travail à la maison, ainsi que Lacomb, qui faisait briller l'argenterie pour « Miss Triana ». Pour me faire plaisir – elle sait que j'adore cela –, Althea a mis plein de jolis coussins sur mon ancien lit de la grande chambre donnant au nord.

Non, le grand lit de mariage à colonnes n'a pas été brûlé ! Il n'aurait plus manqué que cela ! Seulement le matelas et les couvertures. Mrs. Wolfstan a fait venir le charmant jeune homme de chez Hurwitz Mintz ; il a amené de nouveaux coussins de soie moirée et des édredons de velours, et a créé pour le baldaquin une nouvelle garniture à festons.

Quand je rentrerai, ce sera pour retrouver mon ancienne chambre. Mon vieux lit aux colonnes décorées de grains de riz, symbole de fertilité. La chambre du rez-de-chaussée était la seule vraie chambre à coucher de toute la maison.

Quand je me sentirai prête.

Un matin, je me réveillai. Rosalind dormait à côté de moi. Elle somnolait, plutôt, dans un de ces grands fauteuils avec repose-pied et larges accoudoirs en bois que les hôpitaux mettent à la disposition des membres les plus dévoués de la famille.

Quatre jours avaient passé, je le savais ; la veille, j'avais fait un repas complet. Les aiguilles picotaient mes bras comme des fourmis ; je retirai d'abord le sparadrap, puis les aiguilles elles-mêmes. Après m'être levée, j'allai à la salle de bains, pris mes vêtements dans le placard, et m'habillai de pied en cap avant de réveiller Rosalind. Celle-ci ouvrit des yeux hébétés et balaya la cendre de cigarette qui était tombée sur son corsage noir.

Ses premiers mots furent : « Tu es VIH négatif. » A croire qu'elle brûlait d'envie de me l'annoncer, sans se souvenir que tout le monde me l'avait déjà dit. Elle écarquillait les yeux derrière ses lunettes, complètement ahurie. Elle se redressa et ajouta : « Katrinka leur a demandé de tout faire, tout juste si on ne t'a pas coupé un doigt.

– Viens, lui dis-je. Filons. »

Nous suivîmes le couloir au pas de course. Il était vide. Nous croisâmes une infirmière qui ne nous reconnut pas, ou qui s'en fichait.

« Je suis affamée, dit Rosalind. Tu as faim ? Je veux dire, as-tu envie d'un vrai repas ?

– Je veux rentrer chez moi, c'est tout.

– Eh bien, tu sera heureusement surprise.

– Comment cela ?

– Tu connais la tribu des Wolfstan. Ils t'ont acheté une longue limousine et ont engagé un chauffeur, Oscar. Qui sait lire et écrire, sans vouloir offenser Lacomb...

– Lacomb sait écrire. » Je l'avais déjà dit et répété mille fois, car mon Lacomb sait lire et écrire, mais quand il parle, c'est dans le savoureux dialecte des jazzmen de couleur, que personne ne comprend.

« ...Althea est revenue, aussi. Elle ne cesse de bougonner et de jacasser, traite les femmes de ménage de tous les noms et dit à Lacomb de ne pas fumer dans la maison. Je me demande bien qui peut comprendre ce qu'elle raconte. Ses propres enfants la comprennent-ils ?

– Aucune idée. Je me suis posé la question, mais...

– Tu vas voir ce qu'est devenue la maison, reprit Roz. Je suis sûre que ça te plaira. J'ai essayé de le leur dire.

– A qui ? »

L'ascenseur arriva. Nous entrâmes. Cela me fit un choc. Les ascenseurs des hôpitaux sont toujours immenses, assez grands pour accueillir les vivants ou les morts allongés de tout leur long, ainsi que deux ou trois accompagnateurs. Nous étions seules dans le vaste compartiment de métal qui glissait silencieusement vers le bas.

« De dire quoi à qui ? »

Rosalind bâilla. Nous étions presque arrivées.

« D'expliquer à la famille de Karl que nous revenons toujours chez nous après un décès, que tu ne voulais pas d'un luxueux appartement dans le centre ni d'une suite au Windsor Court. Les Wolfstan sont-ils vraiment riches à ce point ? Ils m'ont confié de l'argent pour toi, ils en ont donné à Althea, à Lacomb, à Oscar... »

Les portes de l'ascenseur s'ouvrirent.

« Tu vois cette grosse voiture noire ? Ce fichu truc t'appartient. Et voilà Oscar. Tu connais le genre, chauffeur à l'ancienne mode. Derrière son dos, Lacomb hausse les sourcils, et Althea est fermement décidée à ne pas lui préparer ses repas.

– Elle n'aura pas à le faire », dis-je en esquissant un sourire.

Je connaissais le genre, effectivement. Un teint caramel, un peu moins clair que celui de Lacomb, une voix pareille à du miel, des cheveux grisonnants, d'étincelantes lunettes à monture d'argent. Vieux, trop vieux pour conduire, sans doute, mais tellement stylé, tellement traditionnel.

« Montez, Miss Triana, installez-vous confortablement, dit Oscar. Je vous emmène à la maison.

– A vos ordres, monsieur. »

Aussitôt la portière refermée, Rosalind se détendit. « J'ai faim », répéta-t-elle. La séparation s'était mise en place, nous isolant de l'avant et d'Oscar. Parfait. L'idée d'avoir une voiture me plaisait. Je ne savais pas conduire. Karl n'aimait pas cela. Il louait toujours des limousines, même pour un tout petit trajet.

« Écoute, Roz... » J'avais pris le ton le plus gentil dont j'étais capable. « Lorsqu'il m'aura déposée à la maison, il pourrait t'emmener manger quelque part ?

– Ça serait formidable ! Tu es sûre de vouloir rester seule ?

– Comme tu l'as dit, nous revenons toujours à la maison après, n'est-ce pas ? Nous ne prenons pas la fuite. Je dormirai en haut, dans ce lit qui n'a jamais été le mien. C'était notre lit, à Karl et à moi, malades ou en bonne santé. Il tenait à cette chambre, pour profiter du soleil de l'après-midi. Je me blottirai dans son lit. Je veux être seule.

– C'est ce que je m'étais dit. Katrinka a été réduite au silence, au moins pour quelque temps. Grady Dubosson lui a montré un papier disant que tout ce que Karl t'avait jamais donné t'appartenait ; le jour même de son arrivée, il avait pris toutes les dispositions nécessaires pour que personne ne puisse faire valoir ses droits sur ta maison. Après cela, elle n'a plus pipé mot.

– Elle pensait que la famille de Karl essaierait de prendre la maison ?

– Des bêtises de ce genre, mais Grady lui a montré le titre ou l'acte, je ne sais jamais comment on dit.

– Aucune idée.

– Tu sais ce qu'elle veut, en réalité ?

– Ne t'inquiète pas, Rosalind. » Je lui souris. « Vraiment, tu n'as aucune raison de t'inquiéter. »

Elle se tourna vers moi, arborant son expression la plus grave, et me prit la main ; la sienne était à la fois douce et rugueuse. La voiture s'était engagée sur St Charles Avenue.

« Écoute, dit-elle. Ne te fais pas de souci au sujet de l'argent que Karl nous versait. Sa mère m'en a donné un paquet. De toute façon, il serait temps que Glenn et moi fassions marcher la boutique, en vendant réellement des livres et des disques, non ? » Elle eut son rire de gorge profond. « Tu connais Glenn, mais il faudra se débrouiller seuls. Même s'il faut que je me remette à travailler comme infirmière. Peu importe comment, mais il faudra qu'on s'en tire. »

Mon esprit était ailleurs. C'était tellement futile. Mille dollars par mois suffisaient à les maintenir à flot. Elle ne savait pas. Personne ne savait combien d'argent Karl avait laissé, sauf Mrs. Wolfstan peut-être.

Une voix onctueuse se fit entendre dans un haut-parleur caché.

« Miss Triana, *ma'am*, désirez-vous que je m'arrête au Metairie Cemetery, *ma'am* ?

– Non merci, Oscar », dis-je, apercevant le petit micro au-dessus de moi.

Nous avons déjà notre tombe, lui et moi, Lily, Mère et Père.

« Je veux simplement rentrer à la maison, Roz. Je t'aime, tu sais. Appelle Glenn. Dis-lui de fermer la boutique et de te rejoindre au Commander's Palace. Mange le repas de funérailles à ma place. Tu peux faire cela pour moi ? Mange pour nous deux. »

Nous avions dépassé Jackson Avenue. Les chênes avaient déjà leurs fraîches couleurs printanières.

Je l'embrassai et dis à Oscar de l'emmener où elle voudrait, de faire tout ce qu'elle dirait. C'était une belle voiture, une grande limousine tendue de velours gris, comme en ont les entreprises de pompes funèbres.

J'ai donc fini par la prendre, pensai-je en les regardant partir. Bien que j'aie manqué l'enterrement.

Comme elle était radieuse, ma maison. Ma maison. Pauvre, pauvre Katrinka !

Les bras d'Althea sont pareils à de la soie noire, et quand elle me serre sur son cœur, j'ai l'impression qu'il n'existe rien de méchant dans ce monde, que rien ne peut faire de mal à qui que ce soit. Je n'essaierai pas de transcrire ce qu'elle disait, ce n'est pas plus compréhensible que ce que raconte Lacomb, et elle ne prononce sans doute qu'une seule syllabe de chaque mot, mais je sais que cela veut dire : sois la bienvenue chez toi, je me suis fait de la bile, tu m'as beaucoup manqué, et nous aurions fait n'importe quoi ces derniers jours, il fallait nous appeler, nous aurions lavé les draps, ça ne nous aurait pas fait peur de laver ces draps, va vite t'allonger ma chérie, je vais te préparer une tasse de chocolat bien chaud.

Lacomb se tenait nonchalamment à la porte de la cuisine : un petit homme chauve qui pourrait passer pour un Blanc n'importe où sauf à La Nouvelle-Orléans ; mais sa voix le trahirait immédiatement, bien sûr.

« Comment va, patronne ? Vous m'avez l'air bien maigre, patronne. Vous devriez manger un morceau. Et toi, ne t'avise pas de servir à cette femme la nourriture que tu nous prépares. Je vais aller vous acheter quelque chose, patronne, qu'est-ce qui vous ferait plaisir ? La maison est pleine de fleurs, patronne. Je pourrais en vendre sur le trottoir, ça nous ferait quelques dollars. »

Je ne pus me retenir de rire. Althea lui fit la morale, avec quelques gestes éloquents et en appuyant sur les mots importants, comme un juge lisant un texte de loi.

Je suis montée pour m'assurer que le lit à colonnes n'avait pas disparu. Il était toujours là. Les nouvelles garnitures en satin étaient très réussies.

A côté du lit, Mrs. Wolfstan avait mis une photo encadrée de Karl. Pas le squelette qu'ils avaient emmené, mais l'homme aux yeux marron et au cœur droit qui s'était assis à côté de moi sur les marches de la bibliothèque, parlant de musique, parlant de la mort, parlant de mariage, l'homme qui m'avait emmenée à Houston pour aller à l'opéra, et à New York, l'homme qui avait vu tous les saint Sébastien jamais peints par un artiste italien ou à la manière italienne, l'homme qui me faisait l'amour avec ses mains et ses lèvres, et qui ne tolérait aucun écart à cette règle.

Son bureau était vide. Tous les papiers avaient disparu. Ne t'inquiète pas de cela maintenant. Glenn t'a donné sa parole. Glenn et Roz sont entièrement dignes de confiance.

Je redescendis.

« J'aurais pu vous aider à soigner cet homme, vous savez », me dit Lacomb. Althea répliqua qu'il l'avait répété assez souvent comme ça, et que maintenant que j'étais de retour, il ferait mieux de se calmer et de laver le plancher ou n'importe quoi, au lieu de m'embêter.

Ma chambre était propre et calme, le lit était fait. Dans le vase, les lys Casablanca les plus tendres et les plus parfumés qui soient. Comment avaient-ils deviné ? A moins qu'Althea ne le leur ait dit, bien sûr. Des lys Casablanca.

Je me suis couchée. Dans mon lit.

Comme je l'ai déjà dit, cette pièce est la chambre du maître de la maison, la seule chambre à coucher digne de ce nom ; elle se trouve au rez-de-chaussée, face au levant, dans une aile octogonale qui s'enfonce dans l'épais massif de lauriers-cerises qui nous cache du monde.

C'est la seule aile ; à part cela, la maison est un simple rectangle. Et les profondes galeries qui en font le tour, ces vérandas que nous aimons tant, viennent jusqu'à cette chambre, tandis que de l'autre côté, elles s'arrêtent aux fenêtres de la cuisine.

Commme il est agréable de se lever du lit pour aller à la haute fenêtre donnant sur la véranda, et de regarder, à travers les feuilles luisantes des lauriers-cerises, tout un monde agité et réconfortant, qui ne se doute pas de votre présence.

Je n'échangerais pas l'Avenue contre les Champs-Élysées, contre la Via Veneto, la Yellow Brick Road, contre l'Autoroute du Ciel. J'aime bien, parfois, me retrouver dans cette chambre, ou me tenir à la balustrade, trop loin de la rue pour être vue, et regarder les joyeuses lumières qui passent.

« Althea chérie, tire donc les rideaux pour que je puisse regarder par la fenêtre.

– Il fait encore trop froid pour l'ouvrir.

– Je sais. Je veux seulement regarder...

– ... pas de chocolat, pas de livres, vous ne voulez même pas votre musique... J'ai ramassé tous les disques qui étaient par terre. Rosalind est venue et m'a tout fait ranger, Mozart avec Mozart, elle a dit, Beethoven avec Beethoven, elle m'a montré où...

– Non, je veux seulement me reposer. Viens m'embrasser. »

Elle se pencha et posa sa joue soyeuse sur la mienne.

« Ma jolie », dit-elle tendrement.

Elle me couvrit de deux grands édredons, tout en soie, certainement garnis de duvet. C'était le style de Mrs. Wolstan, le style de Karl, rien que du vrai duvet d'oie ; ils aimaient cette pesanteur immatérielle. Elle les disposa autour de mes épaules.

« Pourquoi vous avez jamais appelé Lacomb et moi quand cet homme était mourant, Miss Triana ? Nous serions venus.

– Je sais. Vous m'avez manqué. Je ne voulais pas que cela vous fasse peur. »

Elle secoua vigoureusement la tête. Elle avait un très joli visage, un teint bien plus foncé que celui de Lacomb, avec des yeux splendides, immenses ; sa chevelure était douce et ondulée.

« Tournez-vous vers la fenêtre, dit-elle, et dormez. Personne n'entrera dans cette maison, c'est promis. »

Couchée de côté, face aux douze vitres claires et luisantes, je voyais les arbres au loin, les chênes, les voitures de toutes les couleurs.

Je voyais aussi, avec un plaisir renouvelé, les azalées roses et rouges et blanches, formant des plates-bandes si luxuriantes le long de la clôture, les délicates balustrades en fer forgé peintes d'un noir si frais, et la véranda elle-même, d'une propreté immaculée.

Quelle merveille que Karl m'eût offert tout cela avant de mourir : une maison entièrement restaurée, où toutes les portes fermaient, où toutes les serrures fonctionnaient, où l'eau des robinets avait toujours la température idéale.

Je regardais rêveusement par la fenêtre. Cinq minutes s'écoulèrent ainsi, peut-être davantage. Les tramways passaient. Je sentais mes paupières se fermer.

J'eus l'impression d'apercevoir soudain une silhouette sur la véranda, une silhouette imprécise. Mon violoniste, toujours aussi grand et maigre, sa chevelure soyeuse tombant mollement sur ses épaules.

Il s'accrochait au bord de la fenêtre comme une plante grimpante – d'une maigreur pathétique, presque cadavérique comme c'est la mode, et pourtant si vivant. Ses cheveux noirs étaient incroyablement brillants. Pas de petites nattes ramenées sur la nuque, cette fois.

Je voyais son œil gauche, surmonté d'un sourcil noir au dessin énergique. Ses joues étaient blanches, trop blanches, mais ses lèvres étaient vivantes, douces, très douces, tellement vivantes.

Un moment, j'eus peur. Un moment seulement. Il y avait quelque chose d'anormal, de faux, je le sentais. Non, pas anormal, mais dangereux, pas naturel, pas réellement possible.

En dépit de l'énorme difficulté que j'avais à passer d'un état à l'autre, je savais généralement quand je rêvais et quand je ne rêvais pas. Et voilà qu'il était ici, cet homme, sur ma véranda. Immobile, il me regardait.

Subitement, la peur disparut, pour faire place à une merveilleuse indifférence, une indifférence absolue. Tout m'était égal. Qu'il est divin, le vide qui suit la disparition de la peur ! Sur le moment, il me sembla que c'était une attitude parfaitement sensée.

Parce que de toute façon... qu'il fût réel ou non... c'était plaisant, c'était beau. Pourtant, les bras me picotaient. Il arrive aux poils de se hérisser ainsi, même quand vous êtes mollement étendue sur de doux oreillers, entourée de vos cheveux, un bras sorti des couvertures, à regarder par la fenêtre. Mon corps livrait une petite guerre à mon esprit. Prends garde, criait le corps, prends garde ! Mais mon esprit est terriblement obstiné.

Ma voix intérieure s'éleva, forte et déterminée, et je m'étonnai de pouvoir ainsi former des sons dans ma tête. Oui, nous pouvons crier ou murmurer sans bouger les lèvres. Je lui dis :

Jouez pour moi. Vous m'avez manqué.

Il se rapprocha du vitrage, paraissant un moment tout en épaules, si grand et si mince, avec ce torrent de cheveux tellement séduisant – que j'aurais aimé les toucher, les coiffer... –, et il me regarda par la vitre du haut. Pas comme s'il cherchait rageusement quelque secret à travers moi, mais regardant droit ce qu'il cherchait : moi.

Le plancher craqua. Quelqu'un approchait de la porte.

C'était Althea. Elle était revenue aussi naturellement que s'il se fût agi d'un moment ordinaire.

Je ne me retournai pas pour voir ce qu'elle faisait. Elle se glissa silencieusement dans la chambre, à son habitude.

Je l'entendais dans mon dos. Elle posa une tasse. Une odeur de chocolat chaud monta à mes narines.

Mais pas un instant, je ne le quittai des yeux, avec ses hautes épaules, ses manches en laine couvertes de poussière, et pas un instant il ne cessa de me fixer de ses yeux brillants à travers la vitre.

« Seigneur Dieu, vous revoilà ! » s'exclama Althea.

Il ne bougea pas d'un pouce. Moi non plus.

J'entendais le flot doux et rythmé de ses paroles presque incompréhensibles. En voici une transcription approximative : « Et devant la fenêtre de Miss Triana ! Vous avez un sacré culot. Vous voulez donc me faire mourir de peur ? Il vous attendait tout le temps, Miss Triana, jour et nuit, disant qu'il allait jouer pour vous, disant qu'il ne pouvait pas aller vous voir, que vous adoriez sa musique, que vous ne pouviez pas vous passer de lui, oui, il a dit cela. Alors, qu'allez-vous jouer, maintenant qu'elle est de retour à la maison ? Regardez-la ! Vous trouverez quelque chose de joli, quelque chose qui lui fasse vraiment du bien, dans l'état où elle est ? »

Elle contourna le lit en traînant des pieds, imposante, les bras croisés sur la poitrine, le menton en avant.

« Allez, dit-elle, jouez-lui quelque chose. Vous m'entendez parfaitement à travers la vitre. Elle est revenue, tellement triste, et vous... regardez-vous, si vous croyez que je vais vous nettoyer ce pardessus, vous vous mettez le doigt dans l'œil. »

Je suis sûre que j'ai souri. Je me suis enfoncée dans les oreillers et j'ai souri.

Elle l'avait vu !

Pas un instant, il ne me quittait des yeux. Il ne salua même pas Althea. Sa main posée sur la vitre ressemblait à une énorme araignée blanche. De l'autre main, il tenait le violon contre lui, ainsi que l'archet. Je vis les courbes élégantes de l'instrument, le bois sombre et luisant.

Je souris à Althea, sans même tourner la tête : elle s'était mise entre nous, hardiment, me faisant face, m'empêchant de le voir. De nouveau, je transcris librement ce qui est moins un dialecte qu'un chant :

« Il parle, il parle, il dit sans cesse qu'il joue si bien, qu'il va jouer pour vous. Et que vous aimez tant ça. Vous le connaissez. Je ne l'ai pas vu arriver sous la véranda. Lacomb aurait dû le voir. Il me fait pas peur. Lacomb peut le chasser sur-le-champ, vous n'avez qu'à le dire. Mais il ne m'embête pas, pas du tout. Une nuit, il est venu jouer. On n'avait jamais entendu une musique pareille, je ne vous dis que ça. Seigneur ! je me suis dit, la police va arriver et il n'y a que Lacomb et moi à la maison. Je lui ai dit d'arrêter, et il était tellement malheureux, je n'ai jamais vu des yeux pareils; il m'a regardée et il a dit, Ma musique ne vous plaît pas ? J'ai répondu, Si, elle me plaît, mais je n'ai pas envie de l'entendre maintenant. Il s'est mis à débiter des sottises, comme quoi il savait tout sur moi et sur ce que j'ai souffert, il parlait comme un forcené, pas moyen de l'arrêter, alors Lacomb lui a dit, Si vous voulez l'aumône, nous allons vous faire manger le riz aux haricots rouges d'Althea, et vous mourrez empoisonné ! Voilà, Miss Triana, vous savez tout maintenant. »

J'éclatai de rire, mais c'était un rire étrangement silencieux. Il était toujours là ; derrière elle, je ne voyais qu'un petit bout de sa silhouette longue et sombre. Il n'avait pas bougé. Le jour commençait à décliner.

« J'adore ton riz aux haricots, Althea », lui dis-je.

S'avançant d'un pas assuré, elle lissa la vieille dentelle de Battenburg sur la table de chevet, lui lança un regard furieux – j'eus du moins cette impression –, puis me sourit, posant un instant sa main de satin sur ma joue. Quelle douceur, mon Dieu, comment pourrais-je me passer de toi ?

« Pas de problème, lui assurai-je, tout va bien. Laisse-moi maintenant, Althea. Je le connais vraiment. Il va peut-être jouer, qui sait ? Ne t'inquiète pas, je serai sur mes gardes.

– Il m'a tout l'air d'un clochard », ronchonna-t-elle, croisant de nouveau les bras d'une façon éloquente. Tout en se dirigeant vers la porte, elle continua à parler, improvisant son chant à elle. Je regrette de ne pouvoir mieux fixer pour la postérité son parler fluide, ses phrases où il manque une syllabe sur deux, et surtout son enthousiasme sans bornes et son immense sagesse.

Passant un bras sous l'oreiller, je me suis pelotonnée dans le lit, sans cesser de fixer la silhouette qui se découpait à la fenêtre, tandis qu'il me regardait à travers le double vitrage.

La musique est partout, il suffit d'être attentif : la pluie, le vent, les gémissements de ceux qui souffrent, tout est chant, tout est musique.

Elle ferma la porte. Un double clic ; les portes de La Nouvelle-Orléans étant invariablement gauchies, cela signifiait qu'elle l'avait vraiment fermée.

Le calme revint dans la chambre, comme s'il n'avait jamais été troublé. Le grondement ininterrompu de l'Avenue connut un soudain crescendo.

Derrière lui – l'ami qui me fixait de ses yeux noirs et dont la bouche ne souriait pas –, les oiseaux avaient commencé leur chant du soir, cette ultime explosion de vitalité qui vient tous les jours, mais jamais à la même heure, et qui ne manque jamais de me surprendre. La rumeur du trafic continuait, hymne sombre et joyeux.

La longue silhouette se déplaça, se mettant au centre de la fenêtre. Chemise blanche crasseuse et déboutonnée, torse couvert d'une toison noire pareille à une ombre, blouson en lainage noir, ouvert faute de boutons.

C'est du moins ce que j'ai cru voir.

Il se pencha en avant jusqu'à toucher les vitres. Il était d'une maigreur pathétique. Malade, peut-être ? Comme Karl ? Je souris en pensant que tout allait peut-être recommencer. Non, cela paraissait tellement loin maintenant, et lui, qui me regardait du haut de la fenêtre, il était tellement présent, tellement éloigné de l'impuissance trop réelle de la mort.

Il me lança un regard de reproche, comme pour dire : allons ne sois pas si naïve. Il sourit alors, et la lueur de ses yeux se fit à la fois plus vive et plus secrète, tandis qu'il me contemplait d'un regard possessif.

Son front pâle et osseux était presque trop proéminent, mais cela donnait à ses yeux cette merveilleuse profondeur à la fois sombre et malicieuse ; sa chevelure noire était d'une incroyable luxuriance, avec une petite mèche rebelle sur le front, et ses tempes parfaitement proportionnées lui donnaient une sorte de solidité, en dépit de sa maigreur. Ses mains étaient vraiment pareilles à des araignées ! D'un geste caressant, il passa la droite sur les vitres du haut, laissant des empreintes sur la poussière. Je les voyais nettement à la lumière qui déclinait par petites saccades successives, et derrière lui, le jardin : les lauriers-cerises touffus et les magnolias qui ondulaient et respiraient dans la brise.

La manchette de sa chemise d'épaisse toile blanche était crasseuse, et son manteau était gris de poussière.

Très lentement, son expression changea. Le sourire disparut, mais je ne sentis aucune animosité. Je me rendis compte alors qu'il n'y en avait jamais eu : ce que j'avais vu auparavant, c'était un air de supériorité mêlée de réserve pudique, mais son expression était toute de franchise et de spontanéité.

Un instant, ses traits exprimèrent une tendre surprise, qui se transforma insensiblement en ce qui me parut être de la rage. Ensuite, la tristesse domina, non pas une tristesse affichée ou artificielle, mais une affliction intime, profonde, un regret peut-être, comme s'il ne pouvait plus prolonger ce petit spectacle spectral qu'il me donnait sur la véranda. Il fit un pas en arrière. J'entendis le parquet craquer. Ma maison répercute le moindre mouvement.

Et il disparut.

Comme par magie. Il n'était plus à la fenêtre. Ni sur la véranda. Aucun bruit de pas ne trahissait sa présence de l'autre côté de la maison. Il avait bel et bien disparu, et j'avais l'absolue conviction qu'il s'était en fait tout simplement évanoui.

Mon cœur battait trop fort.

« Si seulement ce n'était pas un violon. Je veux dire, il est merveilleux que ce soit un violon, car il n'existe sur terre aucun son comparable à celui-là, c'est... » Mes pensées se turent soudain.

Une musique timide se fit entendre. Sa musique.

Il n'était pas allé bien loin. Il s'était réfugié dans un sombre recoin du jardin, tout au fond, près de l'ancien presbytère de Prytania Street. Ma propriété est limitrophe de celle de la chapelle. Toute la partie de la Troisième Rue comprise entre Prytania et St Charles nous appartient, à la chapelle et à moi. De l'autre côté, il y a plusieurs maisons, bien sûr, mais cette grande moitié du carré est à nous, et il n'était sans doute pas allé plus loin que les vieux chênes qui poussent derrière la chapelle.

Je crus que j'allais pleurer.

Un instant, la douleur qu'exprimait sa musique et mes propres sentiments étaient si parfaitement en harmonie que c'en était intolérable. Comment résister à cela ? Il fallait être un imbécile pour ne pas prendre un revolver, se mettre le canon dans la bouche et appuyer sur la détente – une image qui m'avait souvent hantée dans mes jeunes années, lorsque j'étais une alcoolique invétérée, et qui était revenue presque continuellement jusqu'à l'arrivée de Karl.

C'était une ballade gaélique en mineur, nostalgique et vibrante, emplie de désespoir patient et d'humbles désirs nostalgiques. Il avait trouvé le son du violon irlandais, l'harmonie rauque et profonde des cordes les plus basses, en une complainte plus humaine que tout ce qui pouvait sortir de la gorge d'un être humain, homme, femme ou enfant.

Il me vint à l'esprit – vaste pensée imprécise, incapable de prendre forme dans l'ambiance de cette musique lente et insistante, si merveilleusement émouvante – que c'était là le propre du violon, ce pouvoir de produire des sons humains, plus profondément humains que nous ne le pouvons. Il exprime nos pensées et nos émotions d'une manière dont nous-mêmes sommes incapables. Tout ce que disent la philosophie et la poésie est là.

Elle faisait ruisseler mes larmes, cette ballade aux phrases sans âge, à la fois traditionnelles et modernes, cette douce et joyeuse progression de notes qui se terminait invariablement par une longue variation en mineur exprimant la résignation. Elle parlait de tendre sollicitude et de sympathie parfaite.

Je me retournai sur l'oreiller. Sa musique emplissait l'espace avec une telle clarté ! Tout le quartier devait l'entendre, et les passants, Althea et Lacomb à la table de la cuisine avec leurs cartes à jouer ; même les oiseaux s'étaient calmés.

Le violon, le violon...

Je revis un jour d'été lointain, passé depuis quelque trente-cinq ans. J'avais mon propre violon, dans son étui, solidement coincé entre moi et Gee, qui conduisait sa moto, tandis que je le tenais par la taille. J'avais vendu le violon à l'homme de Rampart Street, qui m'en avait donné cinq dollars.

« Mais vous me l'aviez vendu vingt-cinq dollars, avais-je protesté, il n'y a pas plus de deux ans. »

Adieu mon violon, dans sa boîte noire. Les musiciens sont sûrement la providence des brocanteurs. Leurs boutiques sont pleines d'instruments de toute sorte. Peut-être la musique attire-t-elle les sombres rêveurs tels que moi, dénués d'ambition comme de talent.

Depuis lors, je n'avais touché à un violon qu'à deux reprises. Trente-cinq années ont-elles vraiment passé ? Presque. Sauf pendant une soûlerie mémorable et la gueule de bois du lendemain, je n'avais plus jamais pris un violon dans les mains, je n'avais jamais plus voulu toucher le bois, les cordes, la colophane, l'archet. Jamais, jamais.

A quoi bon repenser à cet épisode ? C'était si loin, une banale déception d'adolescente. Après avoir entendu le grand Isaac Stern jouer le *Concerto pour violon* de Beethoven à l'auditorium municipal, je voulais moi aussi produire ces sons glorieux ! Je voulais devenir ce personnage qui tanguait sur la scène. Je voulais ensorceler le public ! Créer des sons pareils à ceux qui, maintenant, traversaient les murs de ma chambre...

Le *Concerto pour violon* de Beethoven, le premier morceau de musique classique que je devais étudier jusqu'à en avoir une connaissance intime, grâce aux disques de la bibliothèque.

Je deviendrais un nouvel Isaac Stern ! C'était ma voie !

Pourquoi penser à cela ? Il y avait quarante ans déjà, je savais que je n'étais pas douée. Je n'avais aucune oreille, j'étais incapable de distinguer les quarts de ton, je n'avais ni la dextérité ni la discipline nécessaires ; les meilleurs professeurs me l'avaient assuré, aussi gentiment que possible.

Sans oublier le chœur familial : « Les sons que Triana tire de son violon sont vraiment affreux. » Et le verdict de mon père : les leçons coûtaient trop cher, surtout pour une jeune personne aussi indisciplinée, paresseuse et de nature tellement versatile.

Il devrait être facile d'oublier de telles vétilles.

N'y avait-il pas eu suffisamment de tragédies depuis ce temps-là, de cataclysmes soudains et banals ? Mère, enfant, premier mari perdu depuis longtemps, Karl mort, le prix qu'exige le Temps, la prise de conscience croissante...

Et pourtant, comme il est vivace, le souvenir de ce jour lointain, le visage du brocanteur et prêteur sur gages, mon dernier baiser au violon – mon violon ! – avant qu'il ne disparaisse derrière le comptoir crasseux. Cinq dollars.

Pleurer parce qu'on n'est pas née grande, mince et gracieuse, pleurer de n'avoir ni beauté, ni voix pour chanter, ni même une détermination suffisante pour être capable de jouer ne serait-ce que des airs de Noël au piano. Bêtises, tout cela.

J'avais pris les cinq dollars, j'en avais ajouté cinquante avec l'aide de Rosalind, et j'étais partie pour la Californie. L'école était finie. Ma mère était morte. Mon père s'était trouvé une nouvelle amie, une protestante avec laquelle il « déjeunait de temps en temps », et qui préparait d'énormes repas à mes petites sœurs délaissées.

« Tu ne t'es jamais occupée d'elles ! »

Suffit ! Je ne veux pas repenser à cette époque, ni à la petite Faye et à Katrinka, l'après-midi où je suis partie, Katrinka à peine intéressée, mais Faye envoyant des baisers, avec un sourire tellement radieux... Non, pas cela. Veux pas. Peux pas.

Joue du violon pour moi si tu veux ; quant au mien, je le passerai poliment sous silence.

Contentons-nous de l'écouter.

Sa musique se fait plus insistante, à croire qu'il me cherche querelle, le salaud ! Et la ballade continuait sans fin, musique conçue dans la douleur, destinée à être jouée avec douleur, pour ou afin de rendre la douleur douce ou légendaire, ou les deux à la fois.

Le monde du présent devint de plus en plus lointain. J'avais quatorze ans. Sur la scène, Isaac Stern jouait le grand concerto de Beethoven. Les vagues de la musique s'enflaient et retombaient sous les lustres de l'auditorium. Combien d'autres enfants écoutaient-ils, en extase ? Mon Dieu, devenir pareil à lui ! Être capable de faire cela...

Avais-je vraiment grandi et vécu une vie d'adulte ? Cela paraissait tellement lointain et improbable. Étais-je jamais tombée amoureuse de mon premier mari, Lev, avais-je rencontré Karl, avait-il vécu et était-il mort, Lev et moi avions-nous vraiment perdu une petite fille nommée Lily, avais-je tenu dans mes bras un être aussi petit et qui souffrait, le crâne chauve, les yeux fermés – non, il doit y avoir un point où la mémoire se confond avec le rêve.

Il doit exister une législation médicale qui interdit de pareilles choses.

Non, des événements aussi terribles n'ont pas pu se produire : ni cette enfant aux cheveux d'or devenue une épave agonisante, ni Karl criant de douleur, Karl qui ne se plaignait jamais, ni Mère sur le sentier, suppliant qu'on ne l'emmène pas ce jour-là, et moi, sa fille de quatorze ans, égocentrique et totalement inconsciente, ne réalisant pas qu'elle ne sentirait plus jamais la chaleur de ses bras, qu'elle ne l'embrasserait plus jamais, qu'elle ne pourrait jamais lui dire, Mère, quoi qu'il se soit passé, je t'aime. Je t'aime. Je t'aime.

Mon père se redressant dans le lit, luttant contre la morphine, et disant avec une douloureuse stupéfaction : « Triana, je meurs ! »

Qu'il était petit, le cercueil de Lily dans sa tombe en Californie. Regardez. Là-bas, nous fumions notre herbe et buvions notre bière en déclamant des poèmes, beats et hippies rêvant de changer le monde, parents d'une enfant à ce point touchée par la grâce que des inconnus s'arrêtaient – même quand le cancer avait commencé à la miner – pour dire combien son petit visage rond et pâle était beau. De nouveau, par-delà le temps et l'espace, je voyais ces hommes placer le petit cercueil blanc dans une boîte en séquoia et le descendre dans la fosse, sans avoir cloué le couvercle.

Le père de Lev, un Texan au grand cœur, avait ramassé une poignée de terre et l'avait jetée dans la tombe. La mère de Lev pleurait, inconsolable. D'autres faisaient de même, coutume qui m'était inconnue ; mon père ne faisait que regarder, solennel. Peut-être pensait-il : Voilà le châtiment de tes péchés, car tu as abandonné tes sœurs, tu t'es mariée en dehors de ton Église, tu as laissé ta mère mourir sans l'entourer d'amour !

Ou bien pensait-il à des choses plus triviales ? Il ne chérissait pas particulièrement sa petite-fille Lily. Deux mille milles les séparaient, et il ne l'avait vue qu'à de rares occasions avant que le cancer ne lui dérobe ses longues boucles dorées et ne rende ses petites joues toutes molles et flasques, mais aucune potion inventée par l'homme ne pouvait entamer son courage ni rendre son regard moins aigu.

Peu importe ton père maintenant, peu importe qui il aimait ou n'aimait pas.

Je me retournai dans le lit, m'enfouissant dans les oreillers, constatant avec surprise que j'entendais toujours aussi nettement son violon, bien que mon oreille gauche fût enfoncée dans le duvet.

A la maison, à la maison, tu es de retour à la maison, et un jour ils reviendront tous chez eux. Que signifient ces mots ? Ils n'ont pas besoin de signification. Il suffit de les murmurer... ou de chanter, de chanter un air sans paroles en accompagnant son violon.

Et alors la pluie est arrivée.

J'en suis humblement reconnaissante.

La pluie est arrivée.

Exactement comme j'aurais pu le souhaiter, elle tombe sur les vieilles planches de la véranda et sur le vieux toit en zinc de la chambre ; elle éclabousse le large rebord de la fenêtre et s'infiltre par les interstices.

Il continuait à jouer, pourtant, l'homme au cheveux de satin et au violon de satin, à jouer comme s'il déroulait dans l'atmosphère un ruban d'or si fin qu'il finira par se résoudre en brume légère après avoir été entendu, connu et aimé, après avoir béni l'univers entier d'une infime parcelle de lumière glorieuse.

« Comment peux-tu te réjouir d'être ainsi entre deux mondes ? me demandai-je. Entre la vie et la mort ? La folie et la raison ? »

Sa musique parlait. Les notes planaient, profondes et impatientes, avant de s'élever. Je fermai les yeux.

Il attaqua soudain une danse déchaînée, pleine d'entrain et de dissonances, et pourtant grave. Il la jouait avec une telle force, une telle impétuosité que cela ne pouvait manquer d'alerter quelqu'un, j'en étais sûre. C'était ce que les gens appellent la musique du diable.

Mais la pluie tombait, tombait sans répit, et personne ne vint lui dire d'arrêter. Personne ne viendrait, jamais.

Ce fut une réalisation brutale. Un choc. J'étais chez moi, à la maison, en sécurité, et la pluie entourait de son voile la grande chambre octogonale, mais je n'étais pas seule :

Tu es à moi, maintenant.

Je lui murmurai quelques mots, bien qu'il ne fût pas dans la chambre, évidemment.

J'aurais juré que, si loin et pourtant si proche, il éclata de rire. Il fit en sorte que j'entende ce rire. La musique ne riait pas, elle. La musique ne pouvait que suivre son cours dissonant et pourtant parfaitement accordé, propre à pousser à la folie et à l'épuisement une bande de danseurs champêtres. Mais lui, il riait.

Je commençais à sombrer dans le sommeil, pas le sommeil drogué, noir et soudain, de l'hôpital, mais un vrai sommeil, doux et profond, tandis que la musique s'élevait et se tendait en un ultime paroxysme, comme s'il m'avait pardonné.

J'avais l'impression que cette pluie et cette musique finiraient par me tuer. Je mourrais calmement, sans me révolter. Mais je ne fis que rêver, glissant dans une illusion parachevée qui semblait n'attendre que ma venue.

5

C'était la même mer, le même océan bleu et limpide dont l'écume sauvage projetait des spectres gesticulants et désarticulés à chaque vague qui s'abattait sur la grève. C'était un rêve d'une netteté envoûtante, ce que j'appelle un rêve lucide. Non, me disais-je, non, il est impossible que ce soit un rêve, tu es réellement ici ! C'est ce que disent toujours les rêves lucides. Tu te débats dans le rêve, tu te tournes en tous sens, sans parvenir à te réveiller. Tu ne peux pas avoir imaginé cela, dit le rêve.

Mais il nous fallait quitter l'apaisante brise marine. La fenêtre était fermée. Le moment était venu.

Je vis des roses éparpillées sur un tapis gris, chacune avec une longue tige munie d'un petit flacon d'eau pour qu'elle reste fraîche, des roses aux sombres pétales de satin, et des voix parlaient dans une langue étrangère, que j'aurais dû connaître mais que je ne comprenais pas, un idiome, semblait-il, inventé exprès pour ce rêve. Pour ce rêve, car je rêvais, c'était certain. Mais tandis que j'étais ici, prisonnière de cette vision comme si j'y avais été transportée corps et âme, une voix en moi chantait : Faites que ce ne soit pas un rêve !

« Tout juste ! » s'exclama la belle Mariana à la carnation foncée. Ses cheveux étaient courts, elle portait un corsage blanc qui découvrait ses épaules et son cou de cygne, et sa voix était câline.

Elle ouvrit les portes sur un lieu immense. Je n'en croyais pas mes yeux, incapable d'imaginer que des objets matériels pussent égaler la splendeur de la mer et du ciel, mais cela... Un temple, un temple de marbre polychrome.

Ce n'est pas un rêve, me dis-je. Comment pourrais-tu rêver cela ! Tu ne portes pas en toi la vision nécessaire pour édifier un tel rêve. Tu es ici, Triana !

Regarde ces murs incrustés de marbre de Carrare crémeux aux veines profondes, ces panneaux encadrés d'or, ces bordures d'une pierre d'un brun plus soutenu, mais non moins polie et diaprée, non moins magique. Regarde ces pilastres carrés aux chapiteaux dorés !

En approchant de la façade principale de l'édifice, le marbre prend des tons verts, formant sur le sol de longues bandes qui encadrent une mosaïque complexe et toujours changeante. Regarde ! Voici des grecques antiques, et d'autres motifs chers à Rome et à Athènes, dont j'ai oublié les noms, mais que je connais.

Nous retournant, nous nous trouvons face à un escalier dont je n'ai jamais vu le pareil. Ce n'est pas seulement l'échelle majestueuse, mais de nouveau la couleur : qu'il est admirable, Seigneur, l'éclat radieux du Carrare rose !

Mais admire d'abord ces figures aux visages de bronze emplis de déférence, aux corps merveilleusement sculptés dans le bois, dont les courbes se terminent par des pattes et des griffes léonines prenant appui sur des plinthes d'onyx.

Qui a édifié cette merveille ? Dans quel but ?

Mon attention est attirée par les portes de verre, à l'extrémité opposée de l'édifice. Il y a tant de choses à voir que je ne sais plus où donner de la tête. Regarde ces hautes portes néo-classiques en verre biseauté, avec leurs impostes semi-circulaires aux meneaux rayonnants ! Quelles baies immenses pour laisser entrer la lumière, bien que le jour – ou la nuit, je ne saurais dire – soit intercepté par les contrevents.

Les escaliers nous attendent. Viens, dit Mariana. Lucrèce est tellement gentille. La balustrade en marbre d'un vert de jade est striée comme la mer, avec des balustres d'un ton plus clair, et tous les murs sont en panneaux de marbre rose ou crème, encadrés d'or.

Regarde ces colonnes rondes et lisses de marbre rose, aux chapiteaux ornés d'une double bordure de somptueuses feuilles d'acanthe dorées, et tout en haut, les arcs brisés des voûtes, formant des niches où sont peintes des figures. Regarde l'encadrement sculpté des immenses vitraux !

Oui, il fait jour. C'est bien la lumière du jour que diffusent les vitraux ! Elle se répand sur les nymphes habilement peintes sur les hauts plafonds, qui dansent pour nous, et dansent aussi dans les vitraux eux-mêmes. Je ferme les yeux. Je les rouvre. Je touche le marbre. Il est réel. Tout ceci est vrai.

Tu es ici. Tu ne peux te réveiller, rien ne peut t'éloigner de ce lieu. Il est réel, tu le vois !

Nous gravissons les marches, montant de plus en plus haut au sein de ce palais de pierre d'Italie, et accédons à une mezzanine, face aux trois immenses vitraux, chacun dédié à une déesse ou à une reine, toutes vêtues de robes diaphanes, sous une architrave où des chérubins semblent attendre leurs ordres, entourés de fleurs, couverts de guirlandes de fleurs, tenant des fleurs dans leurs mains tendues. Que signifient ces symboles ? J'entends les mots, je vois – c'est cela qui me fait trembler.

A chaque extrémité de ce long espace propice au rêve, se trouve une chambre ovale. Viens voir ! Regarde ces fresques qui montent si haut. Regarde ces peintures murales où se déroulent des récits sans fin, et de nouveau l'on voit danser les hardies figures classiques, le front ceint de lauriers, les contours fermes et généreux. Elles ont toute la magie des préraphaélites.

N'y a-t-il pas de fin à ces combinaisons ingénieuses, à cette beauté rehaussée de beauté ? Pas de fin à ces corniches et à ces frises, à ces moulures aux motifs recherchés, à ces fières entablures, à ces murs lambrissés ? Ce doit être un rêve.

Elles parlaient dans leur langue angélique, Mariana et l'autre, Lucrèce, elles parlaient dans cet idiome tendre et mélodieux. Et là, regardez ! Je leur montre les masques en or de ceux que j'aime tant, dans des médaillons placés haut sur le mur : Mozart, Beethoven, d'autres encore... Mais qu'est ce lieu, un palais dédié à toutes les musiques que tu n'as jamais pu entendre sans être émue jusqu'aux larmes ? Le marbre resplendit au soleil. Une telle splendeur n'a pu être créée par la main de l'homme. C'est le Temple céleste.

Viens, descends les marches, descends toujours plus bas ; je comprends alors, le cœur lourd, que ce doit être un rêve.

Ce rêve dépasse la mesure de mon imagination, il est improbable au point d'être impossible.

Nous avons quitté le temple de marbre dédié à la musique pour une vaste salle persane entièrement carrelée de céramique bleue, regorgeant d'ornements orientaux dont la somptuosité rivalise avec la splendeur que nous venons de quitter. Faites que je ne me réveille pas ! Et si tout ceci est une création de mon esprit, faites que cela ne s'arrête pas.

Il est inconcevable que cette merveille babylonienne succède à cet audacieux miracle baroque, mais j'aime, j'aime tant cela.

Les colonnes sont surmontées d'antiques taureaux sacrificiels à l'expression furieuse, et regarde ! voici la fontaine, la fontaine où Darius a tué le lion. Ce n'est pas un temple, pourtant, pas un mémorial sans vie dédié à des choses du passé.

Regarde, le long des murs, ces étagères luisantes chargées de verrerie d'une élégance suprême, et tout ceci constitue le décor d'un café. De nouveau, le sol est couvert d'une mosaïque incomparable. De gracieuses chaises en bois doré sont disposées autour d'une multitude de petites tables. Ici, des gens discutent, vont et viennent, bougent et respirent le plus naturellement du monde, comme si ce faste n'avait plus rien d'extraordinaire à leurs yeux.

Quel est donc ce lieu, ce pays, cette terre, où se marient si audacieusement le style et la couleur ? Où les maîtres de tous les arts ont passé outre aux conventions ? Même les candélabres sont de style persan, tout en feuilles d'argent perforées de dessins d'une complexité inouïe.

Rêve ou réalité ? Je me retourne et frappe une colonne de mon poing. Nom de Dieu, je ne suis pas ici, je veux me réveiller ! Mais tout me contredit. Tu es ici, cela ne fait aucun doute. Tu es corps et âme en ce lieu, dans la salle babylonienne sous le temple de marbre.

« Viens, viens. » Sa main est sur mon bras. Est-ce Mariana ou l'autre, si adorable avec son visage rond et ses grands yeux généreux, Lucrèce ? Elles compatissent, dans leur idiome latin et musical.

Notre secret le mieux gardé.

Tout se déplace. Je suis ici, certes, car jamais je n'aurais pu rêver ceci.

Non, je suis incapable de créer une telle vision. Ma vie est faite de musique, de lumière, de couleurs aussi, mais qu'est ceci, ce couloir fétide et crasseux aux murs revêtus de carreaux qui furent blancs, au sol noirâtre couvert d'eau croupissante, d'une saleté repoussante... Regarde les moteurs, les chaudières, les gigantesques cylindres fermés par d'énormes écrous rouillés, la peinture qui s'écaille, écoute ce vacarme tellement assourdissant que c'en est presque du silence !

On dirait la salle des machines d'un vieux paquebot, comme celui à bord duquel tu t'étais faufilée quand tu étais petite et que La Nouvelle-Orléans était encore un port vivant, en pleine activité. Mais ce n'est pas possible, nous ne sommes pas sur un navire. Les proportions de ce couloir sont trop imposantes.

Je veux retourner en arrière. Je ne veux pas voir cette partie du rêve. Mais je sais maintenant que ce n'est pas un rêve. J'ai été entraînée ici par je ne sais quel stratagème ! Sans doute un châtiment que je méritais, quelque affreux règlement de comptes. Je veux revoir le marbre, le somptueux marbre fuchsia des panneaux bordant l'escalier. Je veux graver dans ma mémoire les déesses des vitraux.

Nous continuons cependant à suivre ce passage humide et puant, empli d'échos. Pourquoi ? Des odeurs ignobles assaillent mes narines. Des vieilles malles en fer semblent avoir été abandonnées par des soldats fuyant une position menacée : cabossées, décorées de cover-girls découpées dans de vieux magazines. Nous dominons maintenant cet effroyable enfer de machines ; le grincement des engrenages se mêle au halètement des pistons, au sifflement des chaudières, aux mille bruits que vomit cette géhenne mécanique.

« Où allons-nous ? »

Mes compagnes sourient. Sans doute pensent-elles que l'endroit où elles m'emmènent est un secret amusant.

Des portes ! De hautes portes de fer se dressent devant nous ! Mais que défendent-elles ? Un donjon ?

« Un passage secret », me révèle Mariana, manifestement ravie de sa ruse. « Il passe sous la rue ! Un passage souterrain et secret... »

J'essaie de voir ce qu'il y a de l'autre côté. Il est impossible de passer. Les portes sont condamnées par de lourdes chaînes. Mais regardez, regardez donc de ce côté, là où l'eau scintille ! Regardez !

« Il y a quelqu'un, vous ne voyez pas ? Ciel ! un homme, allongé de tout son long, et il perd son sang. Il est mourant. Ses poignets sont tailladés, et pourtant ses mains sont jointes. Va-t-il mourir ? »

Où sont Mariana et Lucrèce ? Ont-elles regagné en volant la coupole du temple de marbre, où les danseuses de l'Hellade décrivent leurs cercles gracieux sur les fresques ?

Je ne suis plus protégée.

La puanteur devient intolérable. L'homme est mort ! Oh mon Dieu ! J'en suis certaine. Non, il bouge, il lève un bras, un filet de sang coule de son poignet. Au nom du Ciel, aidez-le !

Mariana éclate d'un rire d'une douceur adorable, et souligne ses mots de gestes caressants :

« Tu ne vois donc pas qu'il est mort, étendu dans cette eau immonde...

– ... passage secret qui menait autrefois au palais et...

– Écoutez-moi, mes belles, cet homme a besoin de nous. » Je me jette sur les portes en fer, je les secoue. « Il faut aller l'aider ! » Les portes qui nous barrent le chemin sont à l'échelle de ce lieu démesuré. Massives et immenses, elles vont du sol au plafond, des chaînes et des verrous les ferment solidement.

« Réveille-toi ! Pas cela, je ne veux pas voir cela ! »

Un torrent de musique se déverse soudain dans le silence !

Je me redresse sur le lit – sur mon lit.

« Comment osez-vous ! »

6

Je me redressai sur le lit. Il était assis à côté de moi ; ses jambes étaient si longues que, même sur ce lit à colonnes aux pieds surélevés, il pouvait s'asseoir comme il convient à un homme, les pieds posés par terre. Il me regardait avec insistance. Le violon était humide. Lui aussi était tout mouillé, ses cheveux étaient trempés.

« Comment osez-vous ! » répétai-je. Je remontai les genoux et m'éloignai de lui. Je voulus tirer les couvertures, mais son poids les retenait.

« Vous entrez dans cette maison, dans ma chambre ! Vous venez chez moi, pour me dire ce que je dois ou ne dois pas rêver ! »

Il était trop surpris pour répondre. Sa poitrine se soulevait. L'eau gouttait de ses cheveux. Et le violon, au nom du ciel, n'avait-il donc aucun respect pour son instrument ?

« Doucement ! m'intima-t-il.

– Doucement ! crachai-je. Je vais réveiller la ville entière ! C'est ma chambre ! Et de quel droit me dictez-vous ce que je dois rêver ! Vous... que voulez-vous ? »

Il était tellement stupéfait – et consterné, me sembla-t-il – qu'il ne trouvait pas ses mots. Je le sentais hésiter, tâtonner... Il pencha la tête de côté. C'était la première fois que j'avais l'occasion d'observer de près ses joues creuses, sa peau lisse, ses longs doigts aux articulations osseuses, le dessin énergique et délicat de son nez. Même sale et trempé, il était beau, nul n'en disconviendrait. Vingt-cinq ans. C'était l'âge que je lui donnais, mais comment savoir ? Un homme de quarante ans peut conserver au moins l'apparence de la jeunesse, s'il prend les pilules qu'il faut, s'il fait régulièrement du jogging – ni trop, ni trop peu –, et s'il fait appel à un bon chirurgien esthétique.

Il tourna brusquement la tête et me foudroya du regard !

« Vous pensez à ce genre de bêtises alors que je suis ici ? » Sa voix était profonde et puissante, une voix de jeune homme. Si l'on peut en juger d'après la voix parlée, c'était un fort ténor.

« Quel genre de bêtises ? » demandai-je en le toisant. Maigre ou pas, il était grand. Mais il ne me faisait pas peur. « Sortez de ma maison ! Sortez de ma chambre et de ma maison et n'y remettez pas les pieds sans y être invité ! Partez ! Je suis absolument furieuse. Avoir l'outrecuidance de venir ici sans mon autorisation ! Dans *ma* chambre ! »

Quelqu'un frappa à la porte. Un instant après, la voix affolée d'Althea me parvint : « Miss Triana ! Je n'arrive pas à ouvrir la porte ! Miss Triana ! »

Il regarda un instant la porte, puis se tourna de nouveau vers moi, marmonna je ne sais quoi en hochant la tête, et passa la main dans ses cheveux poisseux. Lorsqu'il ouvrait complètement les yeux, ils étaient immenses, et sa bouche, je dois dire qu'il avait une bouche superbe, mais aucun de ces détails n'apaisait ma colère.

« Impossible d'ouvrir cette porte ! » hurla Althea.

Je lui dis de ne pas s'inquiéter. Je voulais rester seule un moment. C'était l'ami musicien. Tout allait bien, je n'avais pas besoin d'elle. J'entendis ses protestations, et, à l'arrière-plan, le ronchonnement sentencieux de Lacomb, mais à force d'insister, le calme finit par revenir.

Les craquements du plancher m'avaient indiqué qu'ils battaient en retraite.

Je lui fis face. « Vous l'avez donc condamnée, en la clouant peut-être ? » Je parlais bien sûr de la porte, que ni Lacomb ni Althea ne parvenaient à forcer.

Son visage était immobile, et dans cette immobilité, il prenait peut-être la forme que Dieu et sa mère avaient voulu lui donner : jeune, sérieux, dénué de vanité comme de malice. Ses grands yeux presque noirs m'examinaient attentivement, comme s'il espérait découvrir quelque grand secret dans les détails futiles de mon apparence. Mais il n'avait rien de ténébreux. C'était apparemment un être franc et honnête, poursuivant une quête dont la nature m'échappait.

« Vous n'avez pas peur de moi, murmura-t-il.

– Évidemment pas. Pourquoi me feriez-vous peur ? » Mais c'était pure bravade. Un instant, je ressentis de la peur. Non, pas vraiment de la peur, mais ceci : l'adrénaline qui courait dans mes veines avait baissé, et je ressentis une soudaine exultation.

Je me trouvais face à un fantôme ! Un vrai fantôme. Je le savais, et rien ne pouvait entamer cette conviction. J'en étais sûre ! Durant mes longues pérégrinations parmi les morts, je n'avais fait que parler à des souvenirs, à des reliques du passé, et je leur avais soufflé leurs répliques comme s'il se fût agi de marionnettes que je tenais à la main.

Mais lui, c'était un fantôme.

Je ressentis un immense soulagement. « Je le savais depuis le début », dis-je, et je souris. Il était impossible d'expliquer cette conviction ; cela signifiait simplement que j'avais finalement compris que la vie est moins simple que nous ne le pensons, et que l'idée du big bang ou d'un univers sans Dieu n'est pas plus substantielle que la notion de résurrection ou les récits de miracles.

Je souris de nouveau. « Vous pensiez que j'aurais peur de vous ? Est-ce cela que vous cherchiez ? Vous venez à moi pendant que mon mari agonise dans la chambre du haut, et vous jouez du violon pour m'effrayer ? Êtes-vous donc le plus stupide de tous les fantômes ? Comment pourriez-vous me faire peur de cette façon ? Et pourquoi le voulez-vous ? Vous vous nourrissez de la peur des autres... »

Quelque chose me fit taire. Ce n'était pas seulement la douceur vulnérable de son visage, le frémissement séduisant de sa bouche, son froncement de sourcils songeur, qui ne condamnait ni n'interdisait. Non, c'était autre chose, une conclusion importante à laquelle j'étais parvenue. Cette créature se nourrissait de quelque chose, mais de quoi ?

Question à proprement parler fatale, réalisai-je. Mon cœur cessa un instant de battre, ce qui ne manque jamais de m'effrayer. Je portai la main à mon cou, car j'ai toujours l'impression que c'est là que se trouve mon cœur, que c'est là qu'il danse et bondit, plutôt que dans ma poitrine.

« Je viendrai dans votre chambre, murmura-t-il, quand il me plaira. » Sa voix jeune et virile se fit plus forte, plus assurée : « Quoi que vous fassiez, vous ne pourrez pas m'en empêcher. Vous imaginez-vous que le fait de passer tout votre temps à exécuter la Danse macabre avec votre tribu assassinée – oui, oui, je sais que vous pensez les avoir tous assassinés, votre mère, votre père, Lily, Karl... quel égotisme stupide et monstrueux de croire que vous étiez à l'origine de tous ces décès spectaculaires, tellement affreux et prématurés pour trois d'entre eux – vous imaginez-vous que cela vous autorise à donner des ordres à un fantôme ? A un vrai fantôme, un fantôme tel que moi ?

– Faites venir mon père et ma mère ! Vous êtes un fantôme : rendez-les-moi. Ramenez-les de ce côté-ci de la grande ligne de partage. Amenez-moi ma petite Lily. Amenez-les sous une forme spectrale, puisque vous êtes un fantôme, un tel fantôme ! Transformez-les en fantômes, redonnez-moi un Karl qui ne souffre pas, pour un moment au moins, un seul moment de communion sacrée. Donnez-moi Lily, que je la tienne dans mes bras... »

Apparemment, mes paroles l'avaient blessé. Cela me surprit, mais je demeurai inflexible.

« Un moment sacré », répéta-t-il avec amertume.

Il secoua la tête et se détourna, comme si cette remarque l'avait non seulement déçu, mais profondément troublé. Puis, redevenant songeur, il me fit face de nouveau. J'étais comme hypnotisée par ses mains, par la finesse de ses doigts, par ses joues creuses et pourtant si juvéniles, sans un défaut.

« Je ne puis vous donner ce que vous demandez, dit-il avec une prévenance médiative. Croyez-vous que Dieu m'écoute ? Que mes prières ont du poids auprès des saints et des anges ?

– Vous voulez me faire croire que vous priez ? Que faites-vous ici ? Pourquoi êtes-vous venu ? Peu importe que vous vous soyez installé au bord de mon lit, avec cet air de défi nonchalant. Simplement, pourquoi m'imposez-vous votre présence, pourquoi m'obligez-vous à vous voir et à vous écouter ?

– Parce que je le veux ! » répondit-il avec brusquerie. Un instant, son expression de défi juvénile me parut presque pitoyable. « Comme vous l'aurez sans doute remarqué, je vais où je veux et fais ce qu'il me plaît. J'ai parcouru vos couloirs d'hôpital jusqu'au moment où une bande de stupides mortels en a fait une telle histoire que j'ai dû battre en retraite et vous attendre ici ! J'aurais pu venir dans votre chambre, dans votre lit.

– Vous voulez donc être dans mon lit.

– Mais j'y suis ! » déclara-t-il en s'accoudant négligemment sur la courtepointe. « Oh ! ne vous imaginez pas des choses ! Je ne suis pas un incube. Vous ne concevrez pas un monstre né de notre union. Ce que je veux est bien plus vital pour vous que le joujou que vous avez entre les jambes. Ce que je veux, c'est vous ! »

J'en restai sans voix.

Furieuse, oui, j'étais encore et toujours furieuse, mais muette de stupeur.

Il se redressa et regarda ses genoux, puis le sol. Il semblait parfaitement à l'aise, assis au bord du lit. Ses pieds touchaient le plancher. Cela ne m'arrive jamais. Je suis une petite femme.

Ses cheveux noirs et graisseux retombaient en mèches sur son visage d'une extrême pâleur. Lorsqu'il se tourna de nouveau vers moi, il arborait une expression narquoise.

« J'avais cru que ce serait bien plus facile, dit-il.

– De quoi parlez-vous ?

– De vous rendre folle. » Il eut un sourire qui se voulait cruel. « Je croyais que vous étiez déjà folle. Je pensais que cela prendrait... quelques jours, tout au plus.

– Pourquoi diable voudriez-vous me pousser à la folie ?

– J'aime faire de telles choses. » Une tristesse soudaine l'envahit, crispa ses sourcils avant qu'il ne pût la chasser. « Je vous croyais folle. Vous êtes presque... certains vous qualifieraient de folle.

– Et pourtant terriblement sensée, n'est-ce pas ? C'est bien là le problème. »

J'étais plus que jamais fascinée. Je ne pouvais m'empêcher d'observer le moindre détail : son vieux pardessus, la poussière que la pluie avait transformée en boue sur les épaules, l'expression changeante de ses grands yeux – tantôt pénétrante, tantôt rêveuse, reflétant ses pensées –, la façon qu'il avait de s'humecter les lèvres du bout de la langue, tout comme un être humain.

Soudain, j'eus une révélation, d'une clarté aveuglante : « Le rêve que j'ai fait ! Le rêve où...

– Ne parlez pas de cela ! » Il se pencha vers moi, menaçant, si près que ses longs cheveux mouillés retombaient sur le duvet, juste à côté de mes mains.

M'adossant à la tête de lit pour ne pas perdre l'équilibre, je le giflai de toutes mes forces. Je lui assenai deux gifles avant qu'il ne retrouve ses esprits, puis je repoussai la courtepointe humide.

Il se redressa et s'éloigna en vacillant un peu, tout en me regardant avec une douloureuse stupéfaction.

J'avançai le bras droit. Il ne broncha pas. Serrant le poing, je le frappai en pleine poitrine. Il recula calmement d'un ou deux pas, pas davantage impressionné par ce faible coup que ne l'aurait été un humain.

« Vous m'avez envoyé ce rêve ! Il venait de vous ! Ce lieu que j'ai vu, cet homme aux...

– Je vous ai prévenue, il ne faut pas. » Il poussa un juron, pointant son doigt vers mon visage tout en se redressant comme un grand oiseau. « Pas un mot à ce sujet ! Sinon, je commettrai de tels ravages dans votre petit recoin du monde matériel que vous maudirez le jour qui vous a vu naître... » Son ton s'adoucit : « Vous croyez connaître la souffrance, vous êtes tellement fière de votre douleur... »

Il se détourna brusquement. Il prit le violon contre lui et l'entoura de ses bras. Il avait dit une chose qui lui déplaisait. Ses yeux parcouraient la chambre comme s'ils pouvaient réellement voir.

« Mais je vois ! s'exclama-t-il, piqué au vif.

– Je voulais dire, voir comme un mortel, rien de plus.

– C'est précisément ce que je veux dire, moi aussi », rétorqua-t-il.

Dehors, l'averse avait cessé. Il ne tombait plus qu'une pluie douce et légère, mais la musique des gouttes et du ruissellement était plus forte que jamais. Nous étions apparemment dans un monde humide, lui et moi, un monde chaud et protégé, mais humide.

Aussi clairement que je savais qu'il était ici, je savais que j'avais rarement été aussi vivante de ma vie, et que sa présence, le seul fait de le voir, avait fait renaître en moi une flamme que je n'avais plus connue depuis des décennies. Il y avait si longtemps de cela, avant tant de défaites, quand j'étais jeune et amoureuse, quand je pleurais sur mes échecs et mes pertes en ces années de vigueur juvénile, quand tout paraissait tellement lumineux, tellement chaud et doux... alors, peut-être, j'avais été vivante.

La douleur la plus éperdue ne connaît pas une telle vitalité. Celle-ci s'exprime par la joie, elle est plus proche de la danse, du pouvoir hypnotique de la musique.

Et il se tenait devant moi, ne sachant apparemment plus où il en était, lorsque soudain il me regarda comme pour poser une question, et tout aussi soudainement se détourna, fronçant ses sourcils noirs.

« Dites-moi ce que vous cherchez. Vous avez dit que vous vouliez me rendre folle. Pourquoi ? Dans quel but ? »

Il réagit instantanément, mais les mots lui venaient lentement : « Eh bien, pour vous dire la vérité, je ne sais plus quoi faire. » Les sourcils levés, il parlait avec sincérité, d'un ton froid et objectif. « Je ne sais même plus ce que je veux ! Vous rendre folle... » Il haussa les épaules avec fatalisme. « Maintenant que je sais qui vous êtes, que je connais votre force, je ne sais plus quels mots utiliser. Peut-être existe-t-il une meilleure solution que de simplement vous faire perdre l'esprit, à supposer bien entendu que j'en sois capable, et je vois que vous vous sentez supérieure, vous qui avez tenu les mains de tant d'agonisants, qui avez regardé votre jeune mari perdu, Lev, danser avec ses amis après avoir pris des drogues, pendant que vous vous contentiez de boire un peu de vin, parce que vous aviez peur de la drogue, peur des visions ! Des visions telles que moi ! Franchement, vous me surprenez. Je ne vous comprends pas.

– Une vision ? » murmurai-je.

Je me retins de la main droite au montant du lit. Je tremblais des pieds à la tête, mon cœur battait la chamade. Ces symptômes de la peur me rappelèrent qu'il y avait effectivement ici quelque chose d'effrayant – sans doute, mais au nom du Ciel, que pouvait-il exister de pire que ce que j'avais déjà connu ? Avoir peur de la lumière vacillante des cierges, du sourire des saints ? Non, je ne crois pas. Vraiment pas.

La mort est redoutable, certes. Les fantômes ? Qu'est-ce qu'un fantôme ?

« Comment avez-vous trompé la mort ? lui demandai-je.

– Femme désinvolte, impie et cruelle », murmura-t-il ; son débit était précipité. « Vous paraissez angélique, avec le sombre voile de vos cheveux, votre doux visage et vos grands yeux. » Il était manifestement sincère, et touché au vif. Penchant la tête de côté, il poursuivit : « Je n'ai rien trompé ni personne. » Son regard se fit implorant. « Vous m'appeliez, vous vouliez que je vienne...

– Vous pensiez cela ? Quand vous m'avez épiée alors que je pensais aux morts ? C'est cela que vous vous imaginiez ? Et pourquoi êtes-vous venu ? Pour me consoler ? Pour exacerber ma douleur ? Que s'est-il passé ? »

Secouant la tête, il fit plusieurs pas en arrière. Il regarda par la fenêtre du fond, laissant la lumière dessiner son profil. Il semblait empli de tendresse.

Il se retourna brutalement, avec colère.

« Et si jolie, dit-il, même à votre âge, bien que vous soyez devenue rondouillette. Vos sœurs vous détestent à cause de votre beau visage, vous le savez, n'est-ce pas ? La belle Katrinka, au corps bien fait et au mari si brillant, et qui a eu avant lui plus d'amants qu'elle ne peut en compter. Elle pense que vous avez une grâce qu'elle ne pourra jamais revendiquer ni imiter. Et Faye, Faye vous aimait, elle aimait tout le monde, mais Faye ne pouvait pas davantage vous pardonner votre beauté.

– Que savez-vous de ma sœur Faye ? lui demandai-je impulsivement. Est-elle toujours en vie ? » J'aurais voulu abandonner ce sujet, mais je ne pouvais plus m'arrêter. « Où est Faye ? Et comment pouvez-vous parler ainsi de Katrinka, que savez-vous de Katrinka ou des autres membres de ma famille ?

– Je parle de ce que vous savez, répondit-il. Je vois les sombres dédales de votre esprit, je connais les réduits souterrains que vous-même n'avez jamais visités. Dans ces zones d'ombre, je vois que votre père vous aimait tant parce que vous ressembliez à votre mère. Les mêmes cheveux bruns, les mêmes yeux marron. Et je vois qu'une nuit, votre sœur Katrinka a joyeusement entraîné au lit votre jeune mari, Lev.

– Comment ! Taisez-vous ! Êtes-vous venu ici pour devenir mon démon familier ? Qu'ai-je fait pour mériter cela ? Et du même coup, vous me dites que je suis bien moins responsable de ces morts que je ne semble le penser. Comment allez-vous me pousser à la folie, j'aimerais le savoir ! Comment, hein ? Vous êtes tellement peu sûr de vous. Regardez-vous ! Tout fantôme que vous êtes, vous tremblez. Qu'étiez-vous quand vous étiez en vie ? Un jeune homme ? Peut-être même bon et généreux de nature, mais complètement perverti, maintenant...

– Il suffit, m'intima-t-il. J'ai parfaitement compris.

– Compris quoi ?

– Que vous me voyez aussi clairement que je vous vois, répondit-il avec froideur. Que les souvenirs et la peur n'entament pas votre résolution. Je me suis lourdement trompé à votre sujet. Vous ressembliez à une enfant, une éternelle orpheline, vous paraissiez tellement...

– Dites-le. Tellement faible ?

– Vous êtes amère.

– Peut-être. C'est un terme que je n'apprécie guère. Pourquoi tenez-vous tant à ce que je ressente soit de la douleur, soit de la peur ? Quel but poursuivez-vous ? Et que signifiait ce rêve ? Où se trouve cette mer ? »

Son visage était inexpressif. Comme frappé de stupeur, il haussa les sourcils, parut sur le point de parler, puis se ravisa, à moins qu'il n'eût pas trouvé les mots justes.

« Vous pourriez être belle, reprit-il avec douceur. Vous l'étiez, presque. Est-ce pour cette raison que vous mangez n'importe quelle saleté et que vous buvez de la bière, laissant s'abîmer la forme que Dieu vous a donnée ? Vous étiez mince quand vous étiez jeune, aussi mince que Katrinka et Faye, c'était votre nature. Mais vous vous êtes cachée derrière cette couche épaisse, n'est-ce pas ? De qui vouliez-vous vous cacher ? De votre mari Lev, que vous abandonniez à des femmes plus jeunes, plus séduisantes ? Vous l'avez poussé à coucher avec Katrinka. »

Je ne réagis pas.

Je sentais une force croissante monter en moi. Bien que frissonnante, je sentais cette force, cette grandiose exaltation. Il y avait si longtemps qu'aucune émotion comparable ne m'avait visitée, mais maintenant, en voyant sa stupéfaction, je la ressentais.

« Peut-être avez-vous même une certaine beauté », murmura-t-il en souriant, comme s'il cherchait délibérément à me tourmenter. « Mais deviendrez-vous aussi grosse et informe que votre sœur Rosalind ?

– Si vous connaissez Rosalind et que vous êtes incapable de voir sa beauté, je perds mon temps avec vous. Quant à Faye, elle distille une beauté qui dépasse votre entendement. »

Il retint un instant son souffle, puis eut un petit ricanement, et enfin me regarda, les sourcils obstinément froncés.

« Vous ne pouvez percevoir le pouvoir d'une personne aussi pure que Faye dans ma mémoire. Elle est présente, pourtant. Quant à Katrinka, je peux la comprendre. Faye était jeune au point de danser, de continuer à danser même dans l'obscurité la plus profonde. Katrinka savait des choses. Rosalind, je l'aime de tout mon cœur. Et alors ? »

Il me regarda comme s'il cherchait à lire mes pensées les plus secrètes, mais ne dit rien.

« Où cela nous mène-t-il ? insistai-je.

– Au fond du cœur, vous êtes restée une petite fille. Méchante et cruelle comme peuvent l'être les petites filles. Mais il ne reste que l'amertume, et le besoin que vous avez de moi, bien que vous vous refusiez à le reconnaître. C'est vous qui avez poussé votre sœur Faye à partir, vous savez.

– N'en dites pas plus.

– Vous... Quand vous avez épousé Karl, vous l'avez forcée à partir. Ce n'étaient pas les pages douloureuses du journal de votre père, qu'elle avait lues après la mort de celui-ci. Vous faisiez entrer dans la maison un nouveau seigneur qu'elle et vous aviez partagé...

– Taisez-vous !

– Pourquoi ?

– En quoi cela vous concerne-t-il, et pourquoi en parlons-nous maintenant ? Vous êtes tout mouillé de pluie. Mais vous n'avez pas froid. Et vous n'êtes pas davantage chaud, n'est-ce pas ? Vous ressemblez à un adolescent, à un de ces petits rockers qui suivent les groupes célèbres, une guitare à la main, mendiant quelques sous à l'entrée des salles de concert. D'où vous vient cette musique, cette musique incroyable qui brise le cœur... ? »

Cela le rendit furieux.

« Langue venimeuse ! gronda-t-il. Je suis plus vieux que vous ne pouvez l'imaginer. Ma douleur est plus ancienne que la vôtre. Je suis d'une essence supérieure. Avant de mourir, j'ai appris à jouer de cet instrument à la perfection. Oui, et dans mon corps vivant, je possédais un talent dont vous n'aurez jamais l'idée, en dépit de tous vos disques, de vos rêves et de vos visions fantaisistes. Vous dormiez lorsque votre petite Lily est morte, vous ne l'avez pas oublié, je pense ? A l'hôpital de Palo Alto, vous vous étiez bel et bien endormie, et... »

Je me bouchai les oreilles avec les mains. L'odeur, la lumière, tous les détails de cette chambre d'hopital d'il y a vingt ans m'entouraient soudain. Non ! Non, pas cela !

« Vous vous délectez de ces accusations ! » Mon cœur battait trop fort, mais je contrôlais parfaitement ma voix. « Pourquoi ? Que suis-je pour vous, qu'êtes-vous pour moi ? »

– Vraiment ? J'avais l'impression que *vous* faisiez cela.

– Que je faisais quoi ? Expliquez-vous.

– J'avais l'impression que *vous* vous délectiez de ces accusations. Il me semblait que vous vous accusiez vous-même, avec une telle délectation, une telle fierté, dans un mélange de peur et d'humiliation, de frissons et d'apathie – que vous n'étiez jamais seule, jamais, tenant toujours la main d'un cher disparu et chantant dans votre tête vos litanies de pénitence, les gardant jalousement autour de vous, nourrissant leur souvenir afin de ne pas faire face à la vérité : cette musique que vous aimez tant, vous ne serez jamais capable de la faire. L'émotion qu'elle fait douloureusement sourdre en votre âme ne connaîtra jamais son accomplissement. »

J'étais incapable de répondre.

S'enhardissant, il poursuivit :

« Vous vous repaissiez tellement de ces accusations, pour reprendre votre terme, vous nourrissant de votre culpabilité, que je pensais que ce serait un jeu d'enfant de vous faire perdre l'esprit, de sorte qu'il deviendrait... » Il s'interrompit. Plus que cela. Il se tut délibérément, comme s'il craignait de se trahir, et se redressa avec raideur.

« Je pars, m'annonça-t-il. Mais je reviendrai quand il me plaira, n'en doutez pas.

– Rien ne vous y autorise. Celui qui vous a envoyé, qui que ce soit, doit vous ramener d'où vous venez. » Je fis le signe de croix.

Il sourit. « Cette petite prière vous a-t-elle fait du bien ? Vous vous souvenez de la misérable messe funèbre de votre fille, en Californie, comme tout était raide et sonnait faux – ces amis de la côte Ouest, ces intellectuels d'une intelligence tellement supérieure, contraints d'assister à un événement aussi manifestement stupide qu'une vraie cérémonie funèbre dans une vraie église –, vous en souvenez-vous ? Et le prêtre indifférent, pressé d'en finir, qui savait que vous n'aviez jamais mis les pieds dans son église avant la mort de votre fille. Et maintenant, vous vous signez ? Voulez-vous que je joue un cantique ? Le violon peut rendre le plain-chant. Ce n'est pas courant, mais je peux trouver le *Veni Creator* dans votre esprit et le jouer pour vous. Nous pourrons prier ensemble.

« Cela ne vous a donc servi à rien, dis-je, de prier Dieu. » Je m'efforçais de prendre une voix à la fois douce et assurée, et de donner tout leur poids à mes mots. « Personne ne vous a envoyé. Vous êtes un nomade. »

Il était confondu.

« Sortez d'ici et n'y remettez pas les pieds !

– Vous ne parlez pas sérieusement. » Ce n'était pas une question, mais une constatation. Il haussa les épaules avec dédain. « Et ne me racontez pas que votre pouls ne bat pas aussi vite qu'une horloge trop remontée. Ma présence vous plonge dans une extase sans fin ! Karl, Lev – votre père. En ma personne, vous avez rencontré un homme tel que vous n'en avez jamais connu, alors que je ne suis même pas un homme.

– Vous êtes arrogant, insultant et crasseux. Et vous n'êtes effectivement pas un homme. Vous êtes un fantôme, et qui plus est le fantôme d'un être jeune, moralement laid et grossier ! »

Cela le toucha au vif. Je vis à son expression que c'était davantage qu'une simple blessure de vanité.

« Il se peut », dit-il, s'efforçant de se contrôler. « Et vous m'aimez, à cause de la musique, ou en dépit d'elle.

– C'est possible », dis-je avec froideur, en hochant la tête. « Mais n'oubliez pas que j'ai une très haute opinion de moi-même. Comme vous l'avez reconnu, vous avez fait une erreur de calcul. J'ai été mariée à deux reprises, mère une fois, orpheline peut-être. Mais faible ? Non. Et amère ? Jamais. L'amertume exige un sentiment qui me manque.

– À savoir ?

– Le sentiment d'avoir été lésée, d'avoir mérité un meilleur sort. C'est la vie, voilà tout, et vous vous nourrissez de moi parce que je suis vivante. Mais je ne suis pas rongée par la culpabilité au point que vous puissiez venir chez moi pour me pousser à la folie. Assurément pas. Je ne pense pas que vous compreniez la véritable nature de la culpabilité.

– Vraiment ? » Sa surprise n'était pas feinte.

« La terreur panique, dis-je, les *mea culpa, mea culpa* affolés, ne sont qu'un premier stade. Ce qui suit est plus difficile, plus dur, mais permet de faire face aux erreurs et aux insuffisances. Quant au regret, ce n'est rien, absolument rien... »

Ce fut à mon tour de laisser ma phrase en suspens, car un de mes plus récents souvenirs était revenu me hanter douloureusement. Ma mère, s'éloignant ce dernier jour. Oh Mère, laisse-moi te serrer dans mes bras ! Le St Joseph Cemetery, le jour de son enterrement. Toutes ces modestes sépultures, ces tombes d'Irlandais pauvres et d'Allemands tout aussi pauvres, et les monceaux de fleurs, et moi qui regardais le ciel en pensant. Jamais cela ne changera, jamais la douleur ne se dissipera, plus jamais la lumière ne brillera sur ce monde.

Je réussis à chasser ces pensées ! Je levai les yeux sur lui.

Il m'observait attentivement, et semblait lui aussi au bord de la souffrance. Cela m'excita.

Je revins à la question qui me préoccupait, la creusant profondément, écartant tout ce qui m'empêchait de me concentrer sur ce que je voulais comprendre et communiquer.

« Je pense l'avoir comprise, maintenant. » Un soulagement indescriptible m'envahit. Une émotion semblable à l'amour. « Mais pas vous, hélas. Pas vous. »

J'avais abandonné toute méfiance. Je ne pensais qu'à ce que j'essayais d'approfondir, et il m'importait peu de plaire ou de déplaire. A ce sujet, je ne voulais qu'être proche de lui. Cela devrait l'intéresser, et si seulement il voulait le reconnaître, il serait certainenemt capable de le comprendre.

« Éclairez ma lanterne, je vous prie », dit-il d'un ton moqueur.

Une douleur terrible me submergea : pas une douleur perçante, localisée, mais une douleur qui s'empare de l'être entier. L'implorant du regard, j'entrouvris les lèvres, sur le point de me confier à lui, pour tenter de découvrir en parlant avec lui ce qu'était exactement cette douleur, ce sentiment de responsabilité, cette conscience d'avoir causé ici-bas des souffrances et des ravages inutiles, d'avoir fait un mal que l'on ne pourra jamais défaire ni réparer, non, un mal irréparable, occasions perdues à jamais sans laisser d'autre trace que des souvenirs déformés et douloureux, et pourtant il existe une chose infiniment plus belle, tellement plus significative, à la fois immense et accablante, et tellement complexe, une chose que nous connaissions, lui et moi...

Il disparut.

De toute évidence, il disparut, totalement, un sourire aux lèvres, me laissant seule avec mes émotions mises à nu. Il l'avait fait délibérément et avec malice, afin que je me retrouve seule avec cette douleur. Pire : seule avec mon besoin désespéré de la partager !

Je tournai mon attention vers les ombres. Les arbres doucement agités par le vent. Une ondée passagère.

Il était parti.

« Je sais à quel jeu tu joues, dis-je à voix basse. Je le sais. »

M'approchant du lit, je pris mon rosaire sous l'oreiller. C'était un rosaire en cristal, avec une croix en argent massif. Il se trouvait dans ce lit car c'était là que la mère de Karl dormait quand elle venait. Ma bien-aimée marraine, tante Bridget, avait elle aussi coutume d'y dormir, depuis que j'avais épousé Karl. Peut-être aussi le rosaire se trouvait-il là parce que c'était le mien et que je l'avais mis dans ce lit, sans raison particulière. Le mien. On me l'avait offert pour ma première communion.

Je le regardai songeusement. Après la mort de Mère, Rosalind et moi avions eu une scène terrible.

C'était au sujet du rosaire de notre mère ; nous l'avions littéralement mis en pièces, arrachant les maillons et les fausses perles – c'était un objet sans valeur, mais c'était moi qui l'avais fabriqué pour Mère, et je voulais l'avoir, car je l'avais fait de mes mains. Nous l'avions donc cassé ; Rosalind s'était alors lancée à ma poursuite et je lui avais claqué la porte au nez, si fort que ses lunettes brisées lui avaient entaillé le front. Tant de rage et de colère. De nouveau, du sang par terre.

De nouveau du sang, comme si Mère était toujours en vie, ivre, tombant du lit et se heurtant le front contre le radiateur à gaz – cela lui était arrivé deux fois –, pissant le sang. Du sang par terre. Ô Rosalind, ma sœur Rosalind, endeuillée et folle de rage ! Les grains du rosaire éparpillés sur le parquet.

Et maintenant, je regardais ce rosaire. Obéissant à une impulsion puérile, j'embrassai le crucifix, le minuscule corps du Christ portant les stigmates du martyre. Je remis le rosaire sous l'oreiller.

J'étais terriblement lucide, aux aguets, comme si je me préparais à la bataille. Comme cette première fois où je m'étais soûlée ; la bière me montant divinement à la tête, j'avais descendu la rue en courant, les bras écartés, chantant à tue-tête.

La peau me picotait ; la porte s'ouvrit sans le moindre effort.

Dans l'entrée et la salle à manger, tout paraissait flambant neuf. Les objets brillent-ils pour ceux qui s'apprêtent à livrer bataille ?

Althea et Lacomb se tenaient à l'autre bout de la salle à manger, près de la porte de l'office ; manifestement, ils m'attendaient. Althea paraissait terrorisée ; comme toujours, les traits de Lacomb exprimaient une curiosité mêlée d'une pointe de cynisme.

« Et si vous aviez hurlé tout d'un coup, là-bas ? me demanda Lacomb.

– Je n'avais pas besoin d'aide. Mais je savais que vous étiez là. »

Je repensai aux taches d'humidité sur le lit, à l'eau qui avait coulé par terre. Ce n'est rien, me dis-je, inutile de les embêter pour si peu.

« Je crois que je vais aller faire un tour sous la pluie, dis-je. Il y a tant d'années que je n'ai pas marché sous la pluie. »

Lacomb s'avança : « Vous voulez sortir ? Ce soir, avec cette pluie ?

– Vous n'êtes pas obligés de m'accompagner. Où est mon imperméable ? Il fait froid dehors, Althea ? »

Je sortis et commençai à remonter St Charles Avenue.

Il ne tombait plus qu'une pluie légère. C'était un plaisir de la regarder. Il y avait des années, en effet, que je ne m'étais plus promenée le long de mon avenue. Simplement marcher, comme nous le faisions si souvent quand nous étions enfants ou adolescents, pour aller acheter un cornet de glace au drugstore K & B. Simple prétexte pour passer devant les belles demeures aux portes en cristal taillé, pour bavarder ensemble tout en marchant.

Je continuai à marcher longtemps ainsi, dans les quartiers résidentiels, passant devant des maisons que je connaissais et des terrains vagues envahis par les mauvaises herbes, où se trouvaient jadis de splendides demeures. Ils faisaient tout pour la tuer, cette rue, qui semblait maintenir un équilibre précaire entre les deux dangers qui la menaçaient – l'abandon et le « progrès » –, comme si un assassinat de plus, un seul coup de feu ou une maison incendiée de trop suffiraient à sceller son destin.

Une maison incendiée. Un frisson me parcourut. Une maison en feu. Quand j'avais cinq ans, une maison avait brûlé. Une vieille et sombre demeure victorienne, se dressant comme un cauchemar à l'angle de St Charles et de Philip. Je me souviens que Père m'avait prise dans ses bras pour m'emmener « voir l'incendie », mais en voyant les flammes j'étais devenue hystérique. Au-dessus de la foule et des pompes à incendie, j'avais vu s'élever une flamme si haute qu'elle semblait avaler la nuit.

Je me secouai pour chasser cette peur.

Vagues souvenirs de gens qui m'humectaient le front, qui essayaient de me calmer. Rosalind avait trouvé ce spectacle merveilleux et exaltant. Pour moi, ç'avait été une révélation colossale – même le fait de réaliser que nous sommes mortels n'était pas pire.

Insensiblement, une sensation agréable m'envahit. Cette ancienne terreur – la peur que notre maison ne brûle à son tour – avait disparu avec les années, de même que tant d'autres peurs de l'enfance. Prenez par exemple ces énormes cafards, ces grosses blattes noires qui traversaient maladroitement ces mêmes trottoirs : en les voyant, je reculais, terrorisée. Cette peur elle aussi a pratiquement disparu – de même que les cafards, d'ailleurs, en cette ère de sacs en plastique et de maisons climatisées où il fait froid comme dans un réfrigérateur.

Soudain, je réalisai pleinement ce qu'il avait dit. Au sujet de mon jeune mari, Lev, et de ma sœur plus jeune encore, Katrinka : que lui, mon mari que j'aimais, et elle, ma sœur que j'aimais, avaient couché dans le même lit, mais que je m'en étais toujours blamée. Marie-Jeanne des hippies, vin ordinaire, trop de discours hyper-intellectuels. Tout était ma faute, ma faute. J'étais une épouse lâchement fidèle, éperdument amoureuse. L'audacieuse, c'était Katrinka.

Qu'avait-il dit, mon fantôme ? *Mea culpa*. Ou était-ce moi qui l'avais dit ?

Lev m'aimait. Je l'aimais toujours. Mais à l'époque, je me sentais si laide, si peu à la hauteur, tandis qu'elle, Katrinka, avait une telle fraîcheur, et tout le monde ne parlait que de musique indienne et de libération.

Seigneur Dieu, cette créature était-elle réelle ? Cet homme auquel je venais de parler, ce violoniste que d'autres aussi avaient vu ? En tout cas, il n'était pas dans les parages, pour le moment.

De l'autre côté de l'avenue, la limousine roulait doucement, se maintenant à ma hauteur ; je vis Lacomb ronchonner en se penchant à la vitre arrière pour souffler la fumée de sa cigarette dans le vent.

Je me demandais ce que pouvait bien penser le nouveau chauffeur, Oscar. Je me demandais si Lacomb accepterait de conduire cette voiture. Lacomb ne fait pas ce qui déplaît à Lacomb.

Cela me faisait rire, de les voir tous les deux, mes gardiens, dans la grosse voiture des Wolfstan qui roulait au pas, mais cela me permettait aussi d'aller sans crainte aussi loin que j'en avais envie.

C'est quand même bien d'être riche, me dis-je avec un sourire. Karl, Karl...

Avec l'impression de me raccrocher à l'unique chose susceptible de m'empêcher de m'écrouler, je m'arrêtai, « m'absentant un moment de cette morne félicité », pour penser à Karl et seulement à Karl, si récemment poussé dans un four.

« Tu sais, il n'est pas du tout certain que je développerai les symptômes. » La voix de Karl, tellement rassurante, protectrice. « Lorsqu'ils m'ont mis au courant, au sujet de la transfusion, il y avait déjà quatre ans, et deux ans de plus ont passé depuis... »

Oh oui, grâce à mes soins dévoués et à mon amour, tu vivras à jamais, à jamais ! J'écrirais une musique de circonstance si j'étais Mozart ou Haendel, ou compositeur... ou interprète.

« Le livre, avais-je dit, le livre est merveilleux. Saint Sébastien percé de flèches, un saint énigmatique.

– Tu le penses vraiment ? Que sais-tu à son sujet ? »
Karl m'avait écouté avec ravissement lui raconter les vies des saints.

« Notre catholicisme, avais-je dit, était tellement touffu à l'époque, avec son décorum et ses règles contraignantes ; nous étions pareils aux hassidim. »

Réduit en cendres, cet homme ! En cendres ! Et ce serait un livre que l'on met dans son salon, un cadeau de Noël, un ouvrage de référence que les étudiants en histoire de l'art finiraient par détruire dans les bibliothèques en découpant les illustrations. Mais nous veillerons à ce qu'il vive à jamais. Le *Saint Sébastien* de Karl Wolfstan.

Je retombai dans la banalité du quotidien. Je me rendis compte du manque d'envergure de la vie de Karl : une vie riche et bien remplie, mais pas une grande vie, pas cette vie exaltante que seuls connaissent les êtres réellement doués, dont j'avais rêvée lorsque je me consacrais avec rage à l'étude du violon, et dont Lev, mon premier mari, faisait tellement d'efforts pour se montrer digne à chaque nouveau poème qu'il écrivait.

Cessant ces réflexions, je prêtai l'oreille.

Non, il n'était pas dans les parages, le violoniste.

Je n'entendais aucune musique. J'observais la rue dans les deux sens, regardant passer les voitures. Mais pas de musique. Pas la moindre petite note.

Délibérément, je me mis à penser à lui, mon violoniste, à l'analyser. Avec son long nez aquilin, ses yeux profondément enfoncés, il aurait peut-être paru moins séduisant à quelqu'un d'autre que moi... peut-être. Mais que sa bouche était bien dessinée ! Et ses yeux en amande aux lourdes paupières lui permettaient une telle diversité d'expressions, de la candeur absolue à la dissimulation la plus perfide !

Une fois encore, sans répit, des bribes de souvenirs torturants remontaient à ma conscience, menaçants : mon père à l'agonie, arrachant dans son délire le tube en plastique qu'il avait dans le nez, repoussant l'infirmière... images qui semblaient apportées par le vent. Je secouai vivement la tête, je regardai tout autour de moi. Aussitôt, le tissu du présent chercha à s'imposer.

Je le repoussai énergiquement.

Je me remis à penser à lui, au fantôme, à des détails très spécifiques, recréant dans mon imagination sa longue et mince silhouette, le violon qu'il tenait à la main, m'efforçant de retrouver dans mon esprit si peu musicien les mélodies qu'il jouait. Un fantôme, un fantôme, tu as vu un fantôme, me disais-je.

Je continuais à marcher, sans fin, en dépit de mes chaussures d'abord humides, puis entièrement trempées, car la pluie avait redoublé. La voiture s'arrêta à ma hauteur, mais je dis au chauffeur de me laisser tranquille. Je repris ma marche. Je marchais parce que je savais que tant que je marchais, les souvenirs et les rêves ne pourraient pas vraiment me submerger.

J'ai beaucoup pensé à lui pendant cette promenade, essayant de me souvenir du moindre détail gravé dans ma mémoire : il portait ce genre de vêtements « corrects » que l'on trouve plus facilement en solde que les tenues décontractées ou à la dernière mode ; il était très grand, au moins un mètre quatre-vingt-cinq à en juger par la façon dont je devais lever la tête pour le regarder, et pourtant, je ne m'étais pas du tout sentie intimidée ni rabaissée.

Il devait être plus de minuit lorsque je remontai les marches du perron ; derrière moi, j'entendis la voiture se garer le long du trottoir.

Althea arriva avec une serviette de toilette.

« Venez vite, ma chérie, entrez, me dit-elle.

– Tu aurais dû aller te coucher. As-tu vu mon violoniste ? Tu sais, mon ami musicien avec son violon ?

– Non, m'dame, répondit-elle en me séchant les cheveux. Je crois que vous l'avez fait fuir pour de bon. Dieu sait, Lacomb et moi étions prêts à enfoncer cette porte, mais vous vous en êtes tirée toute seule. Il est parti ! »

J'ôtai mon imperméable et le lui tendis, puis montai à l'étage.

Le lit de Karl. Notre chambre, comme toujours éclairée par l'enseigne rouge du fleuriste d'en face, filtrée par les couches successives de rideaux de dentelle.

Le matelas et l'oreiller étaient neufs ; plus aucune trace de mon mari en ces lieux, pas le moindre cheveu. Mais c'est dans ce cadre de bois délicatement sculpté que nous avons fait l'amour, dans ce lit qu'il m'avait acheté en ces jours heureux où il prenait un tel plaisir à me faire des cadeaux. Pourquoi, pourquoi, avais-je demandé, est-ce tellement agréable ? J'avais honte que de beaux meubles et des tissus rares pussent me rendre à ce point heureuse.

En esprit, je voyais distinctement le violoniste fantôme, mais il n'était pas là. J'étais seule dans la chambre, aussi seule qu'il est possible de l'être.

« Non, tu n'es pas parti, dis-je à mi-voix. Je sais que tu n'es pas parti. »

Et pourquoi ne l'aurait-il pas fait ? Quelle dette avait-il envers moi, ce fantôme que j'avais insulté et maudit ? Et mon défunt mari, incinéré il n'y avait guère que trois jours. Ou quatre ?

Je me mis à pleurer. Pas un soupçon du doux parfum des cheveux ou de l'eau de Cologne de Karl, dans cette chambre. Aucune odeur d'encre et du papier. Aucun arôme de Balkan Sobranie, ce tabac auquel il ne voulait pas renoncer, et que mon premier mari, Lev, lui envoyait régulièrement de Boston. Lev. Appelle Lev. Parle-lui.

Mais pourquoi ? De quelle pièce venait-elle, cette réplique obsédante ?

« Mais c'était dans un autre pays ; d'ailleurs, *la fille est morte.* »

Un vers de Marlowe, qui avait inspiré à la fois Hemingway et James Baldwin, et qui sait combien d'autres...

Me parlant à moi-même, je murmurai très bas ces mots de *Hamlet* : « ... la mystérieuse contrée dont nul voyageur ne revient. »

Un bruissement bienvenu se fit entendre dans la chambre, un imperceptible froissement de rideaux, suivi de ces craquements et grincements du plancher qu'un petit coup de vent sur les dormants de cet ancien grenier suffit à déclencher.

Le silence retomba. Un silence soudain et total, comme s'il était venu puis reparti, théâtralement. Je ressentais douloureusement la solitude et le vide de ce moment.

Toutes les convictions philosophiques que j'avais jamais nourries étaient réduites à néant. J'étais seule. Seule. C'était pire que la culpabilité, pire que le deuil et la souffrance, peut-être même... non, j'étais incapable de penser.

M'allongeant sur le nouveau dessus de lit en satin, je m'efforçai d'atteindre le vide total de l'âme et de l'esprit. Le noir. Repousser toutes les pensées. Laisser pour une fois la nuit reprendre ses droits, le ciel limpide aux étoiles dénuées de signification, à jamais incompréhensibles et hors d'atteinte. Mais comment arrêter mon esprit ? Autant cesser de respirer...

J'étais terrifiée à l'idée que mon fantôme était parti pour de bon. Je l'avais fait fuir ! Je me remis à pleurer, reniflant, m'essuyant le nez... J'avais tellement peur de ne plus jamais le revoir, jamais, jamais plus, peur qu'il n'eût disparu ainsi que disparaissent les vivants, peur d'avoir dilapidé cet incroyable, ce monstrueux trésor !

Oh ! mon Dieu, non, pas cela, faites qu'il revienne ! S'il faut que Vous gardiez en Vous les autres, jusqu'à la fin des temps, je le comprends, je l'ai toujours compris, mais lui, c'est un fantôme, mon Dieu. Faites qu'il me revienne...

Je me sentais tomber, toujours plus bas, plus bas que le niveau des larmes et des rêves. Et alors... que puis-je dire ? Que savons-nous, quand nous ne connaissons rien, ne ressentons rien ? Si seulement nous sortions de ces états d'oubli total avec le sentiment, aussi vague fût-il, qu'il n'existe pas de mystère de la vie, que cette cruauté est purement impersonnelle... mais ce n'est pas le cas.

Pendant de longues heures, ces questions cessèrent de me tourmenter.

Je dormais.

Voilà tout ce que je sais. Je dormais, m'éloignant aussi loin que possible de mes terreurs et de mes deuils, m'accrochant à une ultime prière désespérée : « Mon Dieu, faites qu'il revienne. »

Quel blasphème !

7

C'est le lendemain. La maison est pleine de monde. Toutes les portes sont ouvertes : de la longue salle à manger, l'on voit presque entièrement les deux salons flanquant le spacieux hall d'entrée. Les gens peuvent aisément glisser d'un tapis à l'autre, en bavardant d'un ton enjoué, comme les habitants de La Nouvelle-Orléans ont coutume de le faire après un décès, à croire que tel est le souhait du défunt.

Pourtant, un petit nuage de silence m'entourait. Tous pensaient que mon esprit avait été soumis à une rude épreuve, pour dire le moins : n'avais-je pas passé deux jours en compagnie d'un cadavre, sans oublier la façon dont j'avais discrètement filé de l'hôpital ? Katrinka ne cessait d'en blâmer Rosalind, comme si celle-ci m'avait assassinée, alors que rien n'était plus éloigné de la vérité.

De sa voix profonde et lente, Rosalind me demanda à plusieurs reprises si j'allais bien, et je lui répondis chaque fois par l'affirmative. Katrinka parlait de moi avec son mari, et ne s'en cachait pas. Glenn, le mari de Rosalind, mon bien-aimé beau-frère, semblait profondément affecté par la perte que j'avais subie. Complètement anéanti, il était incapable de faire davantage que de rester près de moi. Je les aimais immensément, Rosalind et Glenn, sans enfants, propriétaires de « Rosalind's Books and Records, » où l'on pouvait trouver Edgar Rice Burroughs en livre de poche ou un 78 tours de Nelson Eddy.

Il faisait chaud dans la maison, et elle étincelait littéralement, comme seule cette maison peut étinceler, avec ses innombrables miroirs et ses fenêtres ouvertes à tous les horizons. C'était cela le génie de ce *cottage* : de la salle à manger, où je me tenais, l'on pouvait embrasser les quatre points cardinaux, même s'ils étaient cachés par les arbres qu'agitaient les rafales de cet après-midi. Quelle idée merveilleuse d'avoir construit une maison aussi ouverte !

Nous avions commandé un vrai repas. Je connaissais les traiteurs qui commençaient à arriver – cette femme, par exemple, était célèbre pour son gâteau au chocolat. Et voilà Lacomb, les mains derrière le dos, observant sarcastiquement le barman noir tiré à quatre épingles. Il finirait par s'en faire un ami, je n'en doutais pas. Lacomb se liait d'amitié avec n'importe qui, en tout cas avec quiconque comprenait ce qu'il disait.

A un moment donné, il apparut à mes côtés, si silencieusement que je sursautai. « Vous désirez quelque chose, patronne ?

– Non, répondis-je en lui décochant un petit sourire. Essayez de ne pas vous soûler trop vite.

– Vous n'êtes plus drôle du tout, patronne », rétorqua-t-il avant de s'éloigner avec ce sourire malin qui lui est particulier.

Tout le monde s'assembla autour de la longue table ovale.

Rosalind, Glenn, ainsi que Katrinka, ses deux filles et son mari, et de nombreux cousins mangèrent de bon appétit, emportant leurs assiettes parce qu'il n'y avait pas assez de chaises pour tous. Mes proches n'avaient apparemment aucun mal à se mêler au clan des Wolfstan.

Karl avait supplié ces derniers de ne pas venir le voir, durant ces derniers mois. Quand nous nous étions mariés, se sachant déjà malade, il avait veillé à ce que la cérémonie eût lieu dans la plus stricte intimité. Et maintenant, sa mère ayant déjà regagné l'Angleterre, et toutes les dispositions ayant été prises, ces Wolfstan – tous des gens d'un abord agréable, aux visages luisants, manifestement d'ascendance germanique – arboraient un air de surprise, une sorte de surprise hébétée comme lorsqu'on émerge d'un profond sommeil ; ils se sentaient néanmoins à l'aise au milieu de ces beaux objets que Karl avait achetés à mon intention : les chaises à pieds de biche, les tables incrustées de nacre, les bureaux et armoires ornés d'écaille et de bronze, et les authentiques tapis d'Aubusson, tellement usées par le temps que l'on avait parfois l'impression de marcher sur du papier.

Ce luxe, c'était tout à fait dans le style des Wolfstan.

Ils avaient tous de l'argent. Ils avaient toujours possédé des maisons sur St Charles Avenue. Ils descendaient de riches Allemands arrivés à La Nouvelle-Orléans avant la guerre civile, qui avaient gagné des fortunes grâce aux manufactures de cigares et aux brasseries, bien avant que les misérables rescapés de la grande famine de la pomme de terre ne débarquent sur nos rivages, ces Irlandais et Allemands faméliques qui étaient mes ancêtres. Les Wolfstan possédaient des biens immobiliers aux meilleurs emplacements de la ville, et avaient des intérêts dans d'anciennes entreprises commerciales et industrielles.

Ma cousine Sarah regardait fixement son assiette. Sarah était la cadette des petits-enfants de cousine Sally, entre les bras de laquelle ma mère était morte. Je n'en avais aucune image mentale. Sarah n'était même pas encore née, à l'époque. D'autres cousins Becker, et ceux de mes parents qui portaient des noms irlandais, semblaient un peu désorientés dans ce cadre luxueux.

Cet après-midi-là, la maison me paraissait d'une beauté bouleversante. Je me tournais en tous sens pour capter l'image de chaque convive dans le grand miroir qui tient tout un côté de la salle à manger, face à la porte d'entrée, et qui reflétait pratiquement toute la réception.

C'était un très vieux miroir. Mère adorait ce miroir. Je ne pouvais m'empêcher de penser à elle, me rendant compte à plusieurs reprises que la première personne que j'avais abandonnée et à laquelle j'avais fait du mal, c'était elle, et non Lily. J'avais commis une erreur de calcul, une erreur terrible, l'erreur de toute une vie.

Je restais plongée dans mes pensées, marmonnant parfois des choses totalement absurdes aux gens, simplement pour les décourager, pour qu'ils cessent de me parler.

Je ne pouvais me sortir cette image de l'esprit : ma mère, quittant cette maison lors de ce dernier après-midi ; mon père l'emmenait, contre sa volonté, chez une cousine irlandaise qui était également sa marraine. Elle ne voulait pas y aller parce qu'elle avait honte. Depuis des semaines, elle ne dessoûlait pas, et nous ne pouvions plus la garder parce que Katrinka, qui avait alors huit ans, était dans un état critique – mourante, bien qu'on me l'eût caché à l'époque – au Mercy Hospital, à cause d'une perforation de l'appendice.

Katrinka ne mourut pas, bien entendu. Il m'arrive de me demander si le fait qu'elle n'a jamais pris conscience de la mort de notre mère – survenue au terme d'une longue maladie, pendant qu'elle était loin de nous –, si ce seul fait n'a pas faussé l'esprit de Katrinka, qui doute éternellement de tout. Mais je ne voulais pas, je ne pouvais pas penser à Katrinka. Je portais son indécision, son insécurité fondamentale comme un lourd collier autour du cou. Je savais de quoi elle parlait à voix basse, aux quatre coins de la pièce, mais cela m'était égal.

Je pensais à ma mère, traînée par mon père le long de l'allée menant à la Troisième Rue, le suppliant de ne pas l'obliger à aller chez ces cousins. Elle ne voulait pas que sa cousine Sally, qu'elle aimait beaucoup, la vît dans cet état. Et je n'étais même pas allée lui dire au revoir, l'embrasser, lui dire quelques mots, n'importe quoi ! J'avais quatorze ans. Je ne sais même pas pour quelle raison je remontais l'allée au moment où ils l'ont emmenée. Je n'arrivais pas à éclaircir cela, et ce souvenir horrible n'a cessé de m'oppresser : elle était morte chez ses cousins Sally, Patsy et Charlie ; elle les aimait, certes, et ils l'aimaient, mais pas un seul d'entre nous n'était à son chevet !

J'avais l'impression d'étouffer, de ne plus jamais pouvoir respirer.

Les gens allaient et venaient dans la grande maison, sortaient sur les vérandas par les portes-fenêtres. Elle me paraissait agréablement animée, cette réunion un peu tardive. Tous ces gens, c'était pour moi qu'ils étaient venus ; je le supposais, du moins. Et quel plaisir de voir ces meubles luisants, ces crédences, ces commodes et ces fauteuils en velours à haut dossier dont Karl avait empli la maison.

Karl avait voulu aussi des parquets resplendissants, couverts de je ne sais combien de couches de vernis, qui reflétaient les lourds lustres en Baccarat que mon père s'était toujours refusé à vendre, même en ces jours où « nous n'avions plus rien ».

Pour le repas, l'on avait sorti l'argenterie de Karl. Je devrais dire plutôt dire « notre argenterie », puisque nous étions mari et femme, et qu'il avait acheté ce modèle à mon intention. Baptisé *Love Disarmed*, l'Amour désarmé, il a été créé par Reed & Barton au tout début du siècle. Un vieil orfèvre, un vieux modèle. Même les pièces récentes sont superbement ciselées : on ne le fabrique pas en série, parce qu'il n'est plus à la mode auprès des jeunes mariés. On le trouve neuf ou d'occasion, en argent massif. Karl en avait de pleins coffres.

C'est l'un des rares motifs qui représentent un personnage entier, en l'occurrence une beauté dévêtue, sur toutes les pièces, y compris les plus petites.

J'aimais énormément ce modèle. Nous en avions bien plus que nous ne pouvions en utiliser, parce que Karl le collectionnait. J'aurais voulu leur dire quelque chose à ce propos – chacun pourrait par exemple en emporter une pièce, en souvenir de Karl –, mais je n'en fis rien.

Je mangeais et je buvais, pour l'unique raison que cela m'évitait de parler. Pourtant, absorber la moindre nourriture en ce moment me semblait une monstrueuse trahison.

J'avais ressenti la même chose après la mort de ma fille Lily. Après son inhumation au cimetière St Mary d'Oakland, une ville sans intérêt, loin, très loin d'ici, nous étions allés boire et manger avec les parents de Lev – mes beaux-parents – et j'avais failli m'étrangler. Je m'en souviens très clairement. Le vent s'était levé, agitant les arbres, et je ne cessais de penser à Lily, Lily dans son cercueil.

Ce jour-là, Lev avait fait face; il était fort, courageux et beau avec ses longs cheveux défaits, mon poète-professeur-homme des bois. Il me disait de manger et de me calmer, faisait seul la conversation aux grands-parents endeuillés, et aussi à mon taciturne père, qui ne disait pratiquement pas un mot.

Katrinka aimait Lily. Je m'en souvenais, oh oui ! Comment avais-je pu l'oublier ? Ce n'était pas bien d'avoir oublié cela. Et Lily, comme elle aimait sa belle et blonde tante Katrinka !

Katrinka avait été durement touchée par la mort de Lily; personne n'en avait souffert plus qu'elle, sans doute. Faye, la douce et généreuse Faye, avait été effrayée par cette triste affaire, par la maladie et la mort de Lily. Mais Katrinka était là, dans la chambre d'hôpital, dans les couloirs, toujours prête à aider. C'était ce que nous appelions les années californiennes, un peu oubliées parce que, en définitive, nous sommes toutes revenues.

Nous avons abandonné nos existences californiennes dans les villes du Golfe, pour rentrer chez nous ou aller ailleurs. Faye avait disparu maintenant, nul ne savait où, et peut-être à jamais.

Lev lui aussi avait fini par quitter la Californie, longtemps après avoir épousé Chelsea, sa ravissante maîtresse – et mon amie. Je crois me souvenir qu'ils ont eu leur premier enfant avant qu'il n'aille enseigner dans un *college* de Nouvelle-Angleterre.

Penser à Lev me rendit heureuse soudain, penser qu'il avait trois enfants, tous des garçons, et que, bien que Chelsea m'appelât régulièrement pour se plaindre, disant qu'il était invivable, ce qui n'était pas vrai, et bien que lui-même m'appelât parfois, se mettant à pleurer, disant que nous aurions dû tenir le coup, je ne ressentais aucun regret, et je sais qu'en réalité, il n'en ressentait pas davantage. J'aimais regarder les photos de ses trois fils, et je prenais plaisir à lire les livres de Lev – d'élégantes plaquettes de poèmes ; il en publiait une tous les deux ou trois ans, et elles étaient toujours très bien accueillies.

Lev. Mon Lev était le garçon que j'avais rencontré à San Francisco et épousé à la mairie, l'étudiant rebelle qui buvait du vin, improvisait de folles chansons et dansait au clair de lune. Il n'avait commencé à enseigner dans les universités qu'après le début de la maladie de Lily, et en vérité il ne s'est jamais remis de la mort de Lily. Jamais, plus jamais il ne fut le même et ce qu'il cherchait auprès de Chelsea, c'était la consolation, et ce qu'il me demandait, c'était une approbation sororale de la générosité de Chelsea et d'une vie sexuelle dont il avait désespérément besoin.

Mais pourquoi penser à tout cela, à quoi bon ? Était-ce tellement différent des tragédies de n'importe quelle autre existence ? La mort nous menace-t-elle davantage qu'elle ne menace n'importe quelle autre famille un peu nombreuse ?

Lev était professeur maintenant, titulaire d'une chaire, heureux. Il serait venu si je le lui avais demandé. La nuit dernière, lorsque je marchais sous la pluie le long de l'avenue, stupide et à moitié folle, j'aurais pu l'appeler, bien sûr. Je n'avais pas dit à Lev que Karl était mort. Je n'avais pas eu Lev au téléphone depuis des mois, mais dans le salon, en ce moment même, une lettre de Lev était posée sur un bureau ; je ne l'avais pas ouverte.

Je ne pouvais me libérer de tout cela. C'était comme un tremblement incontrôlable. Plus je m'enfonçais dans ces souvenirs de Mère, de Lily, de Lev, l'époux que j'avais perdu, plus je repensais à *sa* musique, au cri désespéré de son violon. Je réalisai alors que je me souvenais de tous ces événements intolérables d'une façon compulsive, comme une personne que l'on force à regarder les plaies béantes de ses propres victimes. C'était une sorte de transe, en fait.

Peut-être de telles transes suivraient-elles toujours un décès, maintenant que les morts se succédaient, s'ajoutant les unes aux autres. En pleurant l'un des disparus, je les pleurais tous. De nouveau, je réalisai combien j'avais été stupide de croire que Lily, de croire que l'avoir laissée mourir, avait été mon premier et terrible crime. Il était parfaitement clair que, bien des années avant la mort de Lily, j'avais abandonné ma mère !

Cinq heures, enfin. Les ombres envahissaient le jardin, l'avenue devenait plus bruyante. La maison avait de plus en plus un air de fête ; les gens avaient bu suffisamment de vin pour parler sans retenue ; telle est la coutume à La Nouvelle-Orléans après un décès, comme si c'eût été insulter les morts que de murmurer, comme on le fait en Californie.

La Californie. Lily, là-bas sur une colline. Pourquoi ? Personne pour visiter cette tombe. Oh mon Dieu, Lily ! Mais chaque fois que j'envisageais de faire rapatrier le corps, il me venait cette idée horrible : lorsque le cercueil arriverait à La Nouvelle-Orléans, je serais obligée de regarder ce qu'il contenait. Lily, morte avant son sixième anniversaire, enterrée depuis vingt ans. Je ne pouvais même imaginer ce que je verrais. Une enfant embaumée couverte de moisissures vertes ?

Un frisson me parcourut. Je crus que j'allais me mettre à hurler.

Grady Dubosson était arrivé, mon avocat et ami, fidèle conseiller de Karl et de la mère de celui-ci. Miss Hardy était là elle aussi, depuis longtemps, ainsi que plusieurs autres dames de la *Preservation Guild*, créatures élégantes et raffinées.

Connie Wolfstan m'adressa la parole : « Nous aimerions emmener quelque chose, vous savez, un petit rien, que cela ne vous ennuierait pas de nous donner, en souvenir de lui... Je ne sais pas... rien que pour nous quatre.

– L'argenterie, répondis-je avec un intense soulagement. Il y en a tellement, et il l'adorait. Il était en correspondance avec des orfèvres du pays entier pour acheter du *Love Disarmed*, vous savez. Tenez, regardez cette petite fourchette, c'est ce qu'on appelle une fourchette à fraises.

– Cela ne vous ennuie vraiment pas que nous prenions chacun...

– Mon Dieu, et moi qui avais peur, vous comprenez, peur que vous n'ayez peur à cause de sa maladie. Il y en a une telle quantité. Suffisamment pour tout le monde. »

Un bruit soudain interrompit notre conversation. Quelqu'un était tombé. Un cousin. Je savais qu'il était apparenté à la fois aux Becker, dont je descends, et aux Wolfstan de Karl, mais son nom m'échappait. Le pauvre était complètement soûl, et je voyais bien que sa femme était furieuse. Ils l'aidèrent à se relever. Il y avait des traînées humides sur son pantalon gris.

Je voulais ajouter quelque chose au sujet de l'argenterie, mais je n'arrivais pas à m'exprimer. Lorsque j'entendis Katrinka dire : « Qu'est-ce qu'ils essaient de prendre ? », je trouvai mes mots, et je dis à Althea qui passait : « Son argenterie, tu sais bien, les couverts, tous les membres de sa famille peuvent en emporter une pièce. »

Katrinka me lança un regard furieux, et je me sentis rougir. Elle disait que l'argenterie faisait partie de la communauté.

Pour la première fois, je réalisai que tôt ou tard tous ces gens partiraient, que je me retrouverais seule ici et qu'*il* ne reviendrait peut-être pas, et je compris avec désespoir combien sa musique m'avait réconfortée, m'avait aidée à explorer mes souvenirs ; hébétée, comme ensorcelée, hochant la tête sans raison apparente, je devais paraître bizarre.

Comment étais-je habillée ? Je baissai les yeux pour me regarder. Une jupe longue en soie, un corsage froncé et une veste en velours qui cachait mes rondeurs – ils appelaient cela l'uniforme de Triana.

Quel remue-ménage, à l'office... L'argenterie était sortie. Katrinka faisait je ne sais quelle remarque terriblement vexante à la pauvre et triste Rosalind, qui paraissait toute perdue et en grand besoin de réconfort, avec ses sourcils levés exprimant son désarroi et ses lunettes qui glissaient sur le nez.

Ma cousine Barbara se pencha vers moi pour m'embrasser. Ils devaient partir. Son mari ne pouvait plus conduire la nuit, en tout cas il était plus prudent qu'il s'en abstienne. Je lui dis que je comprenais. Je la serrai contre moi un moment, pressant mes lèvres sur sa joue. Quand je l'embrassais, j'avais l'impression d'embrasser sa mère, ma grand-tante disparue depuis longtemps, et ma grand-mère, qui était la sœur de celle-ci.

Soudain, Katrinka me prit par l'épaule pour me forcer à me retourner, en me faisant mal. « Ils mettent l'office à sac ! »

Me levant, je mis un doigt sur la bouche pour lui signifier de se taire, geste dont j'étais absolument certaine qu'il la mettrait dans une rage folle. Cela ne manqua pas. Elle tourna les talons. Une des tantes de Karl vint m'embrasser et me remercier pour la petite cuiller à thé qu'elle tenait à la main.

« Cela lui aurait fait tellement plaisir... », dis-je. Il ne cessait d'envoyer des *Love Disarmed* à un tas de gens, avec une note disant : « Si vous n'aimez pas ce modèle, n'hésitez surtout pas à me le dire, parce que je risque de vous en envoyer souvent. » Je crois avoir essayé de lui expliquer cela, mais j'avais tant de mal à m'exprimer clairement. Cette tante tombait à point : elle me permettait de m'échapper. Je l'accompagnai jusqu'à la porte, et, bien que d'autres me fissent signe, je sortis sous la véranda pour jeter un coup d'œil sur l'avenue.

Il n'était pas là. Sans doute n'avait-*il* jamais existé. Une autre image de ma mère surgit avec une force terrifiante, mais ce n'était pas ce dernier jour, avant sa mort. J'avais organisé une petite fête pour l'anniversaire d'une amie. Ma mère, soûle depuis des semaines, ne sortait pratiquement plus de la chambre où elle s'était réfugiée, ne reprenant conscience que tard dans la soirée pour rôder dans la maison – et comme par un fait exprès, elle était sortie juste à ce moment-là !

Elle était apparue sous la véranda, absente, ressemblant d'une manière frappante à l'étrange rivale de Jane Eyre, la folle qui vit dans le grenier de Rochester. Nous l'avions fait entrer dans la maison, mais avais-je été gentille avec elle, l'avais-je embrassée ? Quelle horreur de penser que j'avais pu être aussi jeune et aussi insensible. Je réalisai alors avec une brutalité sans précédent que je l'avais laissée partir, que je l'avais laissée mourir d'alcoolisme, seule, chez des cousins devant lesquels elle avait honte.

En comparaison de cela, qu'était le meurtre de Lily, Lily que je n'avais pas su sauver ?

Je m'agrippai à la balustrade. La maison commençait à se vider.

Le violoniste était une création de la folie, sa musique était issue de mon imagination ! Musique délirante, merveilleuse, réconfortante, tissée par l'inconscient d'une personne désespérée, ordinaire, sans le moindre talent, trop banale pour faire bon usage de la fortune dont elle avait héritée.

Mon Dieu... Je voulais mourir. Je savais où était caché le pistolet, et je me disais : Attends quelques semaines, ils auront eu le temps de se remettre. Si tu le fais maintenant, tous penseront que c'était à cause de lui, ou de sa faute à elle. Et si Faye était vivante, quelque part ? Imagine que Faye revienne à la maison pour apprendre que sa grande sœur a fait une chose pareille, et qu'elle se sente responsable de cette mort ? Impensable !

Baisers, mains qui s'agitent. Un nuage de parfum délicieux m'enveloppe soudain – Gertrude, une des tantes de Karl –, puis la main douce et plissée de son mari.

Quand il était devenu incapable de se retourner tout seul, Karl m'avait murmuré : « Au moins, je saurais jamais ce que c'est que de vieillir, n'est-ce pas, Triana ? »

Je me tournai vers la pelouse qui borde la maison. L'enseigne rouge du fleuriste embrasait l'herbe mouillée et le muret de briques humides ; j'essayai de déterminer où se trouvait le sentier que ma mère avait suivi la dernière fois que je l'avais vue. Il avait disparu. Pendant les années californiennes, lorsque mon père était marié à cette femme protestante – elle avait quitté l'église, mais cette âme damnée n'en disait pas moins son chapelet tous les soirs, ce qui la rendait sans doute parfaitement malheureuse –, on avait construit un garage. Même La Nouvelle-Orléans n'avait pas échappé à la vogue de l'automobile. Disparu lui aussi, le vieux portail en bois qui aurait pu être un temple à la mémoire de Mère, son chemin vers l'éternité.

Je m'étranglais, cherchant en vain à respirer. Je me tournai de nouveau vers la longue véranda. Elle était pleine de monde. Mais ce que je voyais avec une parfaite clarté, c'était l'image de ma mère le soir de son départ. Ma mère était très belle, bien plus belle que ses filles. Son visage avait une expression tellement égarée lorsqu'elle s'était retrouvée au milieu de ces adolescentes fêtant un anniversaire, émergeant d'un sommeil d'ivrogne, ne sachant pas où elle se trouvait, sans un seul ami au monde, à quelques semaines seulement de sa mort.

Je luttais pour ne pas étouffer.

Une voix disait : « ...tout ce que tu as fait pour lui.

– Pour qui ?

– Pour papa, dit Rosalind, et aussi de t'être occupée de Karl.

– Ne parle pas de cela. Lorsque je serai mourante, je veux disparaître dans la forêt, seule. » A moins que je n'utilise bientôt ce pistolet.

« N'est-ce pas ce que nous souhaitons tous ? dit Rosalind. Mais tu sais comment c'est. Tu tombes et tu te fractures une hanche, comme papa, et on te fourre dans un lit avec plein d'aiguilles et de tubes. Ou comme Karl, on te dit : allez, encore une tournée de médicaments et peut-être... »

Elle continua dans cette veine, Rosalind l'infirmière, celle qui partageait avec moi toute les choses morbides de la vie, ma sœur née comme moi en octobre.

Je voyais si clairement Lily dans le cercueil, je l'imaginais maintenant couverte de moisissures vertes, son petit visage rond, ses mains adorables et minuscules, la poitrine un peu dodue, dans sa robe campagnarde, la dernière robe que j'eusse jamais repassée pour elle, et je me souvenais de mon père disant : ne t'occupe pas de ça, ils le feront au funérarium, mais je tenais à la repasser moi-même, cette robe. La dernière robe.

Plus tard, Lev avait dit, parlant de sa nouvelle fiancée, Chelsea : « J'ai tellement besoin d'elle, Triana, tellement. J'ai l'impression que Lily revit en elle. C'est comme si j'avais Lily. »

Je lui avais dit que je comprenais. Je crois que j'étais hébétée, paralysée. C'est la seule façon de décrire ce que je ressentais pendant que Chelsea et Lev faisaient l'amour dans la pièce voisine ; ensuite, ils venaient m'embrasser et Chelsea me disait que j'étais la femme la plus extraordinaire qu'elle eût jamais recontrée.

De quoi se tordre de rire !

J'étais sur le point de fondre en larmes. Quelle catastrophe ! Des portières de voitures claquaient, des silhouettes se détachaient sur la vitrine du fleuriste, des mains s'agitaient.

Grady m'appela de l'intérieur de la maison. J'entendais la voix de Katrinka. Le moment était donc venu.

Faisant volte-face, j'allai jusqu'au bout de la véranda, passant devant les rocking-chairs couverts de gouttes de pluie. Je regardai dans le grand hall d'entrée. Le spectacle qui s'offrit à ma vue était magnifique : le grand miroir, tout au fond, sur le mur de la salle à manger, reflétait les deux lustres à la fois – le petit, qui éclairait l'entrée, et le grand de la salle à manger –, comme si l'on regardait la perspective d'un immense couloir.

Papa avait fait de grands discours sur l'importance de ces lustres, disant que ma mère les avait tellement aimés qu'il ne se résoudrait jamais à les vendre. Jamais, jamais ! Curieusement, je ne savais plus qui lui avait conseillé de le faire, ni à quel moment ou dans quelles circonstances. C'était inexplicable : après le décès de ma mère, quand nous avions toutes fini par partir, il n'avait jamais eu de problèmes d'argent, et avant, Mère n'aurait jamais permis qu'on touche à ces trésors.

La maison s'était presque vidée.

J'entrai dans le hall. Je n'étais pas moi-même. J'étais prisonnière d'une forme qui m'était étrangère, et l'on ne pouvait se fier à la voix qui en sortait. Katrinka pleurait dans son mouchoir roulé en boule.

Je suivis Grady dans le salon donnant sur l'avenue, où se trouve le grand bureau, entre les deux hautes fenêtres.

« Il me revient des souvenirs, dis-je, de tels souvenirs... C'est peut-être pour fuir le présent. Mais il est mort en paix, il n'a pas souffert autant que nous le craignions, lui, nous tous...

– Asseyez-vous, ma chérie, dit Grady. Votre sœur semble déterminée à parler de cette maison sans plus tarder. Il semble effectivement qu'elle ait été contrariée par le testament de votre père, comme vous l'aviez dit, et elle estime avoir droit à une part sur la vente de cette maison. »

Katrinka le regarda avec stupéfaction. Martin, son mari, hocha la tête et échangea un regard avec Glenn, le doux et généreux mari de Rosalind.

« Katrinka y a certainement droit, dis-je. Après ma mort. » Je levai les yeux. Tous avaient été réduits au silence. Sans doute à cause de la façon si naturelle dont j'avais introduit le mot « mort ».

Katrinka se cacha le visage dans les mains et se détourna. Rosalind eut un petit sursaut, puis déclara de sa voix grave et autoritaire : « Je ne veux rien ! »

A voix basse, Glenn fit à Katrinka une remarque cinglante, à laquelle Martin, le mari de Katrinka, répliqua vivement.

« S'il vous plaît, mesdames, venons-en au fait, dit Grady. Triana, nous avons longuement discuté de ce moment. Nous sommes prêts. Je dirais même que nous sommes très bien préparés.

– Avons-nous fait cela ? » Je rêvais. Je n'étais pas présente. Je les voyais tous. Je savais qu'il n'y avait aucun danger que cette maison fût mise en vente. Je le savais. Je savais des choses que Grady et moi étions seuls à savoir. Et cela m'était indifférent. L'important, c'était que mon violoniste m'avait réconfortée quand je pensais à tous ces morts dans la terre douce et humide – et j'avais imaginé tout cela, imaginé !

Il y avait eu des conversations – preuve de folie, à n'en pas douter. Et il avait dit qu'il visait la folie, mais c'était un mensonge. C'était un baume qu'il m'avait apporté, une pluie de baisers. Sa musique savait ! Sa musique ne mentait pas. Sa musique...

Grady me toucha la main pour attirer mon attention. Martin, le mari de Katrinka, disait que le moment était mal choisi, Glenn disait que le moment était mal choisi, mais leurs mots restaient sans effet.

Dieu sait que ce n'est pas drôle d'être née sans talent particulier, mais avoir de surcroît une imagination fébrile et macabre, c'est une véritable malédiction ! Je ne pouvais détacher mon regard du grand saint Sébastien accroché au-dessus de la cheminée. Karl y tenait comme à la prunelle de ses yeux; une reproduction de ce tableau devait figurer sur la jaquette de son livre.

Attaché à l'arbre, percé de tant de flèches, le saint martyrisé était merveilleusement érotique.

Et sur l'autre mur, au-dessus du sofa, une toile de grand format représentant des fleurs. Presque du Monet, disaient les gens.

Lev l'avait peinte pour moi et me l'avait envoyée de Providence, Rhode Island, où il enseignait à la Brown University. Lev et Katrinka. Lev et Chelsea.

Katrinka n'avait que dix-huit ans. Jamais, jamais je n'aurais dû laisser les choses en arriver là ; c'était de ma faute si Katrinka et Lev... Et il avait tellement honte, et elle, qu'avait-elle dit, après ? Que quand une femme était enceinte, comme je l'étais alors, ces choses... ? Non, c'est moi qui lui avais dit cela, pour lui assurer que je ne lui en voulais pas, que tout allait bien, que j'étais désolée, que je, qu'il...

Je levai les yeux sur elle. Cette femme mince et angoissée ressemblait si peu à ma petite sœur Katrinka, silencieuse et solennelle. Un jour, quand elle était petite, Katrinka était revenue à la maison avec ma mère, et Mère, ivre, s'était évanouie sur le perron ; les clefs de la maison étaient dans son sac, et la petite Katrinka, qui n'avait que six ans, était restée assise cinq heures durant à attendre que je rentre, car elle avait honte de demander de l'aide à quelqu'un, assise sur le perron à côté de cette femme étendue de tout son long, une si petite enfant pour attendre si longtemps. « Elle est tombée quand nous sommes descendues du tramway, mais elle s'était relevée. »

Pudeur, douleur, honneur, malheur.

Je baissai les yeux pour regarder la surface de la table. Je vis mes mains. Je vis le porte-chéquier bleu en vinyle, ou je ne sais quel autre matériau lisse, luisant, affreux et indestructible, un porte-chéquier parfaitement ordinaire, avec des chèques d'un côté, et de l'autre, un petit carnet à fines rayures.

Je suis de ces personnes qui ne se donnent jamais la peine de noter les chèques qu'elles font. Mais cela n'avait plus d'importance maintenant, plus la moindre. Aucun talent pour la musique, aucun don pour les chiffres. Mozart était capable de jouer une partition à l'envers, Mozart était probablement un génie des mathématiques ; Beethoven, lui, n'avait pas ce genre d'intelligence, c'était un tout autre genre d'...

« Triana.

– Oui, Grady. »

Je m'efforçai de prêter attention à ce que disait Grady. Katrinka voulait que l'on vendît la maison, et que l'héritage fût divisé. Elle voulait que je renonce à mes droits sur la maison – les notaires appellent cela « usufruit » –, m'en donnant l'usage jusqu'à ma mort, droits que je partageais en fait avec Faye. Comment aurais-je pu faire cela, maintenant que Faye avait disparu ? Justement, Grady abordait ce sujet, expliquant de sa belle voix traînante que plusieurs tentatives avaient été effectuées pour prendre contact avec Faye, comme s'il était certain qu'elle fût toujours en vie. L'accent de Grady associait harmonieusement ceux du Mississippi et de Louisiane.

Un jour, Katrinka m'avait raconté que Mère avait mis Faye dans la baignoire, puis était « allée dormir », ce qui signifiait qu'elle était ivre ou voulait aller boire. Faye n'avait alors que deux ans et était tout juste capable de s'asseoir : Katrinka l'avait découverte dans la baignoire, entourée d'excréments flottant à la surface, barbotant joyeusement dans l'eau. Ce sont des choses qui arrivent, n'est-ce pas, et Katrinka elle-même était encore petite à l'époque. Je venais de rentrer de l'école, fatiguée, et j'avais posé mes livres dans un coin. Je ne voulais pas le savoir ! Surtout pas ! Il faisait tellement sombre dans la maison, et froid. Elles étaient trop petites pour allumer le chauffage à gaz, il n'existait pas de flamme pilote à l'époque, ni de système de sécurité ; c'était tellement dangereux que cela aurait pu mettre le feu à la maison. Il faisait si froid ! Mais le risque d'incendie, les deux petites seules à la maison avec mère, ivre morte... Non, surtout pas.

Ce n'est plus comme ça, de nos jours !

« Faye est vivante, murmurai-je. Elle est... quelque part. »

Personne ne m'entendit.

Grady avait déjà rempli le chèque.

Il le plaça devant moi. « Voulez-vous que je dise ce que vous m'aviez demandé de dire ? » chuchota-t-il à mon intention. C'était gentil de sa part.

Soudain, cela me revint. Bien sûr ! J'avais prémédité cela, froidement, un jour d'angoisse empli d'ombres menaçantes, lorsque Karl avait mal chaque fois qu'il respirait ; j'avais prévu que si jamais ma sœur Katrinka, ma pauvre orpheline de sœur, agissait de la sorte, je lui ferais cela. Tout était au point. Je l'avais dit à Grady, qui n'avait d'autre choix que de suivre mes instructions, et qui pensait d'ailleurs que c'était fort avisé ; il avait préparé une petite déclaration.

« Selon votre estimation, quelle est la valeur de cette maison, Mrs. Russel ? demanda-t-il à Katrinka. Quel chiffre avanceriez-vous ?

– Eh bien, au moins un million de dollars », répondit Katrinka, ce qui était absurde : à La Nouvelle-Orléans, plusieurs propriétés plus grandes et plus belles que celle-ci étaient à vendre pour moins que cela. Cela surprenait toujours Karl. Katrinka et son mari Martin, qui étaient dans l'immobilier, le savaient mieux que quiconque ; ils avaient monté leur propre société et faisaient des affaires en or.

J'observais Rosalind. Jadis, pendant les années sombres, elle lisait et elle rêvait. Elle avait jeté un coup d'œil sur Mère, vautrée sur le lit, ivre, puis s'était réfugiée dans sa chambre avec ses livres. Elle lisait *John Carter de Mars* d'Edgar Rice Burroughs. Elle était incroyablement bien faite en ce temps-là, et avait d'adorables boucles châtain foncé. Nous étions toutes pas vilaines, chacune avec des cheveux d'une couleur différente.

« Triana. »

Ma mère était restée belle jusqu'à la fin. Les gens du funérarium avaient appelé. « Cette femme a avalé sa langue », avaient-ils dit. Qu'est-ce que cela pouvait bien signifier ? Les cousins chez lesquels elle était morte ne l'avaient pas vue depuis des années, et elle était morte dans leurs bras ; pas une seule mèche grise dans ses longs cheveux bruns, je m'en souviens parfaitement, ainsi que de son front très haut – il est difficile d'être belle avec un front pareil, mais elle l'était. Le dernier jour, lorsqu'elle avait descendu le sentier, ses cheveux étaient soigneusement brossés et coiffés. Qui avait fait cela pour elle ?

Elle les avait coupés court une seule fois. Bien des années auparavant. Je revenais de l'école. Katrinka était encore un bébé, courant sur les pavés dans sa barboteuse rose, comme les enfants en portaient alors, du matin au soir, sous le soleil du Sud. Personne n'avait encore l'idée de leur mettre des vêtements de grandes marques. Ma mère m'avait dit d'une voix calme qu'elle avait coupé ses cheveux, pour les vendre.

Que lui avais-je répondu ? Avais-je dit pour la réconforter qu'elle était jolie, que cela lui allait bien ? A vrai dire, je ne me souviens plus d'elle avec les cheveux courts. Je n'ai compris ce que cela signifiait que bien plus tard : elle avait vendu ses cheveux, vendu ses cheveux pour acheter à boire. Seigneur !

J'aurais voulu demander à Rosalind ce qu'elle en pensait, si nous avions commis un péché irrémissible en ne disant pas adieu à notre mère. Mais je ne pus me résoudre à faire une chose aussi égoïste. Rosalind, si tourmentée, qui regardait tour à tour Grady et Katrinka.

Rosalind avait elle aussi des souvenirs affreux, qui la faisaient souffrir au point qu'elle buvait et pleurait. Un jour, Rosalind avait vu mère monter les marches, un petit sac en papier kraft à la main, contenant une bouteille d'alcool, une de ces bouteilles plates que l'on appelle flasques. Rosalind l'avait traitée d'ivrogne, comme elle devait me l'avouer en sanglotant, et je lui avais dit et répété : « Elle ne s'en est pas rendu compte, elle a pardonné, elle a compris, calme-toi Rosalind... » La vérité de cette triste histoire, c'est que la seule réaction de ma mère, qui avait pourtant la langue bien pendue, avait été de sourire à Rosalind, qui avait alors dix-sept ans, tout juste deux ans de plus que moi.

Mère ! Je vais mourir !

Je retins mon souffle.

« Désirez-vous que je lise la déclaration ? demanda Grady. Vous vouliez clôturer, n'est-ce pas ? Peut-être souhaitez-vous que...

– Clôturer, répétai-je. Un mot moderne, que je n'aurais pas pensé à utiliser dans ce sens.

– Tu es complètement folle, intervint Katrinka. Tu étais déjà folle quand tu as laissé partir Lev – tu faisais cadeau de ton propre mari à Chelsea, et tu le savais parfaitement –, tu étais folle quand tu soignais Père, rien ne t'obligeait à acheter tous ces médicaments pour lui, à faire venir toutes ces machines à oxygène et ces infirmières, qui ont englouti son argent jusqu'au dernier *cent*, tu n'étais pas obligée d'agir ainsi, tu l'as fait par pure et simple culpabilité, et tu le savais. A cause de Lily... » En disant le nom de Lily, sa voix se brisa.

Regardez-la pleurer.

Aujourd'hui encore, il lui était intolérable de prononcer le nom de Lily.

« C'est toi qui as fait fuir Faye », reprit-elle, le visage rouge et boursouflé, prise d'une frénésie puérile, « et tu étais folle d'épouser un homme mortellement malade ! D'amener un mourant ici, et peu m'importe s'il avait de l'argent, peu m'importe s'il a fait rénover la maison, peu m'importe si... Tu n'as pas le droit de faire des choses pareilles, pas le droit... »

Un grondement de voix la fit taire. Elle paraissait tellement vulnérable ! Même Martin, son mari, était en colère contre elle maintenant ; il l'intimidait, elle ne supportait pas qu'il la contredise. Comme elle était petite et frêle ; Faye et elle étaient d'éternelles orphelines. J'aurais voulu que Rosalind se lève, la prenne dans ses bras, la serre sur son cœur peut-être. Je ne pouvais pas... ne pouvais pas la toucher.

« Triana, dit Grady. Voulez-vous que nous poursuivions, que nous fassions cette déclaration, comme prévu ?

– Quelle déclaration ? » Je me tournai vers Grady. C'était mesquin, terriblement cruel. Je m'en souvenais, maintenant. La déclaration ! Cette déclaration tellement capitale, dont j'avais rédigé je ne sais combien de versions successives.

Katrinka n'avait aucune idée de ce que Karl m'avait laissé. Elle n'avait pas la moindre idée des sommes qu'un jour je partagerais peut-être avec elle et Rosalind et Faye, et je m'étais juré que si elle faisait cela, cette chose inqualifiable, nous lui donnerions un chèque, un très impressionnant chèque d'un million de dollars et zéro cent, et j'exigerais qu'en endossant le chèque, elle s'engage à ne plus jamais m'adresser la parole. Une sombre machination, ourdie dans la partie la plus noire du cœur, celle qui ne pardonne jamais.

Elle comprendrait alors combien elle avait été stupide avec ses petits calculs mesquins. Oui, et je la regarderais droit dans les yeux, pour lui faire payer toutes les choses cruelles qu'elle m'avait dites, ces petites choses haineuses que les sœurs se disent entre elles, sans oublier son affection pour Lev, qu'elle avait « consolé » alors que Lily se mourait, aussi sûrement que l'avait fait Chelsea. Et pourtant... non.

« Katrinka », murmurai-je en la regardant. Elle se tourna vers moi, le visage rouge, pleurant comme un bébé, le rouge noyant toutes les autres couleurs de son visage, comme quand elle était petite. Imaginez, une enfant si petite assise dans la cour de l'école avec sa mère, et sa mère est complètement ivre et tout le monde s'en rend compte, et l'enfant s'accroche à elle, puis rentre à la maison avec elle en tramway, et ensuite...

Un jour, lorsque j'étais arrivée à l'hôpital, Katrinka était exactement ainsi, toute rouge et en pleurs. « Ils ont dit à Lily qu'ils allaient lui faire cette prise de sang vingt minutes à l'avance. Pourquoi ont-ils fait ça ? Un vrai cabinet de tortures, cet endroit ! Ils n'auraient pas dû le lui dire si longtemps à l'avance, ce n'était vraiment pas nécessaire... » Ma fille, comme elle avait pleuré pour ma fille !

Lily s'était tournée vers le mur ; ma minuscule petite fille de cinq ans, presque morte déjà, ce n'était qu'une question de semaines. Katrinka l'aimait immensément.

« Grady, dis-je sans perdre de temps, d'une voix ferme, donnez-lui le chèque. » « C'est un cadeau, Katrinka. Karl avait prévu cela à ton intention. Pas de déclaration, Grady, c'est devenu sans objet, donnez-lui simplement le chèque, comme il le souhaitait. »

Grady poussa un long soupir de soulagement – pas de récriminations, pas de déclaration mélodramatique –, bien qu'il sût parfaitement que Karl n'avait jamais vu Katrinka de sa vie, et qu'il n'avait jamais prévu de lui faire un pareil cadeau...

Il se rapprocha de moi. « Vous ne voulez donc pas qu'elle sache que ce cadeau vient de vous ?

– Non, murmurai-je. Elle ne pourrait pas l'accepter, elle s'y refuserait. Vous ne comprenez pas. Donnez aussi son chèque à Rosalind. » Ce dernier ne comportait aucune condition, ce devait être simplement une merveilleuse surprise ; Karl aimait énormément Rosalind et Glenn, et louait à leur intention ce petit magasin, « Rosalind's Books and Records ».

« Dites que cela vient de Karl, insistai-je. Allez, dites-le. »

Katrinka tenait le chèque à la main. Elle s'approcha de la table. Ses larmes coulaient comme celles d'un enfant ; je remarquai qu'elle avait beaucoup maigri, luttant contre la vieillesse comme nous le faisions toutes. Elle tenait beaucoup des Becker, la famille de père, avec ses grands yeux légèrement globuleux et son joli petit nez, bien qu'il fût un peu crochu. Son visage strié de larmes avait cette gravité particulière à la beauté sémite. Elle avait des cheveux blonds et ses yeux étaient bleus. Toute tremblante, elle secouait la tête. Elle avait fermé les yeux, les larmes sourdaient de ses paupières. Mon père ne cessait de nous répéter qu'elle était la seule d'entre nous qui fût réellement belle.

Je sentis Grady me retenir. Sans doute avais-je perdu l'équilibre.

Rosalind murmura quelque chose, trop bas pour se faire entendre. Elle avait si peu confiance en elle... Pauvre Roz, obligée de subir tout ceci.

« Tu ne peux pas rédiger un chèque de ce montant, dit Katrinka. Tu ne peux pas faire un chèque d'un million de dollars, comme si ce n'était rien ! »

Rosalind tenait le chèque de Grady des deux mains. Elle paraissait complètement éberluée. De même que Glenn, qui regardait par-dessus son épaule cette merveille de l'univers, un chèque d'un million de dollars.

La déclaration. Le discours. Tous ces mots destinés à Katrinka, ressassés sous l'empire de la colère : « Jamais plus vous ne chercherez à me voir, jamais plus vous ne franchirez le seuil de cette maison, jamais plus... » Disparus, envolés.

Le couloir de l'hôpital. Katrinka pleurait. Dans la chambre, cet étrange prêtre californien baptisait Lily avec l'eau d'un gobelet en carton. Lev, mon athée bien-aimé, me prenait-il pour une lâche ? Et Katrinka qui pleurait exactement comme maintenant, versant de vraies larmes pour mon enfant perdue, notre Lily, pour notre Mère, notre Père.

« Tu étais toujours... si bonne avec elle, dis-je.

– De quoi parles-tu ? rétorqua Katrinka. Tu ne possèdes pas un million de dollars ! Qu'est-ce qu'elle raconte ? Que signifie cette histoire ? S'imagine-t-elle que...

– Si vous permettez, Mrs. Russel... », l'interrompit Grady. Il m'interrogea du regard, mais poursuivit sans même me laisser le temps d'acquiescer :

« Le feu mari de votre sœur a veillé à ce que celle-ci ne manque de rien. Toutes les dispositions utiles ont été prises avant le décès de celui-ci et au su de sa mère, dispositions qui ne comportent ni testament ni acte analogue, susceptible d'être contesté, pour quelque raison que ce soit, par un quelconque membre de sa famille.

« De fait, Mrs. Wolfstan a signé, quelque temps avant le décès de Karl Wolfstan, divers documents destinés à assurer que lesdites dispositions ne seraient en aucune façon contestées après le décès de son fils, Karl Wolfstan, et que ces dispositions deviendraient rapidement effectives. »

Il marqua une pause avant de poursuivre : « La validité ou l'authenticité du chèque que vous tenez à la main ne sauraient être mises en doute. C'est un don de votre sœur, qui souhaite que vous l'acceptiez, en tant qu'il représente votre portion de la valeur de cette maison, quelle qu'elle soit. Permettez-moi d'ajouter, Mrs. Russell, que je ne pense pas que cette maison, pour charmante qu'elle soit, se vendrait un million de dollars, sans oublier bien entendu que le chèque que vous détenez représente la totalité de cette somme, alors que vous avez trois sœurs, comme vous ne l'ignorez pas. »

Rosalind poussa un petit gémissement. « Rien ne t'oblige à faire cela.

– Karl, dis-je. Karl voulait que je puisse...

– Exactement, il tenait à ce que ce fût possible », enchaîna Grady, réalisant un peu tard qu'il n'avait pas vraiment respecté mes ultimes instructions, et faisant de son mieux pour se rattraper. « Karl souhaitait que Triana eût la possibilité de faire un don à chacune de ses sœurs.

– Écoute, intervint Roz. Combien y a-t-il ? Tu n'es pas obligée de nous donner quelque chose. Ni à elle, ni à moi, ou à personne. Vraiment, rien ne t'y oblige... Écoute, s'il t'a laissé...

– Tu n'imagines pas, dis-je. Beaucoup, vraiment beaucoup. Tellement que cela ne pose aucun problème. »

Rosalind s'adossa à son siège, rentra le menton, haussa les sourcils et examina le chèque à travers ses lunettes. Son mari, le grand et mince Glenn, ne savait trop que dire tant il était ému, stupéfait, déconcerté par ce qui se passait.

Je levai les yeux sur Katrinka, blessée et palpitante. « Ne te fais pas de bile, Trink. Ne t'inquiète plus jamais... de quoi que ce soit.

– Tu es folle ! » s'écria Katrinka. Son mari s'approcha pour lui prendre la main.

« Mrs. Russell », dit Grady, s'adressant à Katrinka, « permettez-moi de vous recommander de déposer le chèque dès demain à la Whitney Bank, et de l'endosser comme vous le feriez avec n'importe quel chèque. Je suis certain que vous vous apercevrez que les fonds seront rapidement versés à votre compte, et que vous pourrez en disposer à votre guise. C'est un don, non imposable. Vous n'aurez pas le moindre impôt à payer. J'aimerais faire cependant une déclaration concernant cette maison, vous engageant à ne jamais... »

Je l'interrompis : « Pas maintenant. C'est sans importance. »

Rosalind se pencha de nouveau vers moi : « Je veux savoir combien. Je veux savoir combien cela te coûte de faire cela pour moi et pour elle.

« Mrs. Bertrand », dit Grady, s'adressant à Rosalind, « croyez-moi, votre sœur a largement de quoi vivre. Pour me faire comprendre avec un maximum de délicatesse, j'ajouterai que feu M. Wolfstan a également fait une donation au musée de la ville, en vue de créer une nouvelle salle exclusivement consacrée au thème de saint Sébastien. »

Glenn secoua la tête ; il semblait souffrir intensément. « Non, dit-il, nous ne pouvons pas... »

Katrinka plissa les yeux, comme si elle soupçonnait quelque machination.

J'aurais voulu dire quelque chose, mais au dernier moment, les mots m'échappaient. Je me contentai de hausser les épaules, tout en mimant le mot « expliquez » à l'intention de Grady.

« Mesdames, dit ce dernier, je vous assure que M. Wolfstan a veillé à ce que votre sœur ne manque de rien. Pour parler tout à fait franchement, ces chèques ne font pas une once de différence. »

C'était donc terminé.

Ça n'avait pas été plus difficile que ça.

Cette terrible déclaration – prends ce million et plus jamais... – n'avait *pas* été faite à Katrinka, et elle n'avait pas été terrassée par la réalisation que sa haine lui avait fait perdre ses droits éventuels sur quelque chose d'infiniment plus important.

Le moment était passé. L'occasion était perdue à jamais.

Et pourtant, c'était affreux, bien plus affreux que je n'aurais pu le prévoir, parce qu'elle était maintenant emplie de haine et de fureur, elle aurait voulu me cracher au visage, mais pour rien au monde elle n'aurait couru le risque de laisser échapper un million de dollars.

« En tout cas, Glenn et moi sommes emplis de reconnaissance », dit Roz de sa voix grave et posée. « Honnêtement, je ne m'attendais pas que Karl Wolfstan nous laisse le moindre sou. C'était tellement gentil, gentil de même envisager..., mais êtes-vous certain, Grady ? Nous dites-vous vraiment la vérité ?

– Absolument, Mrs. Bertrand, votre sœur a très largement, très largement de quoi vivre... »

J'eus une vision de billets d'un dollar, une vraie vision. Ils volaient tous vers moi, chacun avec deux petites ailes. C'était une vision totalement absurde, insensée. Je suppose que, pour la première fois, je réalisais calmement mais pleinement le sens de ce que disait Grady : ce type de préoccupation n'était plus d'actualité, ce genre de souci au moins n'avait plus sa place dans ma vie ; l'esprit pouvait en toute quiétude se tourner vers soi-même. Karl et les siens y avaient veillé, ç'avait été pour eux une vétille de veiller à cela, l'esprit pouvait dorénavant se consacrer à des préoccupations moins vulgaires.

« C'est donc ainsi que ça s'est passé », dit Katrinka, en me fixant de ses yeux fatigués et sans éclat, comme les yeux le deviennent après des heures de rage et de colère.

Je ne répondis pas.

« Entre toi et lui, poursuivit Katrinka, c'était donc un simple arrangement financier, et tu n'as même pas eu la décence de nous le dire. »

Personne ne soufflait mot.

« Il mourait du sida, tu aurais pu avoir la décence de nous en informer. »

Secouant vigoureusement la tête, je m'apprêtai à répliquer : non, non, ce que tu dis là est une abomination, je... mais, réalisant brusquement que c'était très exactement la réaction prévisible de Katrinka, je me contentai de sourire, puis me mis franchement à rire.

« Chérie, chérie, ne pleurez pas, dit Grady. Tout ira bien, je vous assure.

– Mais tout va bien, vous savez, c'est parfait, c'est...

– Pendant tout ce temps, reprit Katrinka, se remettant à pleurer, tu nous as laissés dans l'angoisse, nous nous en arrachions les cheveux ! » La voix de Katrinka couvrait les appels au calme de Rosalind.

« Je t'aime, disait Rosalind.

– Lorsque Faye reviendra », lui murmurai-je très bas, comme si Roz et moi, les deux sœurs, devions nous cacher des autres, à cette grande table ronde du salon. « Lorsque Faye sera de retour, elle sera tellement contente de voir ce que la maison est devenue, tu ne crois pas ? C'est si beau, tout ce que Karl a fait.

– Ne pleure pas.

– Mais je ne pleure pas, non ? Je croyais que je riais. Où est Katrinka ? » Plusieurs personnes avaient quitté le salon.

Je me suis levée pour gagner la salle à manger, cœur et âme de la maison, la pièce où, il y avait si longtemps, Rosalind et moi avions eu cette terrible dispute au sujet du chapelet. Seigneur Dieu, il m'arrive de croire que ce qui pousse les gens à boire, c'est un trop-plein de mémoire. Mère devait avoir des souvenirs terrifiants, absolument terrifiants. Nous avions mis le chapelet de Mère en pièces. Un rosaire !

« Il faut que j'aille dormir, dis-je. J'ai mal à la tête, trop de souvenirs me reviennent. Des souvenirs affreux. Roz, mon amour...

– Oui », répondit-elle aussitôt, me tendant les bras, me fixant de ses yeux sombres, avec une bienveillance infinie.

« Le violoniste, tu te souviens de lui, la nuit où Karl est mort ? Il y avait un homme dehors, sur St Charles Avenue, et... »

Les autres s'étaient assemblés dans l'entrée, sous le petit lustre. Katrinka et Grady étaient engagés dans une discussion véhémente. Martin se montrait très ferme à l'égard de Katrinka, qui parlait beaucoup trop fort. Tout juste si elle ne hurlait pas.

« Ah ! lui, répondit Rosalind. Le type au violon. » Elle éclata de rire. « Ouais, je me souviens de lui. Il jouait du Tchaïkovski. En fait, il en rajoutait, tu sais, comme s'il était nécessaire d'improviser sur du Tchaïkovski, mais il était... » Elle pencha la tête de côté. « C'était bien du Tchaïkovski qu'il jouait. »

Je traversai lentement la salle à manger avec Rosalind. Elle ne cessait de parler, mais je ne comprenais pas ce qu'elle disait. C'était tellement étrange que j'avais l'impression que cette scène sortait de mon imagination, et alors je me souvins... C'était un souvenir totalement différent, infiniment moins poignant et dramatique que les autres, un souvenir pâle, connu depuis longtemps, que j'ignorais généralement, ou couvrais délibérément d'un voile de poussière, je ne sais pas. Cette fois, je m'y abandonnai sans résistance.

« Ce pique-nique, à San Francisco, disait-elle, avec tout ces beatniks et hippies ; j'avais terriblement peur que nous nous fassions tous coffrer et qu'on nous retrouve dans la baie de San Francisco, et alors tu as pris ce violon et tu as commencé à jouer et Lev s'est mis à danser ! On aurait cru qu'un démon te possédait. Une autre fois aussi, quand tu étais petite et que tu avais déniché ce violon trois-quarts à Loyola, tu t'en souviens ? Tu t'étais mise à jouer, à jouer, à jouer, mais...

– Je sais, mais je n'ai jamais pu le refaire. Et pourtant, si tu savais comme j'ai essayé... »

Rosalind eut un petit haussement d'épaules et me prit dans ses bras.

Me retournant, je nous vis dans le miroir – pas les jeunes filles affamées, maigres, amères qui se battaient pour un chapelet, mais telles que nous étions maintenant. Des femmes à la Rubens. Rosalind m'embrassa sur la joue. Je nous voyais dans le miroir : les deux sœurs, elle, avec sa belle chevelure blanche entourant son visage, son grand corps mou sous l'ample robe de soie noire, et moi, avec mes nattes et mes cheveux raides, mon corsage froncé et ces bras charnus que je détestais ; mais peu importaient les défauts de nos corps, c'était nous que je voyais, et j'aurais tant voulu être présente ici avec elle, tant voulu ressentir un intense et glorieux soulagement, mais je ne pouvais pas.

Je ne pouvais pas, tout simplement.

« Penses-tu que Mère voudrait que nous soyons dans cette maison ? » Je sentais les larmes monter.

« Pour l'amour du ciel ! s'exclama Rosalind. Qu'est-ce que cela peut bien fiche. Va te coucher. Tu n'aurais jamais dû t'arrêter de boire. Moi, je vais vider un pack de Dixie. Veux-tu que nous restions, que nous passions la nuit dans la chambre du haut ?

– Non. » Elle savait que je répondrais cela.

Arrivée au seuil de la chambre, je me retournai.

« Que se passe-t-il ? »

Mon expression avait dû lui faire peur.

« Le violoniste, tu te souviens de lui, celui qui jouait au coin de la rue lorsque Karl... je veux dire, lorsque tout le monde...

– Je te l'ai déjà dit. Oui. Bien sûr. » Elle répéta que c'était sans le moindre doute du Tchaïkovski ; à la façon dont elle relevait la tête, je voyais qu'elle était fière d'avoir pu identifier la musique, et elle avait raison bien sûr, c'était du moins ce que je pensais. Elle semblait si rêveuse, si douce et gentille à mon égard, pleine de sympathie, comme s'il ne subsistait pas une once de méchanceté en elle, et nous étions là toutes les deux ensemble – et nous n'étions pas vieilles.

Je ne me sentais pas plus âgée aujourd'hui que n'importe quel autre jour. Se sentir vieille : je n'avais jamais compris ce que cela voulait dire. La vieillesse. Les peurs s'évanouissent. La méchanceté nous abandonne. A condition de prier, d'être béni, de faire des efforts !

« Il revenait sans cesse ici, le gars au violon, reprit Rosalind. Pendant que tu étais à l'hôpital. Ce soir aussi, je l'ai vu, dehors. Peut-être n'aime-t-il pas jouer pour la foule. Si tu veux mon avis, il est rudement fort ! Je veux dire qu'il vaut n'importe quel violoniste que j'aie jamais entendu, sur scène ou en disque.

– N'est-ce pas ? Cela au moins, c'est vrai. »

J'attendis que la porte se fût refermée pour me remettre à pleurer.

J'aime pleurer seule. C'est si bon, si merveilleux de se laisser aller à pleurer, sans la moindre censure ! Personne pour vous dire oui ou non, ou pour intervenir d'une manière ou d'une autre, personne à qui demander pardon.

Pleurer.

Allongée sur le lit, je pleurais, en écoutant les bruits de voix, dehors, lorsque soudain une fatigue immense me submergea, comme si j'avais à moi seule porté tous ces cercueils jusqu'à la tombe... Quand je repense à la frayeur que j'avais faite à Lily, lorsque j'étais entrée dans la chambre d'hôpital et avais éclaté en sanglots, sans me cacher d'elle, lorsqu'elle m'avait dit : « Maman, tu me fais peur ! » J'étais revenue tard du bar, et j'étais ivre, n'est-ce pas ? J'avais passé toutes ces années à m'enivrer, mais sans jamais être vraiment soûle, jamais au point de... Et puis ce moment, ce moment terrible où j'avais vu son petit visage tout blanc, sa tête chauve, elle avait perdu tous ses cheveux à cause du cancer et des traitements, et pourtant aussi jolie qu'une fleur en bouton, et j'avais choisi ce moment pour éclater en sanglots. Que c'était stupide. Et cruel, cruel. Mon Dieu...

Où était cette mer bleue et étincelante, avec ses fantômes d'écume ?

Lorsque la musique parvint à ma conscience, il devait jouer depuis un bon moment.

Le silence était revenu dans la maison.

Il avait dû commencer à jouer très bas, et cette fois sa musique avait l'absolue douceur, l'éloquence civilisée si l'on peut dire, de Tchaïkovski et non plus la violence sauvage des violoneux gaéliques qui m'avait ensorcelée la nuit dernière. Je m'abandonnais à la musique, qui devenait de plus en plus proche et distincte.

« Oui, joue pour moi », murmurai-je.

Je fis un rêve.

Je rêvai de Lev et de Chelsea, de notre dispute dans le café ; Lev disait : « Tant de mensonges, trop de mensonges », et j'avais réalisé que cela signifiait que Chelsea et lui – elle, tellement éperdue et si gentille au fond, et l'aimant tout naturellement et ayant envie de lui, elle, mon amie –, et alors les souvenirs les plus terribles se bousculèrent dans mon esprit : les discours coléreux de Père, et Mère pleurant dans cette maison, pleurant à cause de nous dans cette maison même, et moi qui n'étais pas allée vers elle, mais tout cela était enveloppé de sommeil. Le violon chantait, chantait, exprimant la douleur comme seul Tchaïkovski sait le faire, la douleur de l'agonie dans toute sa douceur, dans sa force rouge rubis.

Me rendre folle, pas une chance, mais pourquoi veux-tu que je souffre, pourquoi veux-tu que je me souvienne de ces choses, pourquoi joues-tu si merveilleusement quand je me souviens ?

Et voici la mer.

La douleur ne faisait qu'une avec la somnolence. Le poème nocturne de Mère dans le vieux livre : « Les fleurs inclinent la tête, les ombres s'avancent, une étoile apparaît au-dessus de la colline. »

La douleur ne faisait qu'un avec le sommeil.

La douleur ne faisait qu'un avec son exquise musique.

8

Miss Hardy était dans le petit salon. A mon arrivée, Althea commençait à servir le café.

« Normalement, je n'aurais jamais osé vous déranger en un moment pareil », dit Miss Hardy, se soulevant de son siège pendant que je me baissais pour l'embrasser sur la joue. Sa robe couleur pêche lui allait à ravir, ses cheveux argentés étaient coiffés en un arrangement parfait de boucles disciplinées et pourtant souples.

« Mais il y tenait absolument, vous comprenez. Il nous a expressément demandé de vous inviter, car il a le plus grand respect pour vous, il apprécie votre amour de la musique et votre bonté à son égard.

– Miss Hardy, je suis encore à moitié endormie et je n'ai pas l'esprit très clair. De qui parlez-vous ?

– De votre ami violoniste, voyons ! Je ne savais même pas que vous le connaissiez. Comme je l'ai déjà dit, il ne me serait jamais venu à l'idée de vous demander de sortir en un moment pareil, mais il nous a assuré que vous aimeriez venir.

– Venir où ? Excusez-moi si je suis un peu lente, mais...

– A la chapelle. Juste derrière. Pour le petit concert.

– Je vois... » Je m'affalai sur une chaise.

La chapelle !

Je vis soudain tous les objets familiers de la chapelle, comme si une brusque décharge de la mémoire avait libéré des détails jusqu'alors profondément enfouis. La chapelle. Je la voyais, non telle qu'elle est maintenant, après Vatican II et une rénovation radicale, mais comme elle était jadis lorsque nous allions ensemble à la messe. Lorsque Mère nous y emmenait, Roz et moi, main dans la main.

Je devais avoir l'air perplexe. J'entendais chanter en latin.

« Si cela vous ennuie, Triana, je lui dirai simplement qu'il est encore trop tôt pour que vous sortiez.

– Il va jouer à la chapelle ? demandai-je. Ce soir ? » Elle hocha la tête, et je fis de même pour signifier que j'avais compris. « Un petit concert ? Une sorte de récital ?

– Exactement, au bénéfice de l'église. Vous savez qu'elle a besoin d'être repeinte, et il faudrait refaire le toit. Mais je ne vous apprends rien. Cela s'est passé d'une façon pour le moins curieuse. Il est arrivé dans les bureaux de la Guilde et a simplement annoncé qu'il était prêt à le faire. A donner un concert dont le produit irait entièrement à l'église. Nous n'avions jamais entendu parler de lui. Mais comme il joue bien ! Seul un Russe peut jouer ainsi. Évidemment, comme il nous l'a dit, c'est un émigré. Il n'a jamais connu la Russie telle qu'elle est maintenant ; cela saute aux yeux, il est cent pour cent européen. Pourtant, seul un Russe peut jouer ainsi.

– Comment s'appelle-t-il ? »

Miss Hardy parut surprise. « Je croyais que vous le connaissiez », dit-elle en baissant le ton et en fronçant les sourcils d'un air préoccupé. « Je suis vraiment désolée, Triana. Il nous avait dit que vous le connaissiez.

– Mais je le connais. Très bien, même. Je pense que c'est merveilleux qu'il donne un récital à la chapelle. Mais j'ignore son nom.

– Stefan Stefanovsky, dit-elle en prenant soin de bien articuler. Je l'ai appris par cœur. Je l'ai écrit, en vérifiant l'orthographe avec lui. Un nom et un prénom russes. » Elle les répéta, avec simplicité et application, en mettant l'accent sur la première syllabe de Stefan. Il avait, ajouta-t-elle, un charme indéniable, avec ou sans violon. Des sourcils foncés d'une forme très particulière, presque droits, et une chevelure extravagante pour un musicien classique, du moins à notre époque.

Je souris. « Tout cela a changé, Miss Hardy. Ce ne sont plus les musiciens romantiques qui portent les cheveux longs, mais les stars du rock. C'est curieux, lorsque je repense à tous les concerts auxquels j'ai assisté – même le tout premier, c'était Isaac Stern, vous savez – eh bien, pas un seul de ces virtuoses n'avait des cheveux longs. »

Manifestement, ce sujet ne l'intéressait pas. Me reprenant, je dis : « Je suis ravie. Vous l'avez trouvé beau, disiez-vous ?

– Nous sommes toutes tombées en syncope lorsqu'il est apparu à la porte ! Quelle allure ! Et son accent, et puis quand il a pris le violon et l'archet et a commencé à jouer... Je crois que la circulation s'est arrêtée, dans la rue. »

Cela me fit rire.

« Ce qu'il a joué à notre intention était très différent de ce qu'il avait joué... » Elle s'interrompit poliment et baissa les yeux.

Je complétai sa phrase : « ...le soir où vous m'avez trouvée ici, avec Karl.

– Oui.

– C'était une musique merveilleuse.

– Je n'en doute pas, mais à vrai dire, je ne l'ai pas entendue, pas vraiment.

– Cela se comprend. »

Elle parut soudain confuse, comme si elle doutait que tout cela fût sage ou approprié.

« Après avoir joué, il a parlé de vous en des termes très élogieux, disant que vous étiez l'une des rares personnes qui comprenaient sa musique. Et cela, dans une salle pleine de femmes de tous âges au bord de l'évanouissement, y compris la moitié des membres de la Junior League. »

J'accueillis sa remarque par un rire, mais ce n'était pas uniquement pour la mettre à l'aise. C'était l'idée de toutes ces femmes, jeunes et vieilles, en extase devant un fantôme.

Cela m'avait tout de même fait un choc, cette invitation pour le moins inattendue.

« A quelle heure, ce soir, Miss Hardy ? A quelle heure doit-il jouer ? Je ne voudrais pas manquer cela. »

Elle me regarda un long moment, puis sa gêne se dissipa et elle se lança avec soulagement dans les détails pratiques.

Je partis de la maison cinq minutes avant l'heure.

Il faisait sombre, bien sûr, car en cette saison la nuit tombe à huit heures, mais ce soir-là il ne pleuvait pas, et la brise était agréable, caressante, presque douce.

Je sortis par le grand portail, pris à gauche au coin de la Troisième Rue, puis contournai ma propriété jusqu'à Prytania Street. Je marchais lentement, jouissant de la moindre irrégularité, de la moindre ornière des vieux trottoirs en brique usée. Mon cœur battait très fort. J'étais emplie d'une impatience douloureuse, presque intolérable. Ces dernières heures avaient été interminables, et je n'avais pensé qu'à lui.

Je m'étais même habillée pour lui. Quelle stupidité ! Pour moi, bien sûr, cela signifiait simplement mettre un plus joli corsage blanc orné de dentelle plus fine, une jupe de soie noire mieux coupée, et une légère tunique sans manches en velours noir. Le meilleur uniforme de Triana, rien de plus. Et les cheveux lavés, flottant librement sur mes épaules. C'était tout.

Devant moi, un réverbère éclairait faiblement le coin de la rue, rendant les ténèbres qui m'entouraient encore plus oppressantes, et pour la première fois, je me rendis compte qu'il n'y avait plus de chêne à l'angle de la Troisième Rue et de Prytania !

Il y avait des années sans doute que je n'avais plus fait ce trajet, que je ne m'étais pas arrêtée à cet endroit précis. Il y avait un chêne, j'en étais sûre ; dans mon souvenir, la lumière du réverbère brillait à travers ses branches, avant de tomber sur la haute clôture en fer peinte en noir et le gazon. Les branches du chêne elles aussi étaient noires, tordues, vigoureuses, pas très épaisses, pas assez lourdes pour risquer de tomber.

Qui vous a fait cela ? Ma question s'adressait à la terre, aux briques disjointes du trottoir. Maintenant, je distinguais nettement l'endroit où se trouvait le chêne, mais il n'y avait plus rien, pas même une souche ou des racines. Qui avait tué cet arbre qui aurait pu vivre des siècles encore ?

Au-delà de Prytania Street, les régions les plus reculées du Garden District paraissaient vides, inhabitées, creuses, avec leurs belles demeures repliées sur elles-mêmes et solidement verrouillées.

A ma gauche, toutefois, au début de Prytania, avant la chapelle, il y avait des lumières ; des bruits de voix gaies et réconfortantes me parvenaient.

La chapelle était située sur le terrain délimité par les deux rues, exactement comme ma propriété se trouvait à l'angle opposé, donnant sur St Charles Avenue – apparemmment loin d'ici, et pourtant juste derrière ces lauriers-cerises, ces chênes et ces herbes folles, ces bambous et ces lauriers-roses.

La chapelle occupait le rez-de-chaussée d'une immense maison, bien plus grande et plus belle que la mienne. Aussi ancienne que celle-ci, elle était bien plus imposante, avec ses épais murs en pierre et ses extravagants ornements en fer forgé.

A l'origine, j'en suis certaine, c'était une grande demeure néo-classique avec un salon de chaque côté, mais elle avait été entièrement remaniée avant ma naissance. Les cloisons du rez-de-chaussée avaient été abattues pour faire place à des statues et à des images pieuses, et l'on avait construit un splendide autel blanc surchargé d'ornements. Quoi d'autre ? Notre-Dame-du-Bon-Secours, une icône russe.

Détail curieux, mais totalement dénué de signification.

C'était elle, la Sainte Vierge à laquelle nous apportions nos modestes bouquets.

Il savait, évidemment, combien j'avais aimé ce lieu, ce jardin, cette clôture, la chapelle elle-même ; il savait tout de ces poignées de fleurs languissantes que nous posions sur la balustrade de l'autel, petits bouquets aux tiges meurtries par nos mains d'enfants que nous déposions à l'occasion de notre promenade du soir, Rosalind, Mère et moi, avant la fin de la guerre, avant l'arrivée de Katrinka et de Faye, avant qu'elle ne sombre dans la boisson. Avant la Mort. Avant la Peur. Avant la Douleur.

Il savait. Il n'ignorait rien de ce qui avait été : ce grand édifice massif qui avait conservé l'aspect extérieur d'une maison de maître avec ses deux larges perrons parallèles, ses colonnettes en fer, ses solides cheminées jumelles surmontant le haut pignon, dans le style caractéristique de La Nouvelle-Orléans.

Cheminées suspendues sous les étoiles, foyers sans doute disparus depuis longtemps.

Quand elle était petite, Mère allait en classe dans ces pièces du second et dernier étage. Dans la chapelle elle-même, le cercueil de Mère avait été posé devant l'autel. Seule dans la chapelle, j'avais joué de l'orgue dans la pénombre des nuits d'été, lorsque les prêtres me confiaient le soin de fermer les portes et que personne n'était là pour m'entendre. Je m'acharnais, tant était fort mon désir de faire de la musique.

Seul le saint sacrement aurait eu la patience d'écouter les pauvres bribes de chansons que je jouais, les accords, les cantiques que je m'obstinais à déchiffrer sur la foi de la vague promesse qu'un jour, peut-être, je pourrais jouer, si jamais l'organiste attitrée de la chapelle l'autorisait – mais ce n'est jamais arrivé, parce que je n'étais pas assez forte, et que je n'avais même pas le courage de m'y attaquer vraiment.

Pour aller à la messe, les dames du Garden District avaient toujours des chapeaux ravissants. C'étaient les seules aussi, je crois, qui portaient des foulards comme en mettent les paysannes.

Je n'avais pas besoin d'une mort pour me souvenir, d'une cérémonie funèbre pour chérir ce lieu, ni même des douces visites au crépuscule pour apporter nos fleurs, ou de la photo de Mère en compagnie de quelques autres jeunes diplômées de la *high school* – il y en avait peu à l'époque –, cheveux crêpés et chaussettes blanches, se tenant avec leurs bouquets à gauche de ce même portail.

Quelqu'un a-t-il jamais prié dans cette vieille chapelle sans s'en souvenir à jamais ?

Ce catholicisme d'antan était inséparable du parfum des cierges de pure cire d'abeille, de l'odeur de l'encens qui s'attardait longtemps dans toute église où le saint sacrement avait été montré aux fidèles ; et dans les ombres, des saints et des saintes aux doux visages, des artistes de la douleur comme sainte Rita avec sa plaie au front, et la terrible montée du Christ au Calvaire, dont les stations étaient peintes ou sculptées sur les murs.

Le rosaire n'était pas une série de prières apprises par cœur, mais une incantation permettant de se représenter les souffrances du Christ de douleur. La prière silencieuse consistait à rester assis dans une immobilité totale, à vider son esprit pour que Dieu puisse s'adresser directement à vous. Je connaissais sur le bout des doigts l'ordinaire de la messe en latin. Je comprenais la signification des cantiques.

Tout cela avait été balayé. Vatican II.

Pourtant, la chapelle restait une chapelle, pour des catholiques qui priaient maintenant en anglais.

Depuis l'avènement de ce « style moderne », j'y étais venue une seule fois – pour un mariage, il y avait trois ou quatre ans de cela. Tout ce que j'aimais du fond du cœur avait été supprimé. Le petit Jésus de Prague avec son halo doré avait disparu.

Tu n'agis pas ainsi sans dessein, n'est-ce pas ? Tu as un plan ? Quel honneur tu me fais ! Un concert donné à mon intention ici même, entre tous les lieux où je suis allée avant de la tuer, ou de tuer n'importe lequel des autres, m'inquiétant du sort des fleurs déposées devant l'autel.

M'appuyant un moment à la clôture, je me souris à moi-même, puis me retournai. Au loin, je vis Lacomb qui surveillait la rue. Je lui avais dit de venir ; j'avais aussi peur que n'importe qui des gens bien réels qui traînent dans les rues obscures.

Après tout, les morts ne peuvent vous faire qu'un mal limité, du moins jusqu'au moment où vous rencontrez un fantôme, en l'occurrence un fantôme qui joue une musique issue de l'esprit de Dieu, et un fantôme qui a un nom : Stefan.

« Tu as mijoté un sacré plan », murmurai-je. Levant les yeux, j'imaginai les branches du chêne entourant et occultant la lumière du lampadaire, mais ce n'était évidemment pas le même lampadaire, à l'époque.

La lumière sortait à flots par les fenêtres toutes simples de la chapelle – des fenêtres pareilles aux miennes, descendant jusqu'au plancher, avec de nombreux carreaux dont certains étaient encore en verre ancien, légèrement trouble et déformant. D'ici, je ne pouvais pas le voir, mais je le savais, et c'était à cela que je pensais en considérant la maison, en considérant l'occasion, en réfléchissant à tout cela pour m'imprégner de l'habile conception de cette machination, de ce drame.

Ainsi, il allait jouer du violon pour tout le monde, n'est-ce pas ? Et je devais être présente.

Je tournai à gauche pour m'engager dans Prytania Street et me dirigeai vers les portes. Miss Hardy et plusieurs autres piliers du Garden District étaient là pour accueillir les arrivants.

Des taxis s'arrêtaient devant la chapelle. J'aperçus le trop familier agent de police surveillant les abords – ce sombre paradis était devenu trop dangereux pour que les personnes âgées sortent après la tombée de la nuit, mais ce soir elles avaient pris ce risque pour venir l'écouter.

Je me souvenais de quelques noms. Je reconnaissais quelques visages. D'autres m'étaient vaguement familiers, mais je ne les remettais pas, comme on dit. Il y avait pas mal de monde, sans doute une centaine de personnes. Beaucoup de messieurs en complets de lainage léger, et presque toutes les femmes étaient en robe, à la mode du Sud, sauf une poignée de jeunes très modernes portant des tenues « unisexe » ; il y avait aussi un groupe d'étudiants, sans doute des élèves du conservatoire, où j'avais fait de si pitoyables efforts, lorsque j'avais quatorze ans, pour apprendre à jouer du violon.

Oh la la ! quelle célébrité soudaine !

Tout en serrant la main de Miss Hardy et en saluant Renee Freeman et Mayteen Ruggles, je jetai un coup d'œil à l'intérieur. Cela me permit de constater qu'*il* était déjà là.

La *chose*, comme l'aurait dit sans détours la brave gouvernante de Henry James en parlant de Quint et de Miss Jessel, la *chose* elle-même – se tenant devant l'autel, qui pour l'occasion avait été pudiquement recouvert d'un tissu ; il était propre, habillé pour la circonstance, et ses cheveux brillants étaient ausi soigneusement coiffés que les miens. Il portait de nouveau ses deux petites nattes attachées sur la nuque, pour éviter que les cheveux ne lui tombent sur le visage.

Même à cette distance, il était aisément reconnaissable. Je le vis parler à plusieurs personnes.

Pour la première fois... la toute première fois depuis que cela avait commencé..., j'eus l'impression de devenir folle. Je ne veux pas être saine d'esprit, me disais-je. Je ne veux pas être présente ou consciente ou vivante. Je ne veux pas. Il est ici, parmi les vivants, exactement comme s'il était l'un d'eux, comme s'il était réel et vivant. Il discutait avec des étudiants. Il leur montrait le violon.

Mes morts à moi sont partis ! Pour toujours ! Quel charme pourrait réveiller Lily d'entre les morts ? Une sinistre histoire me revint à l'esprit, *La Patte du singe* de Kipling, les trois vœux ; non, nous ne voulons pas que les morts reviennent, nous ne prions pas pour que cela arrive.

Mais lui, il avait traversé les murs de ma chambre, puis il avait disparu. Je l'avais vu, vu de mes yeux. C'était un fantôme. Il était mort.

Regarde les vivants pour changer, ou mets-toi à hurler.

Mayteen portait un parfum absolument délicieux. Mayteen était la plus vieille amie encore en vie de ma mère. Je m'efforçais en vain de comprendre ce qu'elle disait. Le sang bruissait dans mes oreilles.

« ... rien que de toucher un tel instrument, un authentique Stradivarius. »

Je lui pris la main. J'adorais ce parfum. Un parfum ancien, très simple, pas très coûteux, présenté dans des flacons roses, et la poudre était dans des boîtes roses décorées de fleurs.

Ma tête vrombissait au rythme de mon cœur. Je réussis à former quelques mots tout simples, aussi dénués de sens que ce qu'un amnésique aurait pu évoquer dans son esprit, puis me hâtai de monter les marches en marbre, ces marches qui devenaient glissantes dès qu'il pleuvait, et pénétrai dans la chapelle moderne, à l'éclairage trop cru.

Passons sur les détails.

Je fais partie de ces personnes qui ont l'habitude d'être au premier rang. Que faire maintenant, me mettre tout au fond ?

Mais plus près, tout était pris. Il faut dire que c'était une petite salle, vraiment petite, et du coin du banc du fond, je le voyais parfaitement.

Il fit une sorte de courbette à la femme avec laquelle il conversait – que peuvent bien dire les fantômes en de telles occasions ? – et leva le violon pour que les jeunes filles puissent l'examiner. Je voyais nettement le lustre profond du bois, la ligne plus foncée au dos de l'instrument. Il tenait le violon et l'archet sans jamais les lâcher, et il ne regarda pas dans ma direction lorsque je m'assis sur le banc d'église en chêne massif, sans le quitter des yeux.

Les gens continuaient à arriver. A plusieurs reprises, je fis un signe de tête à des connaissances qui me saluaient à voix basse. Je n'entendais pas un mot de ce qu'elles disaient.

Tu es ici, parmi les vivants, aussi matériel qu'eux, et ils vont t'entendre jouer.

Soudain, il leva légèrement la tête, et me fixa de son œil sombre.

D'autres m'ont vu et entendu, depuis toujours.

Plusieurs silhouettes s'interposèrent entre nous. La petite chapelle était presque pleine. Deux ouvreuses se tenaient debout contre le mur du fond, mais des chaises étaient à leur disposition, si elles avaient vraiment envie de s'asseoir.

Les lumières baissèrent. Un unique spot bien placé l'entourait d'un halo terne et comme poussiéreux. Il avait soigné sa tenue, pour cette occasion. Sa chemise blanche était immaculée, ses cheveux étaient propres et brillants, et les nattes retenant ses cheveux... si simple et de bon goût.

Miss Hardy s'était levée. De sa voix douce, elle présenta l'artiste et le programme.

Calme et recueilli, il se tenait très droit. Sa tenue de soirée était sans âge, une jaquette aux basques un peu longues qui pouvait avoir deux siècles ou avoir été faite la veille, et il avait mis une cravate, plutôt claire. Mauve peut-être, ou grise, j'en distinguais mal la couleur.

Il avait fière allure, pas de doute. « Tu es folle », me dis-je à voix basse, en bougeant à peine les lèvres. « Il te faut un fantôme de haute naissance, tout droit sorti d'un de ces romans sentimentaux qui font rêver les jeunes filles. Tu délires. »

J'aurais voulu me cacher le visage. J'aurais voulu partir. Et ne jamais partir. Je voulais à la fois rester et m'enfuir. Au moins, prendre quelque chose dans mon sac, un mouchoir en papier peut-être, pour amortir un peu la force du choc, comme l'on met la main devant les yeux au cinéma pour regarder le film à travers les doigts écartés.

Mais j'étais incapable de bouger.

Avec un aplomb admirable, il remercia Miss Hardy et nous remercia tous d'être venus. Égale et bien timbrée, parfaitement compréhensible en dépit de l'accent prononcé, c'était la voix que j'avais entendue dans ma chambre : une voix de jeune homme. Il paraissait deux fois plus jeune que moi.

Il porta l'instrument à son menton et leva l'archet. L'atmosphère était électrique. Pas un seul bruit de chaise, pas une toux, aucun froissement de programme.

Délibérément, je projetai l'image de la mer bleue, la mer bleue et lumineuse du rêve et ses fantômes qui dansaient. Je les voyais. Les yeux fermés, je voyais la surface radieuse de la mer, sous une lune invisible mais toute proche, et au loin les bras de la terre qui s'avançaient vers le large.

J'ouvris les yeux.

Il s'était immobilisé et me foudroyait du regard.

Je ne pense pas que les auditeurs savaient ce que signifiait son expression; ils ne se rendaient même pas compte de la direction dans laquelle il regardait, et encore moins pour quelle raison il le faisait. C'était un artiste, un excentrique : il avait tous les droits. Et il était beau, tellement beau et mince et impérial, comme Lev dans le temps, oui, il avait une certaine ressemblance avec Lev, mis à part ses cheveux si foncés et ses yeux si noirs, alors que Lev, comme Katrinka, était blond. Les enfants de Lev eux aussi étaient blonds.

Je fermai de nouveau les yeux. Enfer et damnation ! j'avais perdu l'image de la mer. Tandis qu'il commençait à jouer, je voyais ces scènes triviales et horribles surgies du passé. Je me tournai légèrement de côté. Quelqu'un m'avait touché la main, sans doute en témoignage de sympathie.

Une veuve, une folle, pensais-je tout à fait consciemment, qui était restée deux jours seule avec un cadavre dans sa maison. Tout le monde était au courant, probablement. Les habitants de La Nouvelle-Orléans étaient informés de tout ce qui méritait d'être connu, et un événement aussi singulier méritait sans doute d'être connu.

Sa musique devint réellement poignante.

Il leva l'archet et attaqua aussitôt des sombres et riches accords en mineur, annonciateurs d'événements redoutables. Le son était incroyablement subtil et maîtrisé, les accords étaient tellement justes, le rythme était d'une telle spontanéité que je ne pensais plus à rien, à rien d'autre qu'à cette musique.

Il n'y avait plus besoin de larmes, et pas davantage de les retenir. Il n'y avait que cette mélodie qui se déployait somptueusement.

Je vis alors le visage de Lily. Vingt années étaient effacées, d'un seul coup. Lily était dans son lit, mourante, en cet instant même. « Ne pleure pas, maman, tu me fais peur. »

9

Rejetant vivement la vision, j'ouvris les yeux et parcourus du regard le plafond en plâtre pelé de cette bâtisse mal entretenue, les banals ornements en métal à la fois si modernes et totalement dénués de signification. Je comprenais maintenant l'enjeu de la bataille, tandis que la musique me submergeait et que la voix de Lily, toute proche, se mêlait intimement à la musique.

Mon regard restait fixé sur lui, et je ne pensais qu'à lui. Je me concentrais totalement sur lui, rejetant toute autre pensée. Il était irrésistiblement emporté par son jeu. Il débordait d'énergie et de fougue juvénile, son timbre était d'une perfection sans égale, à la fois parfaitement maîtrisé et naturel, et sa sonorité était incroyablement poignante.

Oui, c'était bien le concerto de Tchaïkovski, que je connaissais par cœur à force d'avoir écouté mes disques, mais il avait transcrit les parties d'orchestre afin d'obtenir un solo de sa propre composition ; alliant toutes les voix dans un équilibre parfait.

Une musique à proprement parler déchirante.

Je m'efforçais de respirer régulièrement, de me détendre, de ne pas crisper les doigts.

Il y eut un changement soudain, total, comme quand le soleil est brusquement caché par un nuage. Il faisait nuit, pourtant, et c'était la chapelle.

Les saints ! Les vieux saints étaient revenus. L'ancien décor d'il y a trente ans m'entourait de toutes parts.

Le banc d'église était en chêne sombre et patiné, ma main gauche s'appuyait sur un bras orné de volutes sculptées, et là-bas se dressait le traditionnel et vénérable autel, au pied duquel se trouvaient les personnages sculptés et peints de la Cène, dans leur écrin de verre.

Je le haïssais. Je le haïssais parce que je ne pouvais cesser de regarder ces saints perdus depuis longtemps, et l'Enfant Jésus de Prague en plâtre peint tenant un petit globe terrestre, et les vieux tableaux poussiéreux et pourtant si émouvants du Christ portant sa croix, disposés le long des murs, entre les fenêtres obscures.

Vous êtes cruel.

Cruelles, elles l'étaient aussi, ces fenêtres nocturnes diffusant une pâle lueur lavande, et il se tenait dans les ombres indécises, derrière la vieille balustrade de l'autel où les fidèles venaient communier, disparue depuis longtemps, avec tout le reste. Il se tenait immobile au milieu de cette restitution parfaite de tout ce dont je me souvenais, mais dont je n'aurais pu me remémorer le détail un instant auparavant !

Pétrifiée, je regardais fixement, derrière lui, l'icône de Notre-Dame-du-Bon-Secours dominant l'autel, le tabernacle brillant de tous ses ors. Les saints, l'odeur de la cire. Je voyais les candélabres en verre rouge foncé, je voyais tout. Je sentais de nouveau l'odeur de la cire d'abeille et de l'encens, tandis qu'il jouait inlassablement, tissant des variations sur les thème du concerto, son corps frêle suivant la musique, et les auditeurs retenaient leur souffle ; mais qui étaient-ils, ces auditeurs ?

C'est mal. C'est beau, mais c'est mal, parce que c'est cruel.

Je fermai un moment les yeux puis les rouvris. Vois ce qui existe dans le présent ! Un instant, je le vis.

Presque aussitôt, le voile s'abaissa de nouveau. Allait-il la faire revenir ? Mère ? Allait-elle arriver pour nous emmener jusqu'au bout de la nef, Rosalind et moi, dans la sécurité vieillotte de la chapelle envahie par les ombres du soir ? Non, le souvenir était plus fort que ses inventions.

Le souvenir était trop affreux, trop douloureux. Le souvenir d'elle, non pas en ce lieu sacré et en ces temps heureux avant qu'elle ne fût empoisonnée comme la mère de Hamlet, non, mais ivre morte, allongée sur un matelas calciné, la tête à quelques centimètres seulement du trou aux bords incandescents. Voilà ce que je voyais, ainsi que Rosalind et moi qui arrivions en courant avec des pots emplis d'eau, tandis que la belle Katrinka, avec ses boucles blondes et ses immenses yeux bleus, qui n'avait alors que trois ans, regardait Mère avec une stupeur muette, et que la chambre s'emplissait de fumée.

Tu ne t'en tireras pas comme ça.

Il était en plein cœur du concerto. Délibérément, j'emplis la chapelle de lumières; délibérément, tendant toute ma volonté, je considérai l'auditoire jusqu'à ce qu'il fût composé d'hommes et de femmes réels, de ces gens que je connaissais maintenant, dans le présent. Je réussis à faire cela, puis je le regardai intensément, mais il était trop fort pour moi.

En esprit, j'étais une enfant, m'approchant de l'autel. « Mais que vont-ils faire des fleurs que nous avons apportées ? » Rosalind voulait allumer un cierge.

Je me levai.

Les auditeurs étaient tellement hypnotisés par lui que mes actes passèrent inaperçus. Je quittai le banc, lui tournai le dos, descendis les marches de marbre et sortis dans la rue pour échapper à cette musique implacable, qui, loin de faiblir, devenait de plus en plus ardente, brûlante, comme s'il pensait pouvoir me brûler grâce à elle, ce maudit musicien.

Lacomb m'attendait, vautré devant l'entrée, une cigarette à la main. Il se leva. Nous marchions très vite, presque côte à côte, sur le pavement inégal. J'entendais encore la musique. Je prenais bien soin de regarder les briques du trottoir. Dès que mon attention se relâchait, je voyais de nouveau cette mer et ces crêtes d'écume. Je la voyais en une succession d'instantanés aux couleurs criardes; et cette fois, je l'entendais.

Tout en marchant, j'entendais la mer et je la voyais, aussi clairement que je voyais la rue devant moi.

« Doucement, patronne, vous allez trébucher et vous rompre le cou ! »

Une odeur merveilleusement *propre*. La mer et le vent engendraient ce parfum si léger, si pur, alors que toutes les créatures qui grouillent sous la surface de la mer puent la mort dès qu'elles sont rejetées sur la rive sableuse.

Je marchais de plus en plus vite, regardant attentivement les briques disjointes et les herbes qui poussaient dans les interstices.

Dieu merci, nous approchions; je voyais déjà ma lumière, mon garage, mais aucun portail ne s'ouvrait à cet endroit. Le portail de Mère avait été supprimé, ce vieux portail en bois peint entouré d'une arcade de brique, qu'elle avait franchi pour aller droit à la mort.

Je m'arrêtai. Immobile, j'entendais toujours la musique, mais elle était faible et lointaine. Elle était faite pour un public se trouvant à proximité, et sa force décroissait avec la distance. Quelque chose dans sa nature lui interdisait de transgresser cette loi ; je fus heureuse de le constater, mais j'aurais aimé mieux comprendre ce que cela signifiait.

Nous suivîmes la clôture jusqu'au portail donnant sur l'avenue. Après l'avoir ouvert, Lacomb le tint pour me permettre de passer ; il se refermait toujours tout seul, tellement lourd qu'il pouvait vous assommer et vous étendre raide sur le trottoir. La Nouvelle-Orléans ignore l'usage du fil à plomb.

Je montai les marches et entrai dans la maison. Lacomb avait dû ouvrir avec sa clef, mais je ne l'avais pas remarqué. Je lui dis que je voulais écouter de la musique dans le grand salon et lui demandai de fermer toutes les portes.

Lacomb connaissait la routine.

« Votre ami là-bas ne vous plaît pas ? » demanda-t-il de sa voix de basse, agglutinant tellement les mots qu'il me fallut un moment pour comprendre ce qu'il disait.

« Je préfère Beethoven », dis-je.

Pourtant, *sa* musique traversait les murs – mais ce n'était qu'un chuintement sans conséquence, dénué de toute éloquence. Simple bourdonnement d'abeilles dans un cimetière.

Les portes donnant sur la salle à manger étaient fermées. Les disques avaient été parfaiement rangés, par ordre alphabétique.

Solti. La *Neuvième* de Beethoven, deuxième mouvement.

Il ne me fallut qu'un instant pour glisser le disque dans la machine. Aussitôt, les cymbales le mirent complètement en déroute. Je montai le volume au maximum. C'était la marche bien connue, au rythme lourd et obstiné. Beethoven, mon capitaine, mon ange gardien.

Je m'allongeai par terre.

Les lustres des salons sont petits, sans fioritures dorées comme les Baccarat de la salle à manger et de l'entrée. Rien que du cristal et du verre. C'était agréable d'être allongée sur le parquet d'une propreté immaculée et de regarder le lustre, dont seules étaient allumées les petites lampes en forme de bougies.

La musique effaçait complètement sa présence. La marche se poursuivait, opiniâtre. J'appuyai sur les boutons qu'il fallait pour que la machine reprenne continuellement cet unique plage du disque, et fermai les yeux.

Et vous, de quoi aimez-vous vous souvenir ? De choses banales, absurdes, amusantes ?

Lorsque j'étais plus jeune, je rêvais les yeux ouverts en écoutant de la musique – et ce que je voyais, c'était toujours le genre d'images qu'*il* éveillait maintenant ! Des gens, des objets, des intrigues dramatiques, qui me subjuguaient à tel point que je m'enfonçais les ongles dans la paume des mains.

Ce n'était plus le cas. Il n'y avait que la musique, le rythme obsédant de la musique, et il me semblait vaguement gravir la montagne éternelle couverte d'une forêt éternelle, mais ce n'était pas une vision. Protégée par le tonnerre de ce chant, je fermai les yeux.

Il ne lui fallut pas très longtemps.

Combien de temps étais-je restée allongée ainsi ? Une heure peut-être.

Il franchit les portes verrouillées, qui frémirent après son passage, et se matérialisa instantanément, tenant fermement le violon et l'archet de la main gauche.

Ses premiers mots furent : « Vous m'avez plaqué ! »

Sa voix couvrait la musique de Beethoven. Il s'avança vers moi d'un pas menaçant. Je me soulevai sur les coudes, puis me mis assise. Je voyais trouble. La lumière tombait sur son front, soulignant les sourcils noirs bien dessinés, presque droits, pendant qu'il me regardait en plissant furieusement les yeux ; jamais, sans doute, je n'avais vu créature aussi hostile.

La musique continuait à déverser son déluge de sons sur moi, et sur lui.

Il donna un coup de pied dans la machine. La musique faiblit un instant, puis reprit en rugissant. Il arracha le fil de la prise.

« Très malin ! » m'exclamai-je une fraction de seconde avant que le silence ne revienne, me retenant à grand-peine d'arborer un sourire triomphal.

Il haletait, comme s'il venait de courir, à moins que ce ne fût l'effort que lui coûtait le fait d'être matériel, de jouer devant des spectateurs, de passer, invisible, à travers les murs avant de s'incarner avec une sinistre splendeur.

« Oui », fit-il avec un mépris vénéneux, sans me quitter du regard. Ses cheveux bruns tombaient des deux côtés de son visage ; les petites nattes s'étaient défaites et se mêlaient aux longues mèches luisantes.

Il mobilisait tous ses pouvoirs pour m'effrayer, mais pour moi cela ne faisait qu'évoquer la beauté de je ne sais quel acteur de jadis, au nez de vautour et au regard envoûtant. C'est ça, il avait la ténébreuse beauté de Laurence Olivier jouant le rôle de Richard III, monstre difforme et bossu, dans un film tiré de la pièce de Shakespeare. Irrésistible, ce stratagème souvent utilisé en peinture, mêler la beauté à la laideur.

Un vieux film, un amour d'antan, des vers anciens et à jamais inoubliables. Je me mis à rire.

« Je ne suis ni bossu ni difforme ! tonna-t-il. Et je ne joue pas un rôle pour votre plaisir ! Je suis ici, avec vous.

– A ce qu'il semble », répondis-je, me redressant et tirant ma jupe sur mes genoux.

« Semble ? » dit-il, se servant des mots de Hamlet pour mieux se railler de moi. « Semble, Madame ! Eh non, Madame. C'est. Je ne connais point de “ semble. ”.

– Votre don, c'est la musique. Ne forcez pas votre talent. Évitez ces exagérations, je vous prie », rétorquai-je, pensant à une autre scène de la même pièce de théâtre.

M'agrippant au bord de la table, je me levai. Il fondit sur moi. Je faillis avoir un mouvement de recul, mais, me retenant fermement à la table, je lui fis face.

« Fantôme ! crachai-je. Une foule, un monde entier de vivants était venu vous voir. Que cherchez-vous ici, alors que vous pouvez avoir tant d'yeux pour vous regarder, tant d'oreilles pour vous écouter ?

– Ne me poussez pas à bout, Triana.

– Tiens, vous connaissez mon nom.

– Aussi bien que vous-même. » Il se tourna vers la gauche, vers la droite, puis il alla vers la fenêtre, vers la danse sans fin des phares derrière les oiseaux en dentelle.

« Je ne vous dirai pas de vous en aller. »

Me tournant toujours le dos, il redressa la tête.

« Je suis trop solitaire pour vous, poursuivis-je. Et trop fascinée ! » C'était un aveu. « Quand j'étais jeune, je me serais enfuie en voyant un fantôme, enfuie en hurlant ! En bonne catholique parfaitement superstitieuse, j'y aurais cru. Mais aujourd'hui ? »

Il se contentait d'écouter.

Mes mains tremblaient. C'était inadmissible. Prenant une chaise, je m'assis, m'adossant fermement au dossier. Le lustre se reflétait indistinctement sur le plateau poli de la table, et tout autour, les chaises de style Chippendale semblaient au garde-à-vous.

« Aujourd'hui, repris-je, je suis trop passionnée, trop désespérée, trop insouciante. » Je m'efforçais de parler d'un ton ferme, sans toutefois élever la voix. « Je ne sais pas quels mots utiliser. Venez-vous asseoir ici ! Asseyez-vous, posez votre violon et dites-moi ce que vous voulez. Pourquoi venez-vous à moi ? »

Il ne répondit pas.

« Savez-vous ce que vous êtes ? » demandai-je.

Il se retourna, furieux, et s'approcha de la table. Indubitablement, il avait le magnétisme de Laurence Olivier dans ce vieux film, tout en sinistres contrastes, peau très blanche et obstination à faire le mal. Il avait la même bouche très allongée, mais la sienne était plus pleine, plus sensuelle !

« Cessez de penser à cet autre homme, murmura-t-il entre les dents.

– Ce n'est qu'un film, une image.

– Je sais parfaitement ce que c'est, me prenez-vous pour un imbécile ? Regardez-moi. Je suis présent ! C'est un très vieux film ; le réalisateur est mort, l'acteur a disparu, poussière retournant à la poussière, mais je suis ici, avec vous !

– Je sais ce que vous êtes, je vous l'ai dit.

– Dites-le-moi avec précision, alors, si cela ne vous ennuie pas. » Il inclina la tête de côté, se mordilla la lèvre supérieure, et entoura de ses deux mains l'archet et le manche du violon.

Il n'était qu'à un pas de moi. Je distinguais nettement la texture du bois, le somptueux vernis. Stradivarius, avaient-ils dit. Et il le tenait maintenant, cet instrument sinistre et sacré, l'inclinant légèrement pour que la lumière souligne mieux ses courbes, comme si cet objet était réel.

« Oui... ? fit-il. Voulez-vous le toucher ou l'entendre ? Vous savez parfaitement que vous êtes incapable d'en jouer. Même un Strad n'améliorerait pas vos pitoyables défauts ! Si vous osiez essayer, vous en tireriez des grincements affreux, ou vous le mettriez en pièces.

– Vous voulez que je...

– Certainement pas, répliqua-t-il. Ce n'était que pour vous rappeler que vous n'avez aucun don, aucun talent, rien de plus qu'une aspiration insatisfaite. Simple convoitise.

– Convoitise, vraiment ? Était-ce de convoitise que vous vouliez emplir les âmes de ceux qui vous écoutaient à la chapelle ? Une avidité que vous vouliez encourager et nourrir ? Croyez-vous que Beethoven...

– Ne prononcez pas ce nom.

– Vous ne m'en empêcherez pas. Pensez-vous que c'était l'avidité qui a forgé... »

Il fit un pas de plus vers la table, prit le violon de la main gauche et posa la droite aussi près de moi qu'il lui était possible. J'avais l'impression que ses longs cheveux allaient toucher mon visage. Il n'y avait aucun parfum sur ses vêtements ; ils ne sentaient même pas la poussière.

J'avalai ma salive, ma vue se troubla. Des boutons, une cravate violette, l'instrument étincelant de tous ses feux. Ce n'était qu'un fantôme, y compris les vêtements et le violon.

« Sur ce point, vous avez raison. Alors, que suis-je ? Qu'alliez vous dire lorsque je vous ai interrompu ? Quel est votre pieux jugement sur ma personne ?

– Vous êtes pareil aux humains qui sont malades, dis-je. Dans votre souffrance, vous avez besoin de moi !

– Espèce de putain ! s'exclama-t-il en reculant d'un pas.

– Cela, je ne l'ai jamais été, dis-je posément. Je n'en ai jamais eu le courage. Mais vous êtes malade et vous avez besoin de moi. Vous êtes comme Karl. Comme Lily à la fin, encore que, Dieu sait... » Je m'interrompis. « Vous êtes comme mon père sur son lit de mort. Vous avez besoin de moi. Votre tourment exige un témoin. Vous êtes avide, aussi assoiffé de présence que n'importe quel humain qui se meurt, sauf peut-être dans les derniers moments, quand le mourant oublie tout et perçoit des choses qui nous échappent...

– Qu'est-ce qui vous fait croire cela ?

– Ce n'était pas votre cas ? demandai-je.

– Je ne suis jamais mort, dit-il. Pas dans les règles, devrais-je préciser. Mais vous ne l'ignorez pas. Je n'ai jamais vu une lumière réconfortante ni entendu le chœur des anges. J'entendais des coups de fusil, des cris et des imprécations !

– Vraiment ? Que c'est dramatique ! Mais vous êtes quelqu'un de très spécial, n'est-ce pas ? »

Il se recula comme si j'étais en train de lui faire les poches.

« Asseyez-vous, répétai-je. J'ai veillé plus d'un mort, comme vous le savez. C'est pourquoi vous m'avez choisie. Peut-être vous apprêtez-vous à mettre fin à vos petites errances fantomatiques.

– Je ne suis pas sur le point de mourir, madame ! » déclara-t-il. Prenant une chaise, il s'assit face à moi. « A chaque minute qui passe, chaque heure, chaque année, mes forces s'accroissent. »

Il s'adossa confortablement. Le plateau de la table – un bon mètre de bois poli – me séparait maintenant de lui.

Il tournait le dos aux rideaux qu'éclairaient par intermittence les phares des voitures, mais la pâle lumière du lustre révélait le moindre détail de son visage, un visage trop jeune pour avoir jamais été le méchant roi d'une tragédie, et soudain trop douloureux à regarder pour que j'y trouve du plaisir.

Pourtant, je ne détournais pas les yeux. Je l'observais, et il se prêtait à mon observation.

« Alors, de quoi s'agit-il exactement ? » lui demandai-je.

Il avala sa salive, tout à fait comme un être humain, se mordilla de nouveau les lèvres, puis, se reprenant, les serra fermement.

« C'est un duo, commença-t-il.

– Je vois.

– Je dois jouer et vous devez écouter. Vous devez souffrir, perdre l'esprit ; en tout cas, faire ce que ma musique vous pousse à faire. Devenez une idiote si cela vous chante, devenez aussi folle que l'Ophélie de votre pièce favorite. Devenez aussi fêlée que Hamlet lui-même. Peu m'importe.

– Mais c'est un duo.

– Absolument, un duo, c'est le mot qui convient, bien que je sois seul à jouer.

– C'est faux. Je nourris votre musique, vous le savez parfaitement. Dans la chapelle, vous vous nourrissiez de moi et de tous les auditeurs, mais ce public ne vous suffisait pas. Vous êtes revenu à moi, faisant impitoyablement apparaître des images dénuées de toute signification pour vous, me déchirant le cœur avec la désinvolture d'un criminel vulgaire et ignare, dans votre volonté de faire souffrir. Vous ne comprenez rien à la souffrance, sinon que vous en avez besoin. Oui, c'est un vrai duo, une musique que l'on fait à deux.

– Ciel ! comme vous parlez bien quand vous vous y mettez, alors que vous ne comprenez rien à la musique, que vous n'y avez jamais rien compris, tout en aimant plonger dans les eaux profondes du talent d'autrui, vous vautrant par terre en compagnie de votre Petit Génie ou du Maestro, ou de Tchaïkovski, ce Russe maniaque. Et comme vous vous repaissez de la mort – si, si, c'est ce que vous faites, et vous le savez fort bien. Vous aviez besoin de toutes ces morts, ne le niez pas. »

Il parlait avec fougue, avec une réelle passion, me foudroyant du regard, écarquillant ses yeux profondément enfoncés aux moments appropriés pour donner plus de force à ses mots. Il était, ou avait été, bien plus jeune que le Laurence Olivier incarnant Richard III.

« Se soyez pas stupide, dis-je calmement. La stupidité sied mal à un être qui n'a pas la mortalité pour excuse. J'ai appris à vivre avec la mort, à la sentir, à la goûter, à tout nettoyer après sa lente approche, mais je n'ai jamais eu besoin d'elle. Ma vie aurait pu prendre un cours différent. Je n'ai pas... »

Ne lui avais-je pas fait du mal, pourtant ? Cette vérité semblait évidente. J'avais tué ma mère de mes propres mains. Il était trop tard pour aller dans le jardin, pour l'empêcher de sortir par ce portail qui n'existait plus. Trop tard pour dire : « Écoute, Père, nous ne pouvons pas faire cela, il faut l'emmener à l'hôpital, rester auprès d'elle ; occupez-vous de Trink, Roz et toi, je resterai avec Mère... » Mais pourquoi aurais-je agi ainsi, à quoi bon ? Pour qu'elle sorte de l'hôpital sous un quelconque prétexte, comme elle l'avait déjà fait une fois, en faisant semblant d'être intelligente et équilibrée, en se montrant charmante – pour revenir à la maison, où elle sombrerait de nouveau dans une stupeur profonde, et tomberait une fois de plus sur le poêle, s'entaillant la tête au point qu'il y aurait une flaque de sang par terre ?

Père parle : « Cela fait deux fois qu'elle met le feu au lit, elle ne peut pas rester ici... » Était-ce ce jour-là ? « Katrinka est malade, elle doit se faire opérer, j'ai besoin de toi ! »

De moi ?

Et moi, que voulais-je, en réalité ? Qu'elle meure, ma mère – que cela prenne fin, sa maladie, sa souffrance, son humiliation, sa détresse. Elle pleurait.

« Je ne permettrai pas cela ! » Je me secouai vivement pour chasser ces pensées. « Ce que vous faites est vil et méprisable. Vous pillez mon esprit pour y trouver des choses qui ne vous sont d'aucune utilité.

– Elles sont toujours présentes, prêtes à s'éveiller. » Il sourit. Il paraissait tellement jeune, frais, éclatant, sans une ride. Il avait sûrement été frappé en pleine jeunesse.

Il se renfrogna. « Ne soyez pas absurde. Je suis mort depuis si longtemps que plus rien n'est jeune en moi. J'ai été transformé en cette " chose ", pour reprendre le terme dont vous m'avez qualifié au début de cette soirée, dans votre incapacité de tolérer tant de grâce et d'élégance. Je suis devenu cette " chose ", cette abomination, cet esprit, alors que votre gardien, votre grandiose maître de la symphonie, était en vie et que j'étais son élève.

– Je ne vous crois pas. Vous parlez de Beethoven. Je vous déteste.

– Il était mon professeur ! » tonna-t-il. Son ton était théâtral, mais il était manifestement sincère.

« C'est pour cela que vous m'avez choisie, parce que je l'aime ?

– Non, je n'ai pas besoin que vous l'aimiez, et pas davantage que vous pleuriez votre mari ou que vous déterriez votre fille. Et je submergerai le Maestro, je le noierai sous ma musique avant que nous n'en ayons terminé, jusqu'à ce que vous ne puissiez plus l'entendre, ni sur vos machines, ni dans vos souvenirs, ni même en rêve.

– Comme c'est aimable à vous. L'aimiez-vous autant que vous m'aimez ?

– Je voulais simplement faire comprendre que je ne suis pas jeune. Je vous interdis de parler de lui en ma présence avec cet air de supériorité possessive. Quant à ceux que j'ai aimés, cela ne vous concerne pas.

– Bravo ! Quand avez-vous cessé d'apprendre, quand avez-vous abandonné la chair ? Et lorsque votre crâne est devenu un crâne de fantôme, cela vous a-t-il mis du plomb dans la tête ? »

Je vis qu'il était stupéfait.

Je l'étais aussi, un peu, mais je dois dire que mes débauches verbales me faisaient souvent peur. C'est pour cette raison que j'avais arrêté de boire depuis des années.

Lorsque j'avais bu, il m'arrivait fréquemment de faire de tels discours. Je ne me souvenais même plus du goût de la bière ou du vin, et cela ne me manquait pas. J'aspirais à la conscience, à ces rêves lucides dans lesquels je me promenais à loisir, comme le rêve du palais de marbre, consciente que je rêvais et continuant pourtant à rêver, en profitant de ce que chacun de ces mondes pouvait m'offrir de meilleur.

« Que voudriez-vous que je fasse ? » demanda-t-il.

Je levai les yeux. Je voyais d'autres objets, d'autres lieux. Je le fixai, me concentrant sur son visage. Il paraissait aussi solide que tout ce qui l'entourait, et doué de vie, digne d'être aimé, enviable, noble et beau.

« Ce que je veux que vous fassiez ? répétai-je sur un ton moqueur. Que signifie au juste cette question ? Que pourrais-je bien vouloir ?

– Vous avez dit que vous étiez solitaire, que vous n'aviez que moi. Eh bien, je le suis aussi, et je n'ai que vous. Mais je *peux* vous lâcher. Je peux aller ailleurs...

– Non.

– Le contraire m'eût étonné », dit-il avec un petit sourire qui s'évanouit aussitôt. Il paraissait très sérieux, très grave, et ses yeux étaient plus grands que jamais.

Ses sourcils d'un noir profond étaient parfaits ; pas vraiment droits, en fait, mais légèrement arqués, ce qui lui donnait une expression impérieuse.

« Soit, dis-je, vous êtes donc venu à moi comme un être que j'aurais invoqué. Un violoniste, précisément ce que je voulais devenir de tout mon cœur, sans doute la seule chose que j'aie jamais essayé de devenir en y mettant toute mon âme. Vous apparaissez, mais vous n'êtes pas ma création. Vous venez d'ailleurs, et vous êtes affamé, en manque, exigeant. Vous enragez parce que vous ne parvenez pas à me pousser à la folie, et pourtant vous êtes attiré par la complexité même qui frustre vos espérances.

– Je le reconnais.

– Bien. Selon vous, qu'arrivera-t-il si vous restez? Vous imaginez-vous que je me laisserai ensorceler, que je vous permettrai de me traîner sur chaque tombe que j'aie jamais couverte de fleurs? Croyez-vous que je vous laisserai me balancer en pleine figure le mari que j'ai perdu, Lev? Oui, je sais parfaitement que vous m'avez à maintes reprises contrainte à penser à lui au cours de ces dernières heures, comme s'il était mort, mon Lev, aussi mort que les autres – lui, et sa femme Chelsea, et leurs enfants. Pensez-vous vraiment que j'autoriserai cela? Vous cherchez apparemment une terrible bagarre. Préparez-vous à la défaite.

– Vous auriez pu garder Lev », dit-il songeusement, se radoucissant. « Mais votre orgueil vous a poussée à dire : “ Vas-y, épouse Chelsea. ” Vous ne supportiez pas la trahison. Vous vouliez être magnanime, et vous sacrifier.

– Chelsea portait son enfant.

– Elle voulait le tuer.

– Ce n'est pas vrai, et Lev non plus. Notre enfant était déjà morte; Lev voulait cet enfant, et il voulait Chelsea, et Chelsea voulait Lev.

– En conséquence, vous avez fièrement renoncé à l'homme que vous aimiez depuis l'enfance, mais à vos yeux vous étiez le vainqueur, le metteur en scène de ce petit drame, celle qui contrôle tout.

– Et alors? dis-je. Il est parti. Il est heureux. Il a trois fils, un garçon très grand, très blond, et des jumeaux. Leurs photos sont partout dans la maison. Les avez-vous vues dans la chambre?

– Effectivement. Dans l'entrée aussi, à côté de la vieille photo sépia de votre mère, quand elle était une belle jeune fille de treize ans à la poitrine plate, tenant un bouquet le jour de son diplôme.

– Reprenons. Alors, qu'allons-nous faire? Je ne tolérerai pas que vous m'infligiez cela. »

Il se tourna de côté, en émettant une sorte de fredonnement. Prenant le violon, qui était sur ses genoux, il le posa précautionneusement sur la table ainsi que l'archet, en tenant le manche de l'instrument de la main gauche, puis leva lentement les yeux; son regard s'attarda sur le tableau représentant des fleurs, accroché au-dessus du sofa, un cadeau de Lev, mon mari, poète et peintre et père d'un grand garçon aux yeux bleus.

« Non, dis-je, je me refuse à l'envisager. »

J'examinai attentivement le violon. Un Stradivarius ? Beethoven aurait été son professeur ?

« Ne riez pas de moi, Triana ! Il l'était, ainsi que Mozart quand j'étais tout petit, trop jeune pour m'en souvenir. Oui, le Maestro était mon professeur ! »

Ses joues s'empourprèrent. « Vous ne savez rien de moi. Vous ignorez tout du monde auquel j'ai été arraché. Vos bibliothèques regorgent d'études sur ce monde, sur ses compositeurs, ses peintres, sur les architectes de ses palais ; vous y trouverez même le nom de mon père, bienfaiteur des arts, généreux mécène du Maestro – et j'étais l'élève du Maestro, je l'étais. »

Il s'interrompit et se détourna.

« Si je comprends bien, je suis destinée à souffrir et à me souvenir, mais pas vous, dis-je. Je vois. Vous faites le fanfaron, vice masculin assez courant.

– Vous ne voyez rien du tout, affirma-t-il. Je veux seulement que vous, vous qui vénérez ces noms comme s'ils étaient des saints tutélaires – Mozart, Beethoven –, je veux que vous sachiez que je les ai connus ! Quant à ce qu'il est advenu d'eux, je l'ignore ! Je suis ici, avec vous !

– En effet, comme vous l'avez dit et comme je l'ai dit moi-même, mais qu'allons-nous faire ? Je sais que vous pouvez me prendre au dépourvu cent fois, mille fois, mais je ne me laisserai plus envahir. Et quand je rêve des vagues, de la mer, s'agit-il de votre...

– Nous ne parlerons pas de ce rêve, m'intima-t-il.

– Pourquoi ? Parce que c'est une porte donnant accès à votre monde ?

– Je n'ai pas de monde. Je suis échoué dans le vôtre.

– Vous en aviez un, pourtant, vous avez une histoire, une succession d'événements reliés entre eux, et qui vous poursuivent, n'est-ce pas ? Et ce rêve vient de vous, car je n'ai jamais vu cet endroit. »

Tambourinant des doigts sur la table, il baissa la tête, perdu dans ses pensées.

« Vous souvenez-vous », reprit-il avec un sourire malicieux, levant la tête pour me regarder bien qu'il fût plus grand que moi. Ses sourcils froncés avaient une expression redoutable, bien que son ton fût candide, et sa bouche, tendre et douce. « Vous souvenez-vous, après la mort de votre fille, vous aviez une amie qui d'appelait Susan.

– J'ai eu beaucoup d'amies après la mort de ma fille, de très bonnes amies ; en fait, quatre d'entre elles se nommaient Susan ou Suzanne, ou Sue. Il y avait Susan Mandel, une ancienne camarade d'école ; Susie Ryder, qui m'a apporté un grand réconfort et qui est devenue une véritable alliée. Il y avait aussi Suzanne Clark...

– Non, aucune de celles-ci. Il est vrai que vous avez souvent connu en même temps des femmes portant le même prénom. Souvenez-vous des Anne de vos années de *college*. Elles étaient trois, et cela les amusait beaucoup que vous vous appeliez Triana, ce qui signifie " trois Anne. " Mais je ne tiens pas à parler d'elles.

– Et pourquoi le feriez-vous ? Il s'agit de souvenirs agréables.

– Où sont-elles maintenant, toutes ces amies ? Que sont-elles devenues, surtout la quatrième... Susan ?

– Je ne vous suis pas.

– Au contraire, madame. Vous ne pouvez vous détacher de moi. Je vous tiens aussi solidement que quand je joue.

– Sensationnel, commentai-je. Vous connaissez le sens primitif de ce mot ?

– Bien sûr.

– C'est exactement ce que vous êtes, lorsque vous provoquez en moi toutes ces sensations brûlantes ! Mais assez joué. De quelle Susan voulez-vous parler, je ne vois vraiment...

– Celle qui venait du Sud, la rousse qui connaissait Lily...

– Bien sûr ! L'amie de Lily. Elle habitait juste audessus de nous, cette Susan, et elle avait une fille du même âge que Lily. Elle...

– Pourquoi ne m'en parlez-vous pas, tout simplement ? Pourquoi cela vous rendrait-il folle ? Qu'est-ce qui vous empêche d'en parler ? Elle adorait Lily, cette femme. Lily aimait beaucoup aller chez elle, elles bavardaient ensemble, elles dessinaient... Et elle vous a écrit, des années après la mort de Lily, alors que vous habitiez déjà ici, à La Nouvelle-Orléans ; cette femme, cette Susan qui aimait tant votre fille, affirmait que votre Lily était née à nouveau, réincarnée, vous vous en souvenez ?

– Vaguement. Mais il est moins pénible de penser à cela qu'au temps où elles étaient ensemble, l'une d'elles étant morte. J'avais trouvé sa lettre absurde. Peut-on renaître, se réincarner ? Allez-vous me révéler ce genre de secrets ?

– Jamais. De toute façon, je n'en sais rien. Mon existence est une stratégie sans fin. Je sais seulement que je suis en un certain lieu, puis ailleurs, et ailleurs encore ; c'est sans fin, et ceux que j'aime, ou ceux que j'ai appris à haïr, meurent, tandis que je subsiste. Voilà ce que je sais. Et aucune âme n'a jamais surgi devant moi en affirmant être la réincarnation d'une personne qui m'aurait fait du mal, à *moi* !

– Continuez, je vous écoute.

– Vous vous souvenez donc de cette Susan et de ce qu'elle vous avait écrit.

– Oui, elle disait que Lily était revenue à la vie, dans un autre pays. Ah ! » Je m'interrompis soudain, suffoquée. « C'est cela que vous me faites voir dans le rêve, un pays où je ne suis jamais allée et où vit Lily... C'est cela que vous voudriez me faire croire ?

– Non, dit-il. Je veux seulement vous faire prendre conscience que vous n'êtes jamais allée à sa recherche.

– Encore un de vos tours, vous en avez plein les poches. Qui vous a fait mal ? Qui tirait ces balles lorsque vous êtes mort ? Vous ne voulez vraiment pas m'en parler ?

– En parler ? Comme Lev vous parlait de ses femmes, de toutes ces jeunes filles qui l'ont " consolé " pendant la maladie de Lily, lui, le père d'une enfant condamnée...

– Vous n'êtes qu'un démon immonde ! Assez de grands mots. Je me contenterai de dire que les aventures de Lev avec ces filles étaient brèves et dénuées d'amour, et que je m'étais mise à boire. Oui, je buvais. Cela m'a fait grossir ? Ainsi soit-il. Mais tout cela ne mène nulle part, à moins que ce ne soit précisément ce que vous cherchez ? Il n'y a pas de Jugement dernier. Je n'y crois plus. Pas davantage que je ne crois encore en la confession ou en la légitime défense. Partez. Je vais rebrancher la boîte à musique. Que pourrez-vous y faire ? La casser ? J'en ai d'autres. Je peux aussi chanter du Beethoven. Je connais par cœur le *Concerto pour violon.*

– Ne vous avisez pas de faire cela.

– Pourquoi ? De la musique enregistrée vous attend-elle en enfer ?

– Comment le saurais-je, Triana ? dit-il avec une douceur soudaine. Comment saurais-je ce qu'il y a ou non en enfer ? Vous voyez de vos propres yeux les circonstances de ma perdition.

– Cela me semble nettement préférable aux flammes éternelles. Mais j'écouterai Beethoven, mon ange gardien, quand il me plaira, et je chanterai tous les passages dont je me souviens, même si je massacre le timbre, si je chante faux... »

Il se pencha vers moi, timidement. Ne trouvant pas aussitôt la force de soutenir son regard, je baissai les yeux. Fixant la table, je sentis monter en moi un tel chagrin, une telle nostalgie, que je pouvais à peine respirer. Le violon. Isaac Stern à l'auditorium, ma certitude puérile de pouvoir un jour égaler cette grandeur...

Non. Pas cela !

Je regardai de nouveau le violon. J'avançai la main. Il ne réagit pas. L'instrument était trop loin. Je me levai et contournai la table jusqu'à la chaise voisine de la sienne.

Parfaitement immobile, il observait le moindre de mes gestes, comme s'il me soupçonnait de vouloir lui jouer un mauvais tour. Peut-être nourrissais-je cette intention. Mais quel tour aurais-je pu lui jouer ? Je n'en connaissais aucun qui aurait eu une chance de réussir – pas encore, en tout cas.

Je touchai le violon.

Il était tellement beau, sans un défaut, tellement noble.

Je m'assis juste devant le violon. Il retira sa main droite pour me permettre de le toucher. Il alla même jusqu'à pousser légèrement l'instrument dans ma direction, sans toutefois le lâcher ; il tenait également l'archet.

« Stradivarius, dis-je.

– Oui. Un des nombreux Stradivarius dont j'ai joués, et comme moi il est devenu un fantôme, aussi sûrement que je suis un fantôme ; lui et moi, nous sommes des spectres. Il est puissant, pourtant. Il est lui-même, exactement comme je suis moi-même. Dans cette sphère, c'est un Stradivarius, aussi assurément qu'il l'était dans la réalité. »

Il le contempla avec amour.

« Dans un sens, l'on pourrait dire que c'est pour lui que je suis mort. » Il leva brièvement les yeux sur moi, puis me demanda : « Après avoir reçu la lettre de Susan, pourquoi n'êtes-vous pas allée à la recherche de l'âme réincarnée de votre fille ?

– Je ne croyais pas ce que disait cette lettre. Je l'ai jetée. Je trouvais cela absurde, stupide. Cela me faisait de la peine pour Susan, mais je ne pouvais pas lui répondre. »

Son regard s'éclaira, mais son sourire était rusé. « Je pense que vous mentez. Vous étiez jalouse.

– De quoi aurais-je pu être jalouse ? D'une vieille amie qui perdait l'esprit ? J'avais perdu Susan de vue depuis des années. Je ne sais même pas où elle habite maintenant...

– Vous étiez jalouse, pourtant, folle de rage, plus jalouse d'elle que vous ne l'aviez jamais été de Lev et de ses jeunes amies.

– Il faudra que vous m'expliquiez cela.

– Avec plaisir. La jalousie et l'envie vous torturaient parce que votre fille réincarnée s'était révélée à Susan, et non à vous ! Voilà ce que vous pensiez, mais vous vous refusiez à le croire, car il était impossible que le lien unissant Lily à Susan fût plus fort ! Vous vous sentiez insultée. L'orgueil, le même orgueil qui vous avait poussée à laisser partir Lev, alors qu'il ne savait plus où il en était, qu'il était ivre de souffrance, qu'il... »

Je ne répondis pas.

Ce qu'il disait était l'absolue vérité.

J'étais tourmentée par l'idée que quelqu'un pût prétendre à une pareille intimité avec ma fille disparue, et que dans son esprit apparemment troublé, Susan se fût imaginée que Lily, réincarnée, était venue à elle, et non à moi.

Il avait raison. Quelle stupidité absolue ! Et comme Lily aimait Susan ! Qu'il était fort, le lien qui les unissait !

« Vous avez donc abattu une autre carte, dis-je. Et alors ? » J'avançai la main vers le violon. Il ne le lâcha pas ; au contraire, il resserra sa prise.

Je caressais le violon, mais il ne m'autorisait pas à le déplacer. Il m'observait attentivement. L'instrument était magnifiquement réel, somptueusement matériel, son lustre satiné était incomparable ; une vraie merveille même lorsqu'il n'émettait pas la moindre note. Ah ! toucher un instrument aussi vénérable !

« C'est un privilège, je suppose ? » demandai-je avec amertume. Surtout, ne pas penser à Susan et à cette histoire de Lily réincarnée.

« Oui, un privilège... Mais vous le méritez.

– Et pourquoi, je vous prie ?

– Parce que vous en aimez le son, davantage sans doute que tout autre mortel pour lequel j'ai eu l'occasion d'en jouer.

– Même Beethoven ?

– Il était sourd, Triana », dit-il dans un murmure.

J'éclatai de rire. Bien sûr ! Beethoven était sourd. Tout le monde sait cela, de même que chacun sait que Rembrandt était hollandais ou que Léonard de Vinci était un génie. Je continuai à rire, pas très fort mais de bon cœur.

« C'est trop drôle. Dire que j'avais oublié ! »

Cela ne l'amusait manifestement pas.

« Laissez-moi le tenir.

– Je ne le permettrai pas.

– Mais vous veniez de dire...

– Peu importe ce que j'ai dit. Le privilège ne va pas jusque-là. Vous ne pouvez pas le tenir dans vos mains. Vous avez le droit de le toucher, c'est tout. Vous imaginez-vous que j'autoriserais une créature telle que vous à en pincer une seule corde ? Ne vous avisez pas d'essayer !

– Vous deviez être très en colère quand vous êtes mort.

– Effectivement.

– Et vous, l'élève, que pensiez-vous de Beethoven, bien qu'il ne pût vous entendre jouer ? Quel jugement portiez-vous sur lui ?

– Je l'adorais, murmura-t-il. Je l'adorais autant que vous le faites sans jamais l'avoir connu – à ceci près que je l'ai connu, et j'étais un fantôme avant même qu'il ne meure. J'ai visité sa tombe. En entrant dans ce vieux cimetière, j'ai cru mourir de nouveau de douleur et d'épouvante, car il était mort et seule une stèle témoignait de son existence... Mais cela m'était impossible, évidemment. »

Son expression avait perdu toute méchanceté.

« C'était si soudain. C'est ainsi, dans cette sphère. Les choses arrivent subitement. Ou alors elles sont interminables, apparemment éternelles. J'avais passé des années dans une sorte de brouillard. Plus tard, bien plus tard, en épiant les commérages des vivants, j'ai entendu parler de ces obsèques solennelles, j'ai appris qu'ils avaient porté son cercueil dans les rues de la ville. Ah ! Vienne adore les grandes funérailles, la pompe, et maintenant il a un monument digne de lui, mon maestro. » Sa voix était devenue presque inaudible. « Comme j'ai pleuré sur cette vieille tombe. » Son regard était lointain, songeur et quasi émerveillé, mais sa main restait serrée sur le violon.

« Quand votre fille est morte, vous vouliez que le monde entier soit au courant, vous en souvenez-vous ?

– Oui. Ou qu'il s'arrête, qu'il s'accorde un instant de réflexion, ou... je ne sais trop quoi.

– Et vos beaux amis californiens, pas même capables de suivre un simple office des morts, et dont la moitié a perdu la trace du corbillard sur l'autoroute.

– Et alors ?

– Le Maestro que vous aimez tant a eu droit aux obsèques auxquelles vous aspiriez.

– Sans doute, mais il s'agissait de Beethoven, que vous connaissiez, que je connais. Mais Lily ? Qu'est Lily ? Que reste-t-il d'elle, des ossements, de la poussière ? »

Son expression se fit tendre et mélancolique.

Ma voix était calme, dénuée de toute véhémence, de toute colère. « Ossements, poussière. Un visage dont je me souviens si bien : rond, avec un front très haut comme celui de ma mère, pas du tout comme le mien. Oh ! le visage de ma mère ! J'aime tant penser à elle, me remémorer combien elle était belle...

– Et quand Lily a perdu ses cheveux, et qu'elle pleurait ?

– Belle, elle est toujours restée belle. Vous le savez. Étiez-vous beau quand vous êtes mort ?

– Non. »

Le violon était doux au toucher, soyeux, parfait.

« Il a été fabriqué en l'an seize cent quatre-vingt-dix, dit-il. Avant ma naissance, bien avant. Mon père l'avait acheté à Moscou, une ville où je n'étais jamais allé, où je ne suis pas allé depuis, et où je n'irais pour rien au monde. »

Je le regardai avec adoration. Qu'il fût vrai ou faux, réel ou spectral, c'était en ce moment l'unique objet qui m'intéressât vraiment. Tout le reste était secondaire.

« Réel *et* spectral, rectifia-t-il. Mon père possédait vingt instruments fabriqués par Antonio Stradivari, tous de haute qualité, mais le plus beau, c'était ce longuet.

– Vingt ? Je ne vous crois pas », dis-je brusquement. Pourquoi avais-je fait cette remarque ? Par dépit et par rage ?

« Par jalousie, dit-il, parce que vous n'avez aucun talent. »

Je l'observai attentivement ; il hésitait entre des émotions contradictoires. Il ne savait trop s'il me haïssait ou s'il m'aimait, seulement qu'il avait désespérément besoin de moi.

« Pas de vous, répliqua-t-il. De quelqu'un, simplement.

– De quelqu'un qui aime cet objet ? Ce violon, en sachant que c'est le longuet réalisé par Stradivari l'aîné vers la fin de sa vie, lorsqu'il s'était dégagé de l'infuence d'Amati ? »

Son sourire était doux et triste. Non, c'était plus profond que cela, plus pernicieux : il paraissait ulcéré. Ou bien reconnaissant ?

« Les esses sont absolument parfaites, dis-je à voix basse, passant les doigts avec révérence sur la table du violon, en prenant garde à ne pas toucher les cordes.

« Non, dit-il, ne faites surtout pas cela. Mais vous pouvez continuer... vous pouvez continuer à le caresser.

– C'est vous qui pleurez, maintenant ? Ce sont de vraies larmes ? »

Ce voulait être une remarque méchante, mais elle avait déjà perdu son mordant. J'étais plongée dans la contemplation du violon, cet objet tellement exquis, d'une beauté inconcevable. Essayez d'expliquer à une personne qui n'a jamais entendu un violon à quoi ressemble le son, la voix de cet instrument – et pensez à toutes ces générations qui ont vécu et sont mortes sans jamais rien entendre de pareil.

Les larmes allaient bien à ses yeux en amande profondément enfoncés. Il n'essayait pas de les retenir. Peut-être les fabriquait-il, après tout, de même qu'il fabriquait toute cette image de lui-même.

« Si seulement c'était si simple, me dit-il sur le ton de la confidence.

– Un vernis très foncé, constatai-je en observant le violon. Cela indique la date, n'est-ce pas, de même que le dos en deux parties. Je l'ai remarqué, et il est fait en bois italien.

– Non, dit-il, mais beaucoup d'autres l'étaient. » Avant de parler, il avait dû s'éclaircir la gorge, ou ce qui lui en tenait lieu.

– C'est un longuet, vous avez raison sur ce point. Ce qu'on appelait le *stretto lungo*. Son ton était sincère, presque bienveillant. « Tout ce savoir que vous avez dans la tête, ces détails que vous connaissez sur Beethoven et Mozart, et vos larmes quand vous les écoutez en vous agrippant à votre oreiller...

– Je vois ce que vous voulez dire. N'oubliez pas le Russe dément, comme vous l'appelez méchamment. Mon Tchaïkovski. Vous l'interprétiez pourtant fort bien.

– Sans doute, mais quel bien cela vous a-t-il fait ? Et vos connaissances, votre lecture acharnée des lettres de Beethoven ou de Mozart, votre interminable étude des détails sordides de la vie de Tchaïkovski ? Où cela vous a-t-il menée ? Qui êtes-vous, qu'êtes-vous ?

– Ce savoir me tient compagnie », dis-je lentement, à voix très basse, méditant ces mots qui ne lui étaient destinés qu'en partie. « Un peu de la même façon que vous me tenez compagnie. » Je me penchai au-dessus de la table, aussi près que possible du violon. Le lustre ne diffusait qu'une faible lumière, mais à travers l'esse, je réussis à distinguer l'étiquette, un simple cercle et les lettres AS, parfaitement tracées, ainsi que la mention de l'année : 1690, comme il l'avait dit.

Je n'allai pas jusqu'à embrasser cet objet, c'eût été trop vulgaire, presque impudique. Je voulais seulement le tenir entre mes mains, le placer contre mon épaule – cela, au moins, je savais le faire –, l'entourer de mes doigts.

« Pas question.

– Soit, dis-je avec un soupir de résignation.

– Paganini avait deux instruments d'Antonio Stradivari lorsque je l'ai rencontré, et aucun n'était aussi beau que celui-ci...

– Vous l'avez connu aussi ?

– Oh oui ! L'on pourrait dire qu'à son insu, il a joué un rôle majeur dans ma chute. Il n'a jamais su ce qui m'était arrivé. Mais je l'ai observé à travers le voile obscur – une ou deux fois seulement, je n'aurais pu en tolérer davantage, et le temps n'avait plus sa mesure naturelle. Mais il n'a jamais possédé un instrument d'une telle qualité...

– Je vois... et vous en aviez vingt.

– Dans la maison de mon père, je vous l'ai dit. Tirez profit de vos lectures. Vous savez à quoi ressemblait Vienne en ce temps-là. Vous avez entendu parler des princes qui avaient des orchestres privés. Ne soyez pas stupide.

– Et vous êtes mort à cause de ce seul instrument ?

– J'aurais bravé la mort pour n'importe lequel d'entre eux », répondit-il, caressant le violon du regard. « J'ai bien failli mourir pour eux tous... Mais celui-ci, il m'appartenait ; c'était du moins ce que l'on disait, bien que je ne fusse que son fils, évidemment. Il y en avait beaucoup, et j'ai joué sur tous. » Il paraissait songeur.

« Vous êtes réellement mort à cause de ce violon ?

– Oui ! Et à cause de mon désir passionné d'en jouer. Si j'étais né sans aucun talent, comme vous, si j'avais été une personne ordinaire comme vous, je serais devenu fou. C'est un miracle que cela ne vous soit pas arrivé ! »

Aussitôt, il parut regretter ses mots. Il me regarda avec l'air de s'excuser.

« Mais rares sont ceux qui savent écouter comme vous, je vous l'accorde.

– Merci, dis-je.

– Seules de rares personnes comprennent aussi bien que vous le langage de la musique.

– Merci, murmurai-je.

– Rares ceux qui ont jamais... aspiré à un aussi vaste horizon. » Il semblait perplexe, et regardait le violon posé devant lui avec une sorte de désarroi.

Je gardai le silence.

Pris d'une soudaine inquiétude, il me regarda du coin de l'œil.

« Et l'archet ? » m'empressai-je de dire, craignant soudain qu'il ne s'en aille, qu'il ne disparaisse de nouveau, par pure rancune. « Le grand Stradivari a-t-il également fabriqué l'archet ?

– Peut-être. Il ne s'intéressait guère aux archets, mais je ne vous apprends rien. Celui-ci pourrait être de sa main, bien que ce soit douteux. Vous connaissez ce bois, je suppose ? » Il eut de nouveau ce sourire à la fois familier et légèrement interrogateur.

« Je devrais le connaître ? Je ne crois pas. Quel est ce bois ? » Je touchai l'archet, un archet particulièrement long et large. « Il est très large, plus large que nos archets modernes, ou que ceux que l'on utilise de nos jours.

– C'est pour obtenir un meilleur son, dit-il en le regardant. Vous êtes très observatrice.

– Cela saute aux yeux. N'importe qui l'aurait remarqué. Les auditeurs de la chapelle ont sûrement vu que l'archet était d'une largeur inhabituelle.

– N'en soyez pas trop certaine. Savez-vous pourquoi il est aussi large ?

– Pour que le crin et le bois risquent moins de se toucher, ce qui permet de jouer d'une manière plus stridente.

– Stridente, répéta-t-il en souriant. Stridente ! Je n'y avais jamais pensé en ces termes.

– Vous attaquez souvent en abattant brutalement l'archet. Cela exige un archet légèrement concave, n'est-ce pas ? Mais de quel bois est-il fait ? C'est un bois bien particulier, mais son nom m'échappe. J'ai su ce genre de choses, pourtant. Dites-le-moi.

– J'aimerais pouvoir tout vous dire, mais j'ignore malheureusement qui a réalisé cet archet. Par contre, je sais en quel bois il est, je le savais déjà quand j'étais vivant : c'est du bois de Pernambouc. » Il m'observa comme s'il guettait ma réaction. » Cela n'éveille aucune association dans votre mémoire, Pernambouc ? Cela n'évoque aucune résonance en vous ?

– Peut-être, mais qu'est-ce que c'est au juste, le Pernambouc ? Je ne...

– Un bois du Brésil. A l'époque où cet archet a été fabriqué, il venait uniquement du Brésil.

Je l'observai attentivement. « Du Brésil, vraiment ? » A peine eus-je dit ces mots que je vis apparaître la mer illimitée, scintillante, brillant à la vive lumière de la lune, parcourue de vagues immenses. L'image était tellement puissante qu'elle effaçait tout le reste. Je sentis alors sa main se poser sur la mienne.

Je le revis. Je revis le violon.

« Vous ne vous souvenez vraiment pas ? Faites un effort.

– Me souvenir de quoi ? Je vois une plage, je vois un océan, je vois des vagues...

– Vous voyez la ville où, selon votre amie Susan, votre fille est revenue à la vie, dit-il péremptoirement.

– Le Brésil... » Je l'interrogeai du regard. « Le Brésil, Rio... mais oui ! c'est ce que Susan avait écrit dans sa lettre, que Lily...

– ... était musicienne au Brésil, réalisant ainsi votre rêve, votre aspiration de toujours. Lily s'était réincarnée au Brésil sous la forme d'une musicienne.

– J'ai jeté cette lettre, je vous l'ai dit. Je ne connais pas le Brésil, pourquoi voulez-vous absolument que je le voie ?

– Je ne veux rien de tel !

– Mais si.
– Non.
– Pour quelle autre raison le verrais-je, alors ? Et pourquoi me réveillez-vous chaque fois que je vois la mer et la plage ? Pourquoi est-ce que je rêve à cela ? Pourquoi l'ai-je vu une fois de plus, il n'y a qu'un instant ? Pourquoi ? J'avais oublié ce passage de la lettre de Susan. Je ne connaissais pas la signification de " Pernambouc ". Je ne suis jamais allée...
– Une fois de plus, vous mentez. Mais vous êtes innocente. Vous ne le savez réellement pas. Votre mémoire a quelques lacunes charitables, ou des endroits où le tissu est élimé. Dois-je vous rappeler que saint Sébastien est le patron du Brésil ? »
Il leva les yeux sur le saint Sébastien de l'école italienne accroché au-dessus de la cheminée, le trésor de Karl. « Souvenez-vous que Karl voulait y aller pour compléter ses recherches sur saint Sébastien, en étudiant les saint Sébastien de l'école portugaise qui y sont conservés, mais vous aviez dit que vous n'y teniez pas. »
J'étais humiliée, réduite au silence. J'avais effectivement dit cela à Karl, à sa grande déception. Et par la suite, il ne s'était plus jamais senti assez bien pour entreprendre ce voyage.
« Quel don pour s'abuser ! s'exclama-t-il. Vous ne vouliez pas aller au Brésil parce que c'était le pays dont Susan parlait dans sa lettre.
– Je ne m'en souviens pas.
– Si, si, je vous assure. Autrement, je n'en saurais rien.
– Comment voulez-vous que je fabrique une mer déferlant sur une plage brésilienne ? Il faudra que vous trouviez quelque chose de plus spécifique, de plus douloureux encore. Ou il faudra vous libérer vous-même de cela ; vous ne voulez pas que je le voie, ce qui ne peut s'expliquer que d'une seule façon...
– Cessez cette stupide analyse. »
Je me tus, et m'écartai légèrement de la table.
Pour le moment, j'étais sans défense. La douleur me submergea. Karl voulait aller à Rio, et moi-même, quand j'étais très jeune, j'avais souvent eu envie d'aller vers le sud, de voir ces pays étranges et lointains – Brésil, Bolivie, Chili, Pérou... Et Susan avait effectivement écrit cela dans sa lettre, elle avait dit que Lily était ressuscitée à Rio. Il y avait autre chose, aussi, un fragment, un détail qui m'échappait...

« Les filles », me souffla-t-il.

Je me souvins.

Dans notre immeuble de Berkeley, un étage au-dessus de l'appartement de Susan, habitaient une superbe Brésilienne et ses deux filles. « Lily, nous ne t'oublierons jamais », avaient-elles dit au moment de prendre congé. Il y avait plusieurs familles d'universitaires brésiliens. J'étais allée à la banque pour acheter des dollars en argent, j'en avais donné cinq à chacune de ces splendides filles à la voix grave, légèrement rauque et pourtant caressante, et... oui ! avec les mêmes intonations que les voix du rêve ! Je le regardai avec stupéfaction.

La langue que j'avais entendue dans le temple de marbre, c'était du portugais.

Il se leva avec rage et ramena le violon vers lui.

« Pourquoi luttez-vous contre ce souvenir ? Laissez-vous aller ! Vous leur avez donné les dollars en argent, et elles ont embrassé Lily ; elles savaient que Lily était mourante, mais vous pensiez que celle-ci l'ignorait. Ce n'est qu'après la mort de Lily que sa maternelle amie, Susan, vous a dit que votre fille savait depuis le début qu'elle était condamnée.

– C'en est trop ! » Je me levai, écumant de rage. « Je vous exorciserai comme un vulgaire démon plutôt que de tolérer que vous me fassiez cela !

– Vous vous le faites vous-même.

– Vous allez trop loin, beaucoup trop loin, et j'ignore quel but vous poursuivez. Je me souviens de ma fille. Cela suffit. Je vais...

– Faire quoi ? Vous étendre à ses côtés dans une tombe imaginaire ? A quoi ressemble ma tombe, selon vous ?

– Vous en avez une ?

– Je l'ignore. Je ne suis jamais allé voir. En tout cas, ils ne m'ont certainement pas mis en terre consacrée, ni fait l'honneur d'une pierre tombale.

– Vous semblez aussi triste et démoralisé que je le suis moi-même.

– Certainement pas, rétorqua-t-il.

– On peut dire que nous faisons la paire. »

Il eut un mouvement de recul, comme si je lui faisais peur, et serra le violon contre lui.

J'entendis une pendule sonner l'heure – plusieurs, en fait, mais celle de la salle à manger dominait les autres.

Des heures avaient passé, des heures pendant lesquelles nous n'avions cessé de nous affronter.

En le voyant ainsi, je sentis une terrible malice monter en moi, un désir de vengeance pour le punir de connaître mes secrets, de les exposer au grand jour et de jouer avec eux. J'avançai la main vers le violon.

Il recula d'un pas. « Ne faites jamais cela !

– Pourquoi pas ? Disparaîtrez-vous s'il quitte vos mains ?

– Il est à moi ! s'écria-t-il. Je l'ai emporté avec moi dans la mort, et avec moi il restera. Pourquoi ? J'ai cessé de me le demander. Je ne me pose plus jamais de questions.

– Je vois. Et s'il était brisé, mis en pièces, écrasé ?

– C'est impossible.

– Je suis convaincue du contraire.

– Vous êtes stupide. Stupide et folle.

– Je suis lasse. Vous avez cessé de pleurer ; maintenant, c'est mon tour. »

M'éloignant de lui, j'allai ouvrir les portes de la salle à manger. Par les fenêtres donnant sur l'arrière de la maison, je voyais les grands lauriers-cerises bordant la clôture, du côté du presbytère et de la chapelle. Des lampes éclairaient par intermittence leurs feuilles vernissées, qui bougeaient comme s'il y avait du vent. Je n'avais même pas remarqué que le vent s'était levé, dans cette grande maison qui craquait et gémissait au moindre souffle. Je l'entendais, maintenant, martelant les vitres, s'insinuant entre les fentes des planchers.

« Mon Dieu, mon Dieu... » Regardant toujours dehors, je l'entendis approcher, à pas prudents, comme s'il voulait simplement être près de moi.

« Oui, dit-il, pleurez. Qu'y a-t-il de mal à cela ? »

Je me tournai vers lui. En ce moment, il paraissait très humain, presque... chaud.

« Je préfère une autre musique ! Vous le savez parfaitement. Mais vous en avez fait un enfer pour nous deux, de cette petite aventure.

– Pourriez-vous imaginer meilleur lien pour nous unir ? » Son ton était sincère. Son expresssion était sincère. « Imaginer qu'à ce stade, alors que je suis tellement éloigné de la vie, je puisse, peut-être, être gagné par un sentiment tel que l'amour ? Non, même l'amour n'est pas assez brûlant pour me réchauffer. Pas depuis cette nuit où j'ai quitté mon enveloppe charnelle, en emportant cet instrument avec moi.

– Vous avez envie de pleurer, vous aussi. Faites-le.

– Non », dit-il, en s'éloignant de moi.

Je regardai de nouveau les feuilles vertes, dehors. Soudain, les lumières s'éteignirent.

Cela avait une signification particulière. Cela indiquait une heure précise, celle qui venait de sonner, l'heure à laquelle certaines lampes s'éteignaient automatiquement, tandis que d'autres s'allumaient.

La maison était silencieuse. Althea et Lacomb dormaient. Non : Althea était sortie et ne reviendrait qu'au matin ; Lacomb, lui, était certainement allé dormir dans la chambre du sous-sol, où il pouvait fumer sans que l'odeur m'indispose. La maison était vide.

« Non, il y a nous deux, murmura-t-il tout près de mon oreille.

– Stefan ? » J'avais prononcé son nom comme le faisait Miss Hardy, en accentuant la première syllabe.

Ses traits se détendirent et son regard s'éclaira. « Votre vie est brève, dit-il. Vous devriez me plaindre, moi pour qui cette misère est sans fin.

– Jouez pour moi, alors. Jouez et laissez-moi rêver et me souvenir, sans vous envier. Ou bien devrais-je ressentir de la haine ? Si je vous offre simplement ma détresse, cela vous suffira-t-il, pour changer ? »

C'en était trop pour lui. Il ressemblait à un enfant battu. Comme si je l'avais giflé. Lorsqu'il releva la tête, ses yeux étaient purs comme de la glace, et ses lèvres frémissaient.

« Vous êtes mort jeune, dis-je, très jeune.

– Pas aussi jeune que votre Lily », chuchota-t-il avec une hargne amère. « Que vous ont raconté les prêtres ? Qu'elle n'avait même pas atteint l'" âge de raison " ? »

Nous nous regardions, je la tenais dans mes bras et écoutais son babil précoce, plein de l'humour et de l'ironie qu'engendrent la douleur et les médicaments tels que le Dilantin, qui délient la langue. Lily, ma belle et lumineuse Lily, tenant un verre pour boire à la santé des amis assemblés, complètement chauve, et son sourire était si adorable, si merveilleux, que j'étais maintenant reconnaissante de m'en souvenir avec une telle clarté. Le sourire, oui, s'il vous plaît ! Je veux le voir, je veux entendre son rire pareil à une cascade dévalant la colline.

Souvenirs d'une conversation avec Lev, au téléphone : « Mon fils Christopher a le même rire, ce rire venu du ventre, qui jaillit sans effort ! » m'avait dit Lev, qui n'avait encore que deux enfants. Chelsea écoutait, et nous avions tous pleuré de bonheur.

Lentement, je traversai la salle à manger. Toutes les lumières de la maison avaient été éteintes pour la nuit. Seule l'applique, au-dessus de la porte de ma chambre, était allumée. J'entrai.

Il m'avait suivie pas à pas, sans un bruit ; je sentais sa présence, pareille à une grande ombre, à une immense cape de ténèbres.

En levant les yeux sur son visage tellement vulnérable et désemparé, je me dis, mon Dieu, faites qu'il n'en sache rien, mais il est pareil aux autres : il se meurt et a besoin de moi. Ce n'était pas une simple insulte destinée à le blesser. C'était la vérité.

Il m'observait, intrigué.

J'avais terriblement envie d'ôter ces vêtements, la tunique de velours, la jupe de soie, je voulais retirer tout ce qui m'emprisonnait. Je voulais... je voulais une chemise de nuit légère, me glisser sous les draps, et rêver, rêver de tombes de rêve, de morts de rêve, et tout cela. J'avais chaud, j'étais tout ébouriffée, mais je n'étais pas fatiguée, pas le moins du monde.

J'étais prête à livrer bataille, comme si je pouvais l'emporter, pour une fois ! Mais à quoi ressemblerait ma victoire, et souffrirait-il ? Étais-je vraiment prête à imposer cela, même à un être aussi répugnant et méchant, aussi littéralement étranger ?

Je cessai de faire ces conjectures au sujet de ce blancbec, ce qui ne m'empêchait pas, le cœur battant, d'être consciente de sa présence. Si j'étais folle, je l'étais en un lieu où nul ne pouvait m'atteindre, sauf lui. Nous étions ensemble.

Je commençai à me remémorer un événement tellement horrible que pas un mois de ma vie n'avait passé sans que j'y repense, un souvenir qui me pénétrait comme un éclat de verre acéré, et pourtant je n'en avais jamais parlé à âme qui vive, jamais, pas même à Lev.

Un frisson me parcourut. Je m'assis sur le lit, essayant de trouver une position confortable, mais il était si haut que mes pieds ne touchaient pas le sol. Je me relevai et fis quelques pas ; il s'écarta pour me laisser passer.

Je sentis le lainage de son manteau. Je sentis même ses cheveux. Arrivée à la porte de l'alcôve donnant sur la salle à manger, j'empoignai sa longue chevelure, sans même me retourner.

« Soyeuse comme de la barbe de maïs, dis-je, mais noire.

– Cessez ces bêtises. » Il se libéra. Ses cheveux étaient glissants, comme humides, et ils étincelaient en filant entre mes doigts. J'avais ouvert la main, sans tenter de les retenir.

Il se précipita dans la salle à manger et s'immobilisa à bonne distance de moi. Subitement, il leva l'archet. Apparemment, il était inutile de retendre le crin de cet archet spectral en Pernambouc.

Je ne le voyais plus, je ne voyais plus le monde, mais mes yeux restaient ouverts sur le passé et sur ce souvenir. Il lui était destiné, ce souvenir... si petit et si dur, si difficile à évoquer et à regarder en face, comme si l'on s'ouvrait la main avec un éclat de verre...

Pourtant, cela m'attirait irrésistiblement. Qu'avais-je à perdre ? Non, même ce petit événement trivial, laid, jamais avoué, ne me pousserait pas à perdre entièrement la raison. Si je restais capable de faire des rêves éveillés, capable aussi de fabriquer des fantômes, eh bien soit, qu'il vienne me hanter !

10

Nous avons commencé ensemble. Je m'abandonnais aux affres de ce tourment si intime, si brûlant de honte, si abject qu'il n'a plus aucun rapport avec ce que l'on appelle tristesse.

Tristesse.

C'était dans cette même maison, où il jouait maintenant à mon intention une sonate dans le registre grave, tirant de l'instrument les notes les plus profondes avec une telle science qu'il me semblait que mes yeux voyaient ce moment du passé aussi clairement que mon esprit se le représentait.

Je me tenais toutefois à l'extrémité opposée de la longue salle à manger.

Il y avait les odeurs. Le parfum de l'été avant l'invention des machines à rafraîchir les maisons, lorsque le bois prenait cette odeur particulière de pain qui sort du four, et la puanteur des nourritures ordinaires, chou et jambon cuit, qui imprégnait tout, éternellement. Existait-il alors une seule maison qui ne sentît pas le chou bouilli ? Je pensais, bien sûr, aux petites maisons construites à la va-vite des quartiers irlandais et allemand, sur les quais, d'où venaient mes ancêtres – une partie d'entre eux, du moins –, et où j'allais souvent avec ma mère ou mon père, serrant fort leur main, les yeux baissés sur les trottoirs étroits et nus, pensant avec nostalgie aux arbres et aux vastes et accueillantes demeures du Garden District.

C'était une grande maison, mais rien de plus qu'un bungalow en fait, avec seulement quatre pièces au rez-de-chaussée ; les enfants dormaient dans de petites chambres mansardées aménagées dans l'ancien grenier. Quatre pièces seulement, mais très grandes, et cette nuit-là – la nuit dont le souvenir me poursuivait, cette nuit inoubliable et affreuse dont je ne pouvais parler à personne –, la salle à manger qui me séparait de la chambre de maître me paraissait tellement immense que je ne devais guère avoir plus de huit ans.

Oui, huit ans, je m'en souviens : Katrinka était née, et déjà capable de marcher à quatre pattes; elle dormait quelque part en haut. Au cours de la nuit, j'avais soudain eu peur et je voulais aller dans le lit de ma mère, ce qui arrive souvent aux enfants. Je venais de descendre l'escalier.

Mon père, depuis longtemps revenu de la guerre, avait commencé à travailler de nuit, de même que ses frères, qui faisaient tous des heures supplémentaires pour nourrir leurs familles. Il était donc allé au travail, mais peu importait.

Seulement, elle s'était mise à boire, voilà ce qui importait, et depuis que ma grand-mère était morte, la peur s'était installée, la terreur et la détresse qui émoussent les sensations. Oui, je connaissais ces ténèbres qui menacent d'engloutir tout espoir, en descendant à tâtons l'escalier et en traversant cette même salle à manger, espérant que la lumière serait allumée dans sa chambre – même quand elle était « malade », comme nous disions, quand son haleine avait cette odeur aigrelette, quand elle dormait si profondément que l'on pouvait lui bouger la tête sans qu'elle se réveille, son lit serait chaud et la lumière serait allumée; elle avait peur du noir, elle le détestait.

Mais je ne vis rien, pas la moindre lumière. *Fais que ta musique parle de la peur, des terreurs irraisonnées de l'enfance, de la peur que le tissu de la réalité ne se déchire irrémédiablement.* Même à cet âge, il m'arrivait de souhaiter de n'être jamais née, seulement je n'avais pas de mots pour le dire.

J'étais consciente d'avoir été précipitée dans une existence emplie d'angoisse et de périls, toujours en quête de sécurité et de consolation. Comme j'aspirais au soleil du matin, à la compagnie des autres, cherchant un peu de réconfort en regardant les phares des voitures qui passaient, leurs silhouettes si particulières.

J'avais descendu l'étroit escalier tournant et j'étais arrivée dans cette salle à manger.

Regarde, voici le majestueux buffet en chêne, surchargé de sculptures faites à la machine. Après sa mort, père s'en était séparé, disant qu'il fallait donner les meubles de mère à « sa famille », comme si nous, ses filles, n'en faisions pas partie. Mais cette nuit dont je parle, c'était longtemps avant sa mort. Le buffet était un repère éternel sur la carte de la terreur.

Faye n'était pas encore arrivée, la minuscule Faye sortie affamée des eaux noires d'une matrice en putréfaction. La frêle et bien-aimée Faye n'était pas encore venue comme un don du ciel pour répandre la chaleur autour d'elle, pour danser, pour nous amuser, nous faire rire aux éclats ; Faye, belle comme le jour et qui le resterait à jamais en dépit de toutes les épreuves ; Faye, qui pouvait rester sans bouger des heures durant à regarder les mouvements des grands arbres agités par le vent ; Faye, née dans le poison et n'offrant à tous que douceur infinie, encore et toujours.

Non, cela se passait peu avant la naissance de Faye. Il n'existait ni joie, ni sécurité, jamais le monde ne serait plus sombre ; sans doute était-il plus désespéré encore que le monde des adultes, des prises de conscience qui viennent avec l'âge, car je n'avais aucune philosophie pour me soutenir. J'avais peur, tout simplement peur.

Mère portait-elle déjà Faye dans son ventre, cette nuit-là ? C'est fort possible. Pendant qu'elle était enceinte de Faye, Mère n'avait cessé de saigner. Peut-être Faye flottait-elle déjà dans ce monde aveugle, contaminé par l'alcool et sans doute aussi par la détresse. Un cœur d'ivrogne bat-il aussi fort qu'un autre cœur ? Le corps d'une mère alcoolique est-il aussi chaud pour ce minuscule fragment de vie flottant dans l'obscurité, se frayant lentement un chemin vers la conscience de pièces obscures et glaciales, où la peur vous guette sur le seuil ? La panique et la détresse, fraternellement unies dans une petite enfant timide et rongée par la culpabilité, qui s'efforce de percer l'obscurité de la grande pièce crasseuse qui s'étend devant elle.

Regarde la cheminée ornementée, les roses sculptées dans le bois rougeâtre, les montants peints, le poêle à gaz cassé qui ne peut plus guère que roussir le manteau. Regarde les moulures du plafond, les beaux encadrements des hautes portes, les ombres mouvantes projetées par les voitures qui passent silencieusement.

Une maison sale et négligée. Elle l'était à l'époque, qui pourrait le nier ? C'était avant l'ère des aspirateurs et des machines à laver, il y avait toujours de la poussière dans les coins. Chaque matin, le marchand de glace, toujours pressé, traînait sa charge magique et luisante jusqu'en haut des marches. Le lait tournait dans la glacière. La table de la cuisine, au plateau en métal émaillé, grouillait de cafards. Avant de s'asseoir, il fallait frapper, frapper comme à une porte, pour les mettre en fuite. On n'utilisait jamais un verre sans le rincer.

Pieds nus, nous étions sales tout l'été. La poussière collait aux stores rouillés, qui devenaient presque noirs. Quand on mettait en marche le ventilateur de la fenêtre, il emplissait la maison de terre et de poussière. L'air nocturne en était empli, la saleté s'accrochait aux moulures et aux croisillons aussi naturellement que la mousse, aux chênes du jardin.

C'était normal, après tout. Comment aurait-elle pu maintenir propres des pièces aussi immenses ? Elle et ses grands rêves ! Elle ne pensait qu'à nous lire des poèmes, et nous ne devions pas être importunées par des corvées aussi vulgaires – nous, ses filles, ses petits génies, ses enfants resplendissant de santé. Oubliant le linge sale qui s'accumulait dans la salle de bains, elle nous faisait la lecture en riant. Elle avait un très beau rire.

Ainsi allait la vie. Tout cela nous dépassait. Je me souviens de Père, perché sur l'échelle, allongeant le bras pour peindre le plafond haut de plus de quatre mètres. Et le plâtre qui s'écaillait, les poutres du grenier qui pourrissaient... La maison faisait naufrage ; d'année en année, elle s'enfonçait plus profondément dans la terre. Cette image me serrait le cœur.

Elle n'était jamais entièrement propre, la maison, jamais terminée, il y avait toujours quelque chose qui n'allait pas. A l'office, les assiettes sales étaient couvertes de mouches, un plat avait brûlé. L'air immobile sentait l'aigre et le renfermé, cette nuit où, désobéissante, j'étais sortie du lit, avant de descendre l'escalier, terrifiée.

Oui, terrifiée.

Et s'il y avait une blatte, ou un rat ? Ou si les portes n'étaient pas fermées à clef et que quelqu'un s'était introduit dans la maison, et elle, tellement ivre dans son lit que je ne pourrais pas la réveiller, que je ne pourrais pas la soulever ! Et s'il y avait le feu, oh ! ce terrible, terrible feu dont j'avais une peur si délirante que je ne pouvais m'empêcher d'y penser constamment, un incendie comme celui qui avait détruit la vieille maison victorienne à l'angle de Philip et St Charles. Un feu qui dans mon esprit d'enfant – c'était bien avant ce souvenir – semblait issu de la noirceur de la maison incendiée elle-même, image du mal, et de notre monde tout entier, de notre monde vacillant où les paroles gentilles étaient suivies par la stupeur, la froideur, l'indifférence, où l'accumulation sans fin des choses créait un univers chaotique – comment pouvait-il exister un endroit aussi sombre, aussi infiniment triste que cette vieille maison victorienne, ce monstre massif englouti par des flammes immenses, comme je n'en avais jamais vu !

Qu'est-ce qui pouvait empêcher que la même chose arrive ici, dans ces pièces plus spacieuses, derrière ces colonnes blanches et ces balustrades en fer forgé ? Regarde, le poêle à gaz aux pieds massifs et contournés est allumé, le brûleur crache une petite flamme, trop près du mur. Trop près. Je le savais. Les murs devenaient trop chauds à cause de tous ces poêles. Je le savais déjà.

Ce ne pouvait donc être l'été, mais ce n'était pas l'hiver, ou bien ? Savoir ces choses me faisait claquer des dents.

Dans le souvenir et aussi dans le présent, tandis que Stefan jouait et que je laissais se dérouler ce vieux drame de la détresse enfantine, je claquais des dents.

Stefan jouait une marche lente rappelant celle du deuxième mouvement de la *Neuvième* de Beethoven, mais plus sombre, plus sinistre, comme s'il parcourait en ma compagnie ce parquet qui était alors si terne et que l'on avait renoncé à embellir compte tenu des possibilités limitées de l'époque en matière d'appareils ménagers et de produits d'entretien. Était-ce en 1950 ? Non, pas encore.

J'apercevais le poêle à gaz de sa chambre ; la vue des flammes orangées m'effrayait tellement que je mettais la main devant les yeux. J'étais encore loin, pourtant : toute la longueur de la salle à manger, sans compter l'alcôve, me séparait du poêle. Je ne pensais qu'au feu ; comment sortir Katrinka de la maison, et elle, complètement soûle, et Rosalind, où était Rosalind ? Elle n'avait pas de place dans mon souvenir, dans mon obsession. Je ne pouvais compter que sur moi, et je savais combien les fils électriques étaient vieux. A table, ils en parlaient sans se cacher :

« Cette maison est tellement sèche, avait dit mon père un jour, qu'elle brûlerait comme du petit bois.

– Que dis-tu ? » avais-je demandé.

Elle m'avait rassurée par de pieux mensonges. Pourtant, chaque fois qu'elle repassait, toutes les ampoules de 60 watts clignotaient, et quand elle avait bu, elle pouvait fort bien laisser tomber sa cigarette, ou laisser le fer à repasser branché, et tous les fils électriques étaient usés jusqu'à la corde, des étincelles sortaient des antiques prises de courant... qu'arriverait-il si le feu s'étendait, si je n'arrivais pas à sortir Katrinka de son lit de bébé, et mère tousserait, tousserait à cause de la fumée, incapable de m'aider, elle tousserait comme elle le faisait en ce moment même.

Et pour finir, tu le sais aussi bien que moi, je l'ai tuée.

Cette nuit-là, je l'entendais lutter contre cette toux de fumeur sèche et déchirante, qui ne lui laissait que de rares moments de répit. Pour moi, cela signifiait qu'elle était éveillée, au-delà de l'étendue obscure du salon, suffisamment éveillée pour se racler la gorge et pour tousser ; peut-être me laisserait-elle me blottir contre elle dans le lit, même si elle n'était pas sortie de sa torpeur d'ivrogne depuis le matin. Je le savais, car elle ne s'était même pas habillée ; elle était restée toute la journée au lit, sans bouger, en gardant ses sous-vêtements, un panty rose, sans soutien-gorge, les seins petits et vides, bien qu'elle eût nourri Katrinka pendant une année entière ; ses jambes nues, sur lesquelles j'avais ramené les couvertures, étaient sillonnées de veines distendues et ligneuses. Je n'osais pas les regarder. Cela devait faire mal, ces cuisses qui n'étaient plus qu'un amas de veines gonflées, « parce que j'ai porté trois enfants », avait-elle dit au téléphone à sa sœur Alicia, un jour lointain...

En glissant pieds nus sur le plancher de ce salon, j'avais une impression de catastrophe imminente, comme si des ténèbres allait surgir quelque chose de si terrible que j'en serais anéantie, que je me mettrais à hurler, à hurler... Il fallait arriver jusqu'à elle, en ignorant les flammes orange, la peur panique du feu qui me faisait battre le cœur, les images qui ne cessaient de surgir, toujours les mêmes – la maison s'emplissant de fumée, comme je l'avais vu le jour où elle avait mis le feu au matelas et l'avait éteint elle-même, et ce jour-là aussi, il avait fallu que j'arrive jusqu'à elle. Seule sa toux résonnait dans la maison silencieuse, qui paraissait encore plus vide à cause des meubles massifs en chêne foncé, presque noir – la table avec ses cinq pieds bulbeux, l'imposant buffet aux lourdes portes sculptées, surmonté d'un miroir piqué.

Quand nous étions petites, Rosalind et moi nous étions cachées dans ce buffet, entre la vaisselle de porcelaine et les deux ou trois verres qui restaient du mariage. A l'époque, nous avions le droit d'écrire ou de dessiner sur les murs, et de tout casser. Elle voulait que ses enfants se sentent libres. Nous fixions nos poupées en papier mâché sur les murs avec de la colle achetée au magasin à prix unique de Canal Street. Notre monde imaginaire était peuplé de nombreux personnages, Mary, Madene, Betty Headquarters, et aussi le préféré de Katrinka, Doan the Stone ; nous répétions sans cesse ce nom, dont la sonorité nous faisait rire aux larmes, mais cela, c'était plus tard.

Dans ce souvenir, il n'y avait personne d'autre que Mère et moi... Elle toussait sans arrêt, dans la chambre dont je m'approchais sur la pointe des pieds, craignant qu'elle ne fût tellement ivre qu'en se retournant, sa tête heurte la porte, et que ses yeux soient énormes et stupides comme les yeux des vaches dans les livres d'images ; ce serait affreux et laid, mais en vérité je m'en fichais un peu, pourvu que je puisse arriver jusqu'à elle et me glisser dans le lit à ses côtés. Peu m'importait son corps déformé, son gros ventre, ses varices, ses seins flasques.

A la maison, elle ne portait souvent rien d'autre que sa petite culotte et une chemise d'homme, elle aimait prendre ses aises. Il y a des choses que l'on ne dit jamais, à personne, jamais, jamais.

De petites choses laides, affreuses, par exemple quand elle allait aux toilettes en laissant la porte grande ouverte, et nous devions être là pendant qu'elle nous faisait la lecture, les jambes largement écartées, exhibant poils pubiens et cuisses blanches, et Rosalind disait : « Maman, ça sent mauvais ! », pendant qu'elle continuait à déféquer, tenant d'une main le *Reader's Digest* et de l'autre une cigarette, notre mère si belle avec son haut front bombé et ses grands yeux marron... Elle riait, se moquait de Rosalind, qui aurait voulu s'enfuir, puis nous lisait encore une histoire divertissante, et nous finissions par rire en chœur.

J'ai toujours connu des gens qui avaient leur méthode personnelle pour se sentir à l'aise en allant à la selle. Il y a ceux qui exigent que toutes les portes soient fermées et qu'il n'y ait personne à proximité; ceux qui ne supportent pas qu'il y ait une fenêtre dans la petite pièce réservée à cet usage; ou ceux, comme elle, qui recherchent au contraire la compagnie, quelqu'un à qui parler. Pourquoi ?

Cela m'était égal. Pour être près d'elle, j'étais prête à affronter n'importe quel spectacle, aussi laid fût-il. Mais toujours, en toute circonstance, elle-même paraissait propre et avenante, avec ses cheveux brillants, que j'avais caressés, son cuir chevelu très blanc et sa peau si lisse. Peut-être la crasse qui s'accumulait autour d'elle l'étouffait-elle, mais elle n'avait pas le pouvoir de la corrompre.

Sans faire de bruit, je m'étais avancée jusqu'à l'alcôve. Sa chambre, qui était devenue la mienne, n'avait qu'un lit en fer aux ressorts nus sous le matelas à rayures; parfois, elle mettait un mince couvre-lit, mais la plupart du temps il n'y avait que les draps et les couvertures. C'était apparemment le cours normal de la vie : pour le café, de grandes tasses en épaisse faïence blanche, toujours ébréchées; des serviettes de toilette effilochées; des chaussures trouées; nos dents couvertes d'une sorte de vase verdâtre, jusqu'au jour où Père avait dit : « Vous ne vous brossez donc jamais les dents ? »

Pendant quelque temps, il y eut une brosse à dents, voire deux ou trois, et même de la poudre dentifrice pour nettoyer nos dents, puis ces objets tombaient par terre, s'égaraient ou disparaissaient on ne sait trop comment, et la vie continuait comme avant, couverte d'un épais nuage gris. Ma mère lavait le linge à la main dans l'évier de la cuisine, comme ma grand-mère l'avait fait jusqu'à sa mort.

Mille neuf cent quarante-sept. Mille neuf cent quarante-huit. Nous mettions les draps dans un grand panier en osier et les portions dans la cour; ses mains étaient rouges et enflées à force de les essorer. J'aimais jouer avec la planche à laver, dans la grande bassine. Pendant que nous étendions les draps sur les fils, j'en tenais les extrémités pour qu'ils ne traînent pas dans la boue ; les draps tout propres flottaient autour de moi, j'adorais cela.

Une fois, peu de temps avant sa mort – mais c'était bien plus tard, je fais un saut de plusieurs années, sept, je crois –, elle m'avait confié, en écarquillant les yeux, que sous les draps mis à sécher dans la cour, elle avait vu une étrange créature avec deux petits pieds tout noirs, sans doute un être démoniaque. Je compris qu'elle était en train de devenir folle, qu'elle ne tarderait pas à mourir. Je ne me trompais pas.

Mais cela se passait des années plus tôt. A l'époque, il ne m'arrivait jamais de penser qu'elle pourrait mourir un jour, bien que ce fût arrivé à notre grand-mère. Quand j'avais huit ans, j'étais persuadée que les gens revenaient ; la mort ne m'avait pas encore instillé la grande peur. Ce fut elle qui m'emplit de cette peur, à moins que ce ne fût mon père, parti pour son travail de nuit ; il allait porter des télégrammes sur son vélomoteur après avoir fait ses huit heures au bureau de poste, ou bien il allait trier le courrier à l'American Bank. Je n'ai jamais très bien compris en quoi consistaient ces tâches supplémentaires, je savais seulement qu'il n'était pas à la maison. Le dimanche, il faisait le tour de la paroisse avec les autres membres de la congrégation du Saint-Nom pour distribuer des cadeaux aux enfants démunis ; si je m'en souviens si bien, c'est qu'un dimanche, il avait pris mes crayons de couleur, mes crayons, les seuls que j'avais, pour les donner à un « petit pauvre » ; mon égoïsme l'avait tellement déçu qu'il était parti avec un sourire méprisant.

Dans le monde que je connaissais, où existait-il une source sûre de crayons de couleur ? Loin, très loin de ce désert aride de lassitude et de négligence, dans une petite boutique bon marché, mais des années passeraient sans doute avant que je ne réussisse à y entraîner quelqu'un pour m'acheter de nouveaux crayons.

En tout cas, il n'était pas là. La seule lumière était celle du poêle à gaz. Debout à la porte de la chambre, je le voyais. Je voyais aussi, à côté du poêle, une chose blanchâtre, indistincte, avec des taches foncées, et cette chose scintillait. Je savais ce que c'était, mais pourquoi ce scintillement ?

J'était entrée. Il faisait chaud ; l'air tiède stagnait dans l'espace clos de la chambre, car l'imposte était fermée.

Ma mère était allongée sur le lit, dont la tête était contre le mur, juste à ma gauche. Le lit se trouvait à la même place que maintenant, sauf que c'était un vieux lit en fer tout affaissé et grinçant ; quand on se cachait dessous, on voyait la poussière emprisonnée dans les ressorts, spectacle que je trouvais fascinant.

Elle avait levé la tête ; ses longs cheveux bruns, pas encore rasés ni vendus, pendaient sur son dos nu secoué par la toux ; la lueur du poêle éclairait les veines noueuses qui sillonnaient ses jambes, le panty rose moulant ses petites fesses.

Mais *qu'est-ce* qui était là, tout près du chauffage, dangereusement près ? Mon Dieu ! cela risquait de prendre feu, comme les pieds des chaises qui devenaient noirs et calcinés quand on les poussait par mégarde contre le poêle, et toute la chambre sentait le gaz, les flammes orangées brûlaient, brûlaient, et j'étais recroquevillée de peur contre la porte.

Peut-être serait-elle fâchée que je sois venue, mais je m'en fichais ; si elle me disait de retourner me coucher, je n'irais pas, je ne pourrais pas – j'étais incapable de bouger.

Pourquoi cela scintillait-il ainsi ?

C'était ce qu'on appelait un Kotex, une serviette en fibres de coton douces et blanches qu'elle fixait à l'intérieur de sa petite culotte avec une épingle à nourrice quand elle saignait ; comme il avait été porté, il était marqué d'un pli au milieu, et tout noir de sang, bien sûr, mais cela n'expliquait pas ce scintillement.

Du coin de l'œil, je la vis se redresser. Elle toussait tellement fort qu'elle ne pouvait plus rester allongée.

« Allume la lampe, dit-elle d'une voix pâteuse. Baisse le store, Triana, allume la lampe.

– Oui, mais ça... ça... », balbutiai-je en m'approchant et en montrant du doigt le Kotex blanc replié au milieu et couvert de sang coagulé. Il grouillait de fourmis ! Voilà pourquoi il scintillait ! Au nom du Ciel, maman, regarde ! Il était entièrement couvert de fourmis. Vous connaissez les fourmis, vous savez comment elles envahissent une assiette oubliée dehors, grouillant par milliers, avides, minuscules, impossibles à tuer.

« Regarde, maman ! Le Kotex ! Il est couvert de fourmis ! »

Si Katrinka voyait cela, si en marchant à quatre pattes elle découvrait une telle chose, si jamais quelqu'un d'autre voyait cela... Je m'approchai davantage. « Regarde donc ! »

Secouée par une quinte de toux qui n'en finissait pas, elle agita le bras droit dans ma direction comme pour dire : laisse ça tranquille, mais comment ne pas s'inquiéter d'une chose pareille, de ce Kotex négligemment jeté dans un coin, grouillant de fourmis ? Il était à côté du chauffage à gaz, il pouvait prendre feu. Et les fourmis, essayez donc d'arrêter les fourmis. Les fourmis s'introduisent partout, envahissent tout. Nous faisions tout pour protéger le vieux monde de 1948 ou 1949 contre les fourmis, nous ne leur donnions aucune chance ; mais les oiseaux morts étaient à peine tombés dans l'herbe qu'elles les dévoraient ; en longue file, elles passaient sous la porte de la cuisine dès que l'on avait renversé un peu de mélasse.

« Regarde, maman, regarde donc ! » dis-je avec un grognement de dégoût. Je n'avais certainement pas l'intention de toucher à ça.

Elle se leva en titubant et fit un pas vers moi. J'étais penchée en avant, le visage tordu en une grimace de dégoût, montrant du doigt cette chose innommable.

Derrière moi, elle s'efforçait de parler, de me dire de ne pas faire cela. Elle réussit à bredouiller : « Touche pas à ça », puis se remit à tousser si fort qu'elle faillit s'étrangler. Elle m'attrapa par les cheveux et me gifla.

« Mais enfin, maman... », dis-je en lui montrant le Kotex.

Elle me gifla de nouveau, une fois, deux fois. Je me protégeai le visage ; les coups continuaient à pleuvoir, mais ils tombaient maintenant sur mes bras. « Arrête, maman ! »

Je tombai à genoux ; les flammes se reflétaient sur le plancher, pourtant tout poussiéreux et déverni. Je sentais l'odeur du gaz et je voyais le sang, l'épais amas de sang couvert de fourmis.

Elle me gifla une fois de plus. Je levai la main pour me protéger et me mis à hurler. Je faillis basculer en avant mais me rattrapai juste à temps ; ma main l'avait effleuré, et les fourmis prises de panique couraient en tous sens, couraient à une vitesse de fourmi sur le sang coagulé. « Arrête, maman, arrête ! »

Je me retournai. Je ne voulais pas ramasser cette chose, mais il fallait bien que quelqu'un le fît.

Elle se dressait au-dessus de moi, mal assurée sur ses jambes, le mince panty rose remonté sur le ventre, les seins aux aréoles brunes flasques et tombants, le visage entouré de cheveux en désordre, sans cesser de tousser et de faire des gestes pour me dire de m'en aller, de sortir de sa chambre, et alors elle leva le genou et me frappa de son pied nu. Fort.

Très fort.

De ma vie entière, je n'avais ressenti cela. Jamais !

Ce n'était plus de la douleur. C'était la fin de tout.

Je ne pouvais plus respirer. Plus respirer. Je n'étais plus vivante. Je n'arrivais pas à trouver mon souffle. J'avais mal à l'estomac et à la poitrine, je n'avais même plus de voix pour crier, et je pensais : je vais mourir, mourir, je vais sûrement mourir. Mon Dieu, qu'elle ait pu faire cela, me frapper ainsi du pied ! J'aurais voulu lui dire : tu m'as frappée mais tu ne l'as pas fait exprès, ce n'est pas possible que tu l'aies fait exprès, Mère ! Mais je ne pouvais pas respirer, et encore bien moins parler, j'allais mourir. Mon bras effleura le poêle, le métal brûlant du poêle.

Elle me prit par l'épaule. Je me mis à hurler. A hurler, vraiment. Je haletais et criais sans pouvoir m'arrêter – et je hurlais maintenant, aussi fort que je l'avais fait jadis. Plus rien n'existait sauf le Kotex tout scintillant de fourmis, et la douleur qui me transperçait le ventre, le vomi qui remontait avec mon cri. Tu ne l'as pas fait exprès, tu ne voulais pas vraiment... J'étais incapable de me lever.

Non. Cela suffit, arrête !

Stefan.

Sa voix, éthérée et forte.

La fraîche maison du temps présent. Moins hantée pour autant ?

Il s'était affaissé contre le lit à colonnes. Quarante-six années avaient passé, et tous les acteurs de ce drame étaient dans la tombe, sauf moi et le bébé endormi en haut, qui avait appris à connaître la terreur, et qui me portait une telle haine que je ne pouvais la protéger, lui épargner tout cela – et lui, notre invité, mon fantôme, plié en deux, se retenant au pilier superbement sculpté de mon lit en acajou.

Par pitié, faites que cela revienne, mes couvre-lits en dentelle, mes rideaux, mes soieries... Jamais je..., ma mère, elle ne voulait pas faire cela, ce n'est pas possible...

La douleur, je n'arrive plus à respirer, j'ai mal, mal, la douleur et la nausée, je ne peux plus bouger !

Vomissement.

Arrête, dit-il. Assez !

De son bras droit, il entoura le pilier du lit, lâchant le violon. Il le posa doucement sur la moelleuse courtepointe en duvet. Se tenant des deux mains au pilier du lit, il pleura.

« Une si petite chose, dis-je. Elle ne m'a pas coupée avec un couteau !

– Je sais, je sais, sanglota-t-il.

– Imagine-la, presque nue, imagine comme elle était laide, et elle m'a donné un coup de pied, elle m'a frappée très fort avec son pied nu, elle était soûle, et je me suis brûlé le bras sur le poêle !

– Arrête ! me supplia-t-il. Arrête, Triana. » Il porta les deux mains à son visage.

« Ne peux-tu en faire de la musique ? » demandai-je en m'approchant de lui. « Ne peux-tu faire du grand art d'un événement aussi intime et honteux, aussi banal et vulgaire ? »

Il pleurait. Exactement comme je devais pleurer alors.

Le violon et l'archet étaient posés sur la courtepointe.

Je me précipitai vers le lit, m'en emparai et reculai prestement de quelques pas.

Son visage humide de larmes était très pâle. Il me regardait avec une sorte de stupéfaction. Sur le moment, il n'avait pas saisi la portée de mon geste. Puis son regard se fixa sur le violon. En le voyant, il comprit.

Je mis le violon sous mon menton, comme j'avais appris à le faire. Je levai l'archet et me mis à jouer. Sans réfléchir, sans avoir rien préparé, sans avoir peur de ne pas y arriver. Je commençai à jouer, laissant l'archet, que mes deux doigts tenaient à peine, glisser sur les cordes. Je sentais l'odeur du crin et de la colophane, mes doigts montaient et descendaient le long du manche, enfonçant les cordes vibrantes sur lesquelles je donnais de violents coups d'archet, et de mes gestes naquit une chanson, un air cohérent, une danse, une danse ivre et frénétique, les notes se succédant si rapidement que l'esprit ne pouvait les diriger, comme jadis lors de ce pique-nique d'ivresse, quand Lev avait dansé et que j'avais joué, laissant l'archet et mes doigts se mouvoir de leur propre accord, sans fin. C'était pareil et plus encore, et c'était une chanson, une chanson rustique éperdue et discordante, sauvage comme la musique des Highlands et des sombres pays montagneux, comme les étranges et inquiétantes danses des souvenirs et des rêves.

Cela m'était venu... *Je t'aime, je t'aime, maman, je t'aime, je t'aime, je t'aime.* C'était une chanson, une véritable chanson joyeuse, véhémente, vibrante, qui sortait de son Stradivarius en un flot ininterrompu tandis que je me balançais d'avant en arrière, l'archet raclant sauvagement les cordes, mes doigts dansant le long du manche. Comme je l'aimais, cette naïve chanson improvisée, sombre et rustique. Ma chanson.

Il avança la main vers le violon.

« Rends-le moi ! »

Je lui tournai le dos, sans cesser de jouer.

Presque immobile, je poussais l'archet pour tirer de l'instrument un long sanglot. C'était une phrase lente, d'une infinie tristesse, infiniment douce et sombre, et en esprit je l'habillais, elle, je la rendais jolie, je la voyais dans le parc avec nous, ses cheveux bruns soigneusement coiffés, son visage si beau ; jamais aucune de nous n'avait égalé sa beauté.

Des années, tant d'années recouvraient ces moments, mais ma musique les avait effacées.

Je la voyais allongée dans l'herbe, pleurant à n'en plus finir. Elle voulait mourir. Pendant la guerre, quand nous étions toutes petites, Rosalind et moi marchions toujours à ses côtés, en lui tenant la main. Un soir, nous avions été enfermées par erreur dans le sombre musée du Cabildo. Elle n'avait pas eu peur. Elle ne buvait pas encore, elle était pleine d'espoirs et de rêves. La mort n'existait pas. Ce fut une vraie aventure. Je me souviens de son visage souriant lorsque le gardien était venu nous délivrer.

Oh ! tirer l'archet avec une infinie lenteur, pour que les notes deviennent profondes, tellement profondes que vous vous demandez avec effroi comment il est possible que quelque chose puisse émettre un son pareil. Il avança le bras. Je le frappai ! Je le frappai aussi fort qu'elle m'avait frappé, mais en relevant le genou ; le coup le projeta en arrière.

« Donne-le-moi ! » cria-t-il en s'efforçant de retrouver son équilibre.

Je continuais à jouer, si fort que je n'entendais pas ce qu'il disait, me détournant de nouveau de lui, ne voyant qu'elle, *Je t'aime, je t'aime, je t'aime.*

Elle disait qu'elle voulait mourir. J'étais devenue une jeune fille et nous étions dans le parc, elle voulait se jeter dans le lac. Des étudiants s'étaient déjà noyés dans le lac de ce parc ; il était assez profond pour se noyer. Les chênes et les fontaines nous cachaient du monde, de l'avenue et des tramways. Elle allait s'enfoncer dans cette eau boueuse et se noyer.

Elle le voulait vraiment, et Rosalind, désespérée, la ravissante Rosalind de quinze ans, aux boucles brillantes encadrant si joliment son visage, la suppliait, la suppliait de ne pas le faire. J'avais des seins sous ma robe, mais pas de soutien-gorge. Je n'en portais jamais.

Quarante ans plus tard ou davantage, j'étais ici. Je jouais. Sans répit, j'abattais l'archet sur les cordes, marquant le rythme du pied. J'étirais interminablement les notes, je le faisais gémir et hurler, ce violon, en me contorsionnant en tous sens.

Dans le parc, près du belvédère crasseux où les vieux venaient uriner, autour duquel ils traînaient, le regard lubrique, toujours prêts à montrer le pénis mou qu'ils tenaient à la main, mais ne prenez pas garde à eux, près du belvédère, donc, Katrinka et la petite Faye faisaient de la balançoire – de petites balançoires en bois avaient été mises à la disposition des enfants, avec une barre sur le devant pour éviter de tomber –, mais je continuais à sentir l'odeur de l'urine, tout en les poussant à tour de rôle, un coup pour Katrinka, un coup pour Faye, et ces marins qui ne me fichaient pas la paix, des gars à peine plus âgés que moi, il y en avait toujours qui faisaient escale dans le port à l'époque, de jeunes Anglais peut-être, ou des Scandinaves, je n'en sais rien – simplement des garçons se promenant sur Canal Street en fumant des cigarettes, simplement des garçons.

« C'est votre mère ? Quelque chose ne va pas ? »

Je ne répondais pas. Je voulais qu'ils s'en aillent. Je ne pensais même pas à ce que j'aurais pu leur répondre. Regardant droit devant moi, je continuais à pousser les balançoires.

Mon père nous avait forcées à sortir. Il avait dit : il faut que vous l'emmeniez, je ne veux pas d'elle dans la maison pendant que je fais le ménage, je n'en peux plus, emmenez-la. Nous savions qu'elle était soûle, ivre morte, et il nous avait obligées à l'emmener ; Rosalind avait dit : je te déteste, je te haïrai jusqu'au jour de ta mort. En nous y mettant toutes, nous avions réussi à la faire monter dans le tramway, titubant et dodelinant de la tête, à moitié endormie, dans le tramway qui nous emmenait vers le centre.

Que pouvaient bien penser les gens de cette dame avec ses quatre filles ? Sans doute portait-elle une robe décente, mais je ne me souviens que de ses cheveux soigneusement tirés en arrière, de ses lèvres pincées, de la façon dont elle se secouait et se redressait pour aussitôt retomber dans sa torpeur, les yeux vitreux, et de la petite Faye qui s'accrochait si fort à elle, si fort.

La petite Faye, sa tête contre les jupes de mère, si crédule, et Katrinka, solennelle et muette de honte, regardant fixement devant elle, les yeux voilés, déjà endurcie à un âge si tendre.

Lorsque le tramway arriva au parc, elle dit : « C'est ici ! » Nous l'avons suivie pour sortir à l'avant du tram. Je me souviens. D'un côté de la rue, l'église du Saint-Nom, et de l'autre côté, le merveilleux parc avec ses balustrades, ses fontaines et son herbe si verte, le parc où elle nous emmenait si souvent, jadis.

Mais il se passait quelque chose d'anormal. Le tramway n'était pas reparti. Les voyageurs assis sur les sièges en bois s'étaient tous tournés de notre côté. Je levai les yeux. C'était Rosalind. Rosalind, installée à l'arrière, regardait par la fenêtre comme si elle n'avait rien à voir avec nous, ignorant Mère lorsque celle-ci dit, d'un ton tellement distingué que l'on aurait jamais imaginé qu'elle fût ivre : « Allons, Rosalind chérie, viens. »

Le conducteur attendait. Dans les tramways de cette époque, le conducteur se tenait debout à l'avant, les mains sur les commandes, deux grosses boules de laiton. Il attendait, et tous les voyageurs avaient le regard fixé sur nous. Je rattrapai Faye juste à temps ; un peu plus, elle aurait traversé la rue. Maussade, la blonde Katrinka aux joues rebondies suçait son pouce, observant ce qui se passait d'un œil terne.

Ma mère remonta dans le tramway et suivit le couloir central jusqu'au fond. Rosalind dut s'avouer vaincue. Elle se leva et la suivit.

Et maintenant, dans le parc, alors que Mère menaçait de se noyer, se laissant retomber dans l'herbe en sanglotant, Rosalind ne cessait de la supplier de renoncer à ce projet.

« Quel âge avez-vous ? demanda le tout jeune marin. C'est votre mère ? Qu'est-ce qui ne va pas, elle est malade ? Attendez, je vais vous aider à balancer cette petite fille.

– Non. »

Je ne voulais pas de leur aide ! Je n'aimais pas la façon dont ils me regardaient. Treize ans. Je ne savais pas ce qu'ils me voulaient ! Qu'avaient-ils à tourner autour de moi ? Et les deux petites... et elle, que j'entendais pleurer là-bas, allongée sur le côté, les épaules secouées par les sanglots. Sa voix était belle et douce, peut-être parce que la douleur devenait moins aiguë, que ses blessures s'apaisaient – Rosalind, qui avait essayé de rester dans le tramway ; Père, qui l'avait mise dehors ; elle-même, ivre, et qui voulait mourir.

« Rends-le-moi ! rugit-il. Donne-moi ce violon ! »

Pourquoi ne réussissait-il pas à me le prendre ? Je l'ignorais. Cela m'était indifférent.

Je continuais sans répit à jouer cette danse chaotique, cette gigue, sautant et caracolant comme la sourde-muette du film *Johnny Belinda*, qui dansait aux vibrations du violon qu'elle ne pouvait que sentir avec son corps – pieds qui dansent, mains qui dansent, doigts qui dansent, rythme sauvage et effréné du Kerry, chaos. Danser sur le parquet de la chambre, danser et jouer et incliner l'archet de côté puis attaquer de nouveau, les doigts traçant leur propre sentier, l'archet marquant son propre rythme, oui, *jam, jam*, comme ils disaient lors du pique-nique, vas-y, laisse-toi aller, improvise !

Laisse-toi aller, sors ce que tu as dans les tripes ! Je jouais, je jouais sans pouvoir m'arrêter.

Il se jeta sur moi, m'empoigna, s'agrippa à moi, mais il n'était pas assez fort pour me maîtriser.

Je reculai jusqu'à la fenêtre, protégeant le violon de mes bras, l'archet contre la poitrine.

« Rends-le-moi, haleta-t-il.

– Non !

– Tu ne sais pas en jouer, c'est le violon qui fait tout. Il est à moi, à moi !

– Non.

– Donne-le-moi, c'est mon violon !

– Plutôt le mettre en pièces ! »

Mes bras l'écrasaient contre ma poitrine ; je prenais garde à ne pas faire tomber le chevalet, mais il ne pouvait pas se rendre compte de la force avec laquelle je le tenais. Sans doute ne voyait-il que des coudes menaçants et des yeux exorbités.

« Non. C'est moi qui ai joué, il m'est déjà arrivé de jouer ainsi. J'ai joué ma chanson, ma propre version de cette chanson.

– Ce n'est pas vrai. Putain, menteuse ! Vas-tu me donner ce violon ? Je te dis qu'il est à moi ! Tu ne peux pas t'emparer de cet objet. »

Tremblant de tout mon corps, je le regardais fixement. Il s'approcha, le bras levé. Je battis en retraite jusqu'à l'encoignure, serrant le violon plus fort que jamais.

« Je vais l'écraser !

– Tu n'oserais pas.

– Pourquoi ? C'est sans importance, non ? C'est un objet spectral. Un fantôme, comme toi-même. Je veux en jouer encore. Je veux... simplement le tenir. Tu ne peux pas le reprendre. »

Je portai le violon à mon menton. Lorsqu'il avança le bras pour s'en saisir, je le frappai de nouveau. Je lui donnai des coups de pied dans les jambes, le forçant à reculer. Abaissant l'archet sur les cordes, j'en tirai un cri sauvage, un long et terrible gémissement, puis, les yeux fermés, ignorant sa présence, tenant l'instrument de toutes les fibres de mon être, je commençai à jouer un air tendre et lent, une berceuse peut-être, une berceuse pour elle, pour moi, pour Roz, pour Katrinka blessée et pour ma fragile Faye, un chant crépusculaire, comme le poème ancien que Mère nous lisait de sa voix douce avant la fin de la guerre, avant le retour de Père. J'entendais le son s'élever, plein et velouté. Voilà ! j'avais trouvé le toucher parfait : guider l'archet sans être consciente d'exercer une pression sur les cordes, en laissant les phrases s'enchaîner naturellement. *Je t'aime, Mère, je t'aime, je t'aime, je t'aime*. Il ne reviendra jamais, il n'y a pas de guerre, et nous serons tous ensemble à jamais. Les notes les plus hautes étaient tellement ténues et pures, joyeuses et pourtant tristes.

Il ne pesait rien, ce violon, il me faisait à peine mal à l'épaule ; j'avais un peu le vertige, mais la chanson m'indiquait le chemin. Je ne connaissais pas les notes, je ne connaissais aucun air. Il y avait seulement ces phrases vagabondes pleines de mélancolie et de chagrin, ces douces et interminables lamentations gaéliques qui s'enchaînaient et s'entrelaçaient, mais comme cela coulait, mon Dieu ! cela coulait comme – oui, comme le sang, le sang sur ce linge crasseux, par terre. Comme le sang, le flot de sang sans fin qui coule du ventre d'une femme, du cœur d'une femme. Je ne sais pas. La dernière année de sa vie, elle avait saigné mois après mois, sans arrêt, et moi de même à la fin de ma période fertile, et maintenant, à l'âge que j'ai, aucun enfant ne sortira plus jamais de moi. Comme le sang vivant, que la musique jaillisse !

Que la musique jaillisse !

Quelque chose effleura ma joue. C'étaient ses lèvres. Mon coude se leva de son propre accord, le faisant basculer par-dessus le lit. Désemparé, il saisit maladroitement le montant du lit et essaya de se relever, en me regardant avec fureur.

Je m'arrêtai. Les dernières notes restèrent comme suspendues, frémissantes. Grand dieu, nous avions passé la nuit entière dans cette errance, à moins que ce ne fût que la lune, oui, la lune derrière les lauriers-cerises et le grand pan sombre de l'immeuble voisin, ce mur du monde moderne qui jetait de l'ombre sur ce paradis, mais ne pourrait jamais le détruire.

Le chagrin que je ressentais pour elle, la douleur, la peine, en ce moment où elle m'avait frappée du pied, fillette de huit ans se tenant ici même, dans cette chambre, la douleur que je ressentais vibrait à l'unisson des notes s'attardant dans l'air. Il suffisait de lever l'archet. C'était *naturel*.

Il s'était adossé au mur du fond, tellement il avait peur de moi.

« Si tu ne me le rends pas, je te le ferai payer, je te préviens !

– Est-ce pour moi que tu pleurais ? Ou pour elle ?

– Rends-le-moi !

– Ou seulement à cause de la laideur de la scène ? Dis moi ce que c'était. »

Était-ce une petite fille prise de panique, qui étouffait, qui tenait son ventre douloureux, dont le bras frôlait le métal brûlant du poêle à gaz ? Une si petite souffrance dans un monde d'horreurs, et pourtant c'était le plus secret, le plus terrible, le plus inavouable de tous les souvenirs.

Je me mis à fredonner. « Je veux jouer. » Cette fois, je commençai très bas, réalisant commme il est simple de passer tout doucement l'archet sur la corde de *ré*, puis sur la corde de *sol*, et de tirer un chant de cette unique corde si l'envie m'en prenait, de laisser s'épanouir le son douloureux et légèrement grinçant. Pleure, oui, pleure une vie gâchée. J'entendais les notes, je les laissais me surprendre et exprimer mon âme à chaque coup d'archet ; venez à moi, faites que je sache, faites que mon esprit se révèle à soi-même. Après avoir pleuré dans le parc, elle vécut à peine une année, pas même une année, ses cheveux étaient longs et bruns, et ce dernier jour, personne ne l'avait accompagnée jusqu'au portail.

Je crois que je chantais en jouant. Je chantais : pour qui as-tu pleuré, Stefan, était-ce pour elle, était-ce pour moi, était-ce à cause de la crasse, de la vulgarité et de la laideur ? Comme cela faisait du bien à mon bras ! Mes doigts souples et précis piétinaient les notes comme de minuscules sabots, et la musique prenait forme dans mon oreille sans clef de *fa* ni clef de *sol*, un si pauvre système pour agencer les sons, un mode ancien et primitif, mais c'était un ton que je pouvais maîtriser, tout en étant surprise et transportée – j'avais toujours été transportée par le son du violon, mais cette fois, c'était moi qui en jouais !

Je voyais son corps dans le cercueil. Maquillée comme une putain. L'employé des pompes funèbres avait dit : « Cette femme a avalé sa langue ! » Mon père nous avait dit : « Elle était tellement sous-alimentée que son visage a noirci et que ses traits se sont affaissés ; il était obligé de lui mettre tout ces fards. Mais ce n'est pas bien, Triana, oh non ! Regarde, Faye ne la reconnaîtra pas. »

Et cette robe, d'où venait cette robe ? C'était une robe rouge foncé, magenta. Elle n'avait jamais eu une robe pareille. C'était la robe de tante Elvia, et elle n'aimait pas tante Elvia. « Elvia a dit qu'elle n'avait rien trouvé dans son placard. Ta mère avait pourtant des vêtements. Je suis sûr qu'elle en avait. Elle avait des vêtements, non ? »

Il était si léger, l'instrument, tellement facile à maintenir en place, un tapotement léger – tap, tap, tap – suffisait à en faire jaillir le son en un geste familier, aussi naturel qu'il l'était pour les hommes et les femmes des collines, qui apprennent à en jouer et à danser à sa musique avant même de savoir lire et écrire, avant même de savoir parler, peut-être ; je m'étais soumise à lui, et il s'était soumis à moi.

La robe de tante Elvia... cela semblait une abomination, pas tellement grave en fait, mais inoubliable, une ultime et répugnante ironie du sort, un amer, amer symbole de la négligence.

Pourquoi ne lui avais-je pas acheté des robes, pourquoi ne l'avais-je pas lavée, soutenue, aidée à guérir ? Qu'est-ce qui ne tournait pas rond chez moi ? La musique exprimait à la fois l'accusation et le châtiment, en un unique flux cohérent et ininterrompu.

« *Avait*-elle des vêtements ? » avais-je demandé à Père avec indifférence. Je me souviens d'un slip noir en soie, oui, quand elle s'asseyait sous la lampe ; une cigarette à la main, un slip en soie noire, par une nuit d'été. Des vêtements ? Un manteau, un vieux manteau...

Mon Dieu, l'avoir laissée mourir ainsi ! J'avais quatorze ans. A cet âge, j'aurais pu l'aider, l'aimer, la remettre sur pied.

Laisser les mots se dissoudre. C'est là le génie de la chose : renoncer aux mots, laisser au son rond et plein le soin de tout raconter.

« Rends-le-moi ! suppliait Stefan. Sinon, je te préviens, je t'emporterai avec moi. »

Médusée, je cessai de jouer.

« Qu'as-tu dit ? »

Il ne répondit pas.

Je me mis à fredonner, tenant toujours le violon entre l'épaule et le menton, si naturellement. « Où ? demandai-je rêveusement, où m'emporteras-tu ? »

Je n'attendis pas sa réponse.

Je jouais cet air tendre et doux qui n'exige aucun effort conscient, cascade de notes caressantes s'égrenant aussi aisément qu'une pluie de baisers sur les mains d'un bébé, sur son cou, sur ses joues, comme si je tenais la petite Faye dans mes bras et l'embrassais, l'embrassais, si petite, mon Dieu, si minuscule. Regarde, Mère, Faye a glissé entre les barreaux du berceau, je l'ai rattrapée juste à temps. Mais il s'agissait de Lily, non ? Ou de Katrinka, seule avec la petite Faye dans la maison obscure quand je suis rentrée.

Du vomi par terre.

Qu'est-il advenu de nous ?

Où Faye était-elle partie ?

« Je pense... Je pense que tu devrais essayer de téléphoner, avait dit Karl. Cela fait deux ans que ta sœur

Faye est partie. Je crois... je ne crois pas qu'elle reviendra. »

Oh ! que la musique crie cela, qu'elle bouillonne et déborde ! Qu'elle rende cette douleur plus tolérable en lui donnant une forme nouvelle.

Je continuais à jouer, les yeux ouverts. Je voyais des choses, je voyais le monde, lumineux et empli de prodiges, mais je ne donnais pas de noms aux objets que je voyais à la faible lumière qui tombait des fenêtres, objets aux formes brillantes qui semblaient obéir à une nécessité évidente – la coiffeuse tarabiscotée de ma vie avec Karl, la photo de Lev posée dessus, et celle de ce superbe garçon, son fils aîné aux cheveux clairs comme ceux de Lev et de Chelsea, celui qui s'appelait Christopher.

Stefan fondit sur moi.

Il tenta de m'arracher le violon, mais je tins bon. « Il va se casser ! » dis-je en lui faisant lâcher prise. Solide, léger, rien de plus qu'une coquille, aussi vibrante qu'une carapace de criquet avant qu'elle ne se détache, une coque plus fragile que du verre.

Je reculai jusqu'à la fenêtre, dos aux vitres. « Je vais le briser, et si je le fais, qui en pâtira le plus ? »

Il était fou de rage.

« Tu ne sais pas ce qu'est un fantôme, me dit-il. Tu n'as aucune idée de ce qu'est la mort. Tu parles de la mort comme si c'était un berceau. Elle est puanteur, haine et pourriture. Ton mari Karl n'est plus que cendres. Cendres ! Et ta fille, le corps distendu par les gaz, et...

– Non, dis-je. Je le le tiens, ce violon, et je sais en jouer. »

Il vint vers moi, puis se redressa, les traits adoucis par la surprise, mais cela ne dura qu'un instant. Ses sourcils lisses et sombres n'étaient pas froncés par la colère, ses longs yeux aux cils presque noirs m'observaient intensément.

« Prends garde », dit-il. Sa voix se fit plus profonde, plus dure, bien que son regard n'eût jamais été aussi candide et douloureux. « Cet objet que tu tiens vient du pays des morts. Il vient de mon royaume, qui n'est pas le tien. Si tu ne me le rends pas, je t'emporterai avec moi. Je t'emmènerai dans mon monde, dans mes souvenirs et ma douleur ; tu sauras alors ce qu'est la douleur, stupide idiote, fille indigne, voleuse, mortelle avide, sombre et désespérée. Tu as fait souffrir tous ceux qui t'ont aimée, tu as laissée mourir ta mère, et Lily, tu lui as fait mal, souviens-t'en, sa hanche, ses os, tu te souviens de son expression lorsqu'elle t'a regardée, tu étais ivre et tu l'as mise sur le lit, elle était...

– M'emmener au royaume des morts ? Ne sommes-nous pas déjà en enfer ? »

L'expression de Lily. Je l'avais jetée trop brutalement sur le lit ; les médicaments avaient rongé ses os. Dans ma précipitation, je lui avais fait mal. Elle avait levé les yeux et m'avait regardée – chauve, blessée, effrayée, une fragile flamme d'enfant, belle dans la maladie comme dans la mort ; j'étais soûle, ô mon Dieu, et pour cela je brûlerai en enfer, éternellement. Éternellement, car j'attiserai moi-même les flammes de ma perdition. Je retins mon souffle. Je n'avais pas fait cela, non, pas cela, non...

« Tu l'as fait, pourtant, tu as été brutale avec elle cette nuit-là, tu l'as poussée, tu étais ivre, toi qui avais juré que tu ne ferais jamais à un enfant ce que tu avais souffert avec une mère ivrogne... »

Je levai le violon et abattis l'archet, tirant un cri déchirant de la corde de *mi*, la corde la plus haute, en métal. Peut-être toute musique est-elle une forme de cri, un hurlement organisé ; lorsqu'il atteint cette hauteur magique, un violon est aussi strident qu'une sirène.

Il ne pouvait pas m'en empêcher, sa main hésitait sur la mienne, il ne pouvait tout simplement pas. Revenant, spectre, le violon est plus fort que toi !

« Tu as déchiré le voile, gronda-t-il. Je te préviens. Cette chose que tu tiens entre les mains m'appartient, et ni elle ni moi ne sommes de ce monde. Tu le sais, sans doute, mais venir avec moi, ce n'est pas pareil.

– Et que verrai-je lorsque je viendrai avec toi ? Une douleur telle que je ne pourrai que te la rendre ? Tu viens ici, m'offrant la désolation plutôt que le désespoir, et tu t'imagines que je pleurerai sur ton sort ? »

Il se mordilla la lèvre, hésitant, cherchant des mots qui n'affaibliraient pas ce qu'il voulait me dire.

« Oui, tu verras que, tu verras... le propre de la douleur... eh bien, c'est... Ils...

– Qui étaient-ils ? Ceux qui étaient si terribles, ceux qui ont eu la cruauté de te propulser hors de la vie en conservant ta forme et en emportant ce violon avec toi, de sorte que tu es venu à moi, et, sous prétexte de me réconforter, tu m'as jetée dans un désespoir sans fond, tu m'as contrainte à voir ces visages baignés de larmes, ma mère – oui, toi, et je te hais ! –, mes souvenirs les plus affreux.

– Tu te délectais à te tourmenter toi-même, tu as fabriqué ces images de cimetières et ces poèmes funèbres, tu chantais la mort d'une bouche avide. Crois-tu que la mort, c'est des fleurs ? Donne-moi mon violon. Hurle tant que tu voudras avec tes cordes vocales, mais rends-moi mon violon ! »

Mère, dans un rêve, deux ans après sa mort : « Tu as vu des fleurs, ma fille.

– Veux-tu dire que tu n'es pas morte ? » m'étais-je écriée dans le rêve, réalisant au même moment que c'était une mystification, que cette femme n'était pas ma mère, je le voyais à son sourire retors ; non, pas ma mère, ma mère était réellement morte. Cette femme, cet imposteur, était trop cruelle lorsqu'elle me disait : « L'enterrement entier n'était qu'un simulacre », lorsqu'elle me disait : « Tu as vu des fleurs. »

« Va-t'en, murmurai-je.

– Il est à moi.

– Je ne t'avais pas invité !

– Si, tu l'as fait.

– Je ne te mérite pas.

– Mais si.

– Il est vrai que j'ai fabriqué des prières et des fantasmes, comme tu l'as dit. J'ai déposé les tributs sur la tombe, et ils avaient des pétales, ces tributs. J'ai creusé des tombes qui étaient à ma mesure. Mais tu m'a ramenée aux faits, à la réalité brute et non enjolivée, et cela m'a rendu la tête malade. Tu m'as empêchée de respirer ! Et maintenant, je sais jouer, je peux jouer sur ce violon ! »

Me détournant, je me mis à jouer, l'archet se levant et s'abaissant avec une grâce croissante. Musique, chanson. Mes mains savaient ! Oui, elles savaient.

« Uniquement parce qu'il est à moi, parce qu'il n'est pas réel. Donne-le-moi, mégère ! »

Je m'écartai de lui, imprimant à la mélodie un son plus rude et profond, ignorant les attaques répétées de ses mains désespérées. Soudain, je m'arrêtai, frissonnante.

Le lien magique s'était établi entre mon esprit et mes mains, entre l'intention et le geste, entre la volonté et le savoir-faire ! Dieu soit loué, c'était arrivé !

« Cela vient de mon violon, affirma-t-il. Parce que c'est le mien !

– Non. Le fait que tu ne puisses pas le reprendre est suffisamment éloquent. Tu essaies. Mais tu ne peux pas. Tu es capable de passer à travers les murs. Tu sais en jouer. Tu l'as emporté avec toi dans la mort. Soit. Mais maintenant, tu ne peux pas me le reprendre. Je suis plus forte que toi. Je le tiens. Regarde, il reste solide et matériel. Écoute-le chanter ! Et s'il m'était destiné, pour je ne sais quelle raison ? Y as-tu jamais pensé, prédateur malfaisant, as-tu jamais aimé quelqu'un, avant ou après la mort, assez fort pour penser que peut-être...

– Quelle présomption ! s'exclama-t-il. Tu n'es rien, tu es le fruit du hasard, une parmi des centaines, l'exemple parfait de la personne qui apprécie tout et ne crée rien, tu n'es qu'une...

– Qu'il est malin ! Peindre sur ton visage une expresssion tellement douloureuse, comme celle de Lily, de Mère.

– Me faire cela ! siffla-t-il. C'est trop injuste ! J'aurais passé mon chemin, je serais parti si tu me l'avais demandé. Tu m'as dupé !

– Mais tu n'as pas passé ton chemin, c'est moi que tu voulais. Tu m'as tourmentée, tu ne t'es éloigné que trop tard, lorsque je ne pouvais plus me passer de toi. Comment oses-tu aviver des blessures tellement profondes, et maintenant je tiens cet objet et je suis plus forte que toi ! Quelque chose en moi l'a revendiqué et je ne le lâcherai pas. Je suis capable d'en jouer.

– Non, il fait partie de moi, autant que mon visage ou mon manteau, mes mains ou mes cheveux. Nous sommes des fantômes, cette chose et moi, tu n'as pas la moindre idée de ce qu'ils ont fait, tu n'as aucun droit, tu ne peux pas t'interposer entre moi et cet instrument. Tu n'imagines pas ce qu'est cette perdition, ils... »

Il se mordit les lèvres ; son visage donnait l'illusion d'un homme sur le point de s'évanouir tellement il était devenu blanc, tout le sang s'en était retiré, ce sang qui n'était pas du sang. Il ouvrit la bouche.

Je ne pouvais pas supporter de le voir souffrir ; il me semblait que c'était l'erreur finale, le mal absolu, l'ultime défaite, de le voir souffrir, ce Stefan que je connaissais à peine et que j'avais volé. Mais je me refusais à lui redonner le violon.

Mes yeux s'embuèrent. Je ne ressentais rien, rien que le vide glacé du néant. Rien. En esprit, j'entendais de la musique, un reflet de la musique que j'avais jouée. Je penchai la tête en avant et fermai les yeux. Jouer, jouer encore...

« Soit », dit-il. Je m'éveillai de ce néant et le regardai, mes mains serrant le violon plus fort que jamais.

« Tu as fait ton choix », dit-il en haussant les sourcils. Son visage exprimait une totale incrédulité.

« Quel choix ? »

11

La lumière faiblissait. Derrière les rideaux, les feuilles luisantes devenaient indistinctes. Les odeurs de la chambre et du monde n'étaient plus les mêmes.

« Quel choix ?

– Venir avec moi. Maintenant, tu es dans mon domaine, tu es avec moi ! J'ai des forces et des faiblesses. Je n'ai pas le pouvoir de te foudroyer, mais je peux te lier par des charmes et te plonger dans le vrai passé, aussi sûrement que pourrait le faire un ange, aussi sûrement que le ferait ta propre conscience. Tu me pousses à agir de la sorte, tu m'y contrains. »

Un tourbillon de vent rejeta mes cheveux en arrière. Le lit avait disparu. Les murs avaient disparu. C'était la nuit, des arbres surgissaient soudain comme dans un brouillard, puis disparaissaient. Il faisait froid, un froid très vif, pénétrant, et il y avait un incendie ! Regarde cette énorme lueur rouge se reflétant sur les nuages !

« Mon Dieu, tu ne peux pas faire cela, tu ne peux pas m'emmener ici ! m'exclamai-je. Non, pas cela ! Cette maison en feu, cette panique ancienne, cette peur enfantine du feu... Non ! Je vais réduire ce violon en miettes, je... »

Des gens criaient, hurlaient. Des cloches sonnaient. La nuit était emplie du vacarme des voitures à chevaux, des gens couraient en tous sens – et cet incendie, mon Dieu, cet immense brasier !

Le feu avait pris dans une grande et longue maison de quatre étages ; toutes les fenêtres de l'étage supérieur vomissaient des flammes.

C'était une foule d'une époque révolue. Les femmes avaient les cheveux retenus par des épingles et portaient de longues jupes amples qui s'évasaient sous la poitrine, les hommes étaient vêtus de redingotes. Tous et toutes étaient terrorisés.

« Seigneur Dieu ! » m'écriai-je. Il faisait froid, le vent me fouettait le visage. L'air était empli de cendres incandescentes, des étincelles retombaient sur ma robe. Des hommes apportaient des seaux d'eau en courant. On entendait des cris, des hurlements. Aux fenêtres de la vaste demeure, de minuscules silhouettes lançaient des objets aux ombres qui s'agitaient en bas. Un grand tableau encadré tomba en tournoyant, timbre-poste sur fond de flammes; plusieurs hommes se précipitèrent pour l'attraper.

La grande place grouillait de curieux, de gens qui gémissaient et se tordaient les mains ou qui essayaient de venir en aide. Des étages supérieurs, on jetait des chaises et des fauteuils. Une grande tapisserie s'abattit lourdement sur le pavé, en un tas informe.

« Où sommes-nous ? Dis-le-moi. »

J'observais avec curiosité les vêtements de ceux qui passaient en courant. Des robes amples et flottantes du siècle dernier, avant la mode des corsets; des redingotes à grandes poches... regarde la chemise de cet homme allongé sur un brancard, couvert de sang et de suie, elle a des manches bouffantes et plissées !

Les soldats portaient des chapeaux à larges bords relevés, tournés de côté. De lourdes voitures aux roues grinçantes approchaient aussi près que possible du brasier; les portes s'ouvraient, livrant passage à des hommes venus prêter assistance. Gentilshommes et gens du commun se mêlaient sans distinction.

Non loin de moi, un homme ôta son épais manteau et en couvrit les épaules d'une femme effondrée et en pleurs, dont la robe de soie toute fripée ressemblait à la corolle inversée d'un lys; le lourd tissu entoura son cou nu, très blanc, qui paraissait glacé.

« Tu ne veux pas entrer dans la maison ? » demanda Stefan en me lançant un regard furieux. Je vis qu'il tremblait : il n'était donc pas insensible à ce qu'il avait conjuré ! Il tremblait, oui, mais une grande rage l'habitait. Je tenais toujours le violon; pour rien au monde je ne l'aurais lâché. « Viens, tu n'as pas envie de voir ça de plus près ? Viens ! »

Des gens le bousculaient au passage, nous repoussaient. Ils ne semblaient pas remarquer notre présence, et pourtant ils nous bousculaient comme si nous avions du poids et de la substance, comme si nous avions une place dans leur univers. Telle était, apparemment, la nature même de l'illusion : une solidité désirable, troublante, aussi réelle et convaincante que le rugissement de l'incendie.

Soudain, un homme se détacha des silhouettes qui s'agitaient devant le brasier et vint dans notre direction : un personnage assez remarquable, petit mais trapu, puissant, le visage vérolé, les cheveux grisonnants ; en dépit de sa mise négligée, il émanait de lui une grande autorité, et il semblait empli d'une rage sourde. Il s'arrêta à quelques pas de nous et fixa Stefan de ses petits yeux ronds et noirs.

« Mon Dieu ! laissai-je échapper. Je sais qui vous êtes ! » Un moment, il ne fut plus qu'une silhouette contre le ciel rougeoyant, puis il se tourna vers nous, révélant en pleine lumière son expression courroucée.

« Pourquoi sommes-nous ici, Stefan ? demanda-t-il d'un ton autoritaire. Pourquoi a-t-il fallu revenir ?

– Elle a pris mon violon, Maestro », répondit Stefan, s'efforçant de moduler ses mots inconsistants pour leur donner du poids. « Elle l'a volé ! »

Le petit homme hocha la tête d'un air désapprobateur. Il s'éloigna, la cravate de soie crasseuse, et la foule l'avala. Mon ange gardien, mon Beethoven...

« Maestro ! cria Stefan. Maestro, ne m'abandonnez pas ! »

C'est Vienne. C'est un autre monde, et ce vent... Il n'est pas circonscrit comme le rêve lucide, c'est un monde illimité qui monte jusqu'aux nuages. Regarde les pompes à incendie, les seaux qui s'emplissent, le pavé mouillé reflétant la lueur intermittente de l'incendie. Regarde, ils jettent de l'eau sur le feu, et des fenêtres du haut, ils passent à des hommes montés sur des échelles une pitoyable succession de miroirs ; il y a même des lustres, dont on entend le tintement lointain.

Des langues de feu surgissent maintenant d'une fenêtre du second étage. Une échelle tombe. Des hurlements s'élèvent. Une femme pliée en deux rugit de douleur...

Des centaines de gens se précipitent, mais le feu qui jaillit soudain de toutes les fenêtres du bas les oblige à reculer. Le feu va faire exploser la maison entière ! Les flammes dévorent la haute toiture. Je détourne le visage pour éviter une pluie de suie et de cendres ardentes.

« Maestro ! » crie désespérément Stefan, mais la petite silhouette trapue a disparu.

Il se tourne vers moi, fou de rage et de douleur, il me fait signe de le suivre. « Viens, tu veux tout voir, non ? L'incendie. Tu devrais voir comment, une première fois déjà, j'ai failli mourir pour ce que tu m'as volé. Viens... »

Nous sommes dans la maison.

La grande et haute entrée est emplie de fumée, faisant paraître fantomatiques les arceaux du plafond ; mais ils sont bien réels, aussi réels que l'air chargé de suie qui nous suffoque.

Entre les arceaux, est peint un ciel classique, empli de divinités païennes qui s'efforcent de rester visibles, de révéler leurs couleurs, leur musculature, leurs ailes. Un immense escalier de marbre blanc, aux balustres pansus – Vienne, la ville baroque et rococo, tellement moins raffinée que Paris, tellement moins austère que Londres ; Vienne, presque russe dans ses excès. Regarde, cette statue renversée, les plissés de ses vêtements de marbre, regarde les boiseries peintes. Vienne, à l'extrême limite de l'Europe occidentale, et ceci est un de ses plus somptueux palais.

« C'est exactement cela, dit-il. Tu sais tout. » La bouche frémissante, il ajouta : « Ma maison, mon foyer ! La maison de mon père. » Son murmure se perdit dans des craquements soudains, des bruits de pas précipités.

Et tout ceci, tout ce qui nous entourait, ne tarderait pas à être noirci par les flammes : les hautes tentures de velours cramoisi, les festons dorés, et partout de précieuses boiseries sculptées dans le lourd style viennois, blanc et or – qui brûleraient en dégageant une odeur de bois, une odeur d'arbre, comme si personne n'avait parsemé ces murs de fresques peintes avec minutie, scènes de bonheur domestique ou de victoires remportées à la guerre, encadrées de matériaux fragiles et périssables.

Un vent brûlant flétrissait la multitude qui vivait sur ces murs peints, les colonnes cannelées, les arcades néoclassiques. Regarde ! même les arcades sont en bois, en bois peint pour imiter le marbre. Évidemment : nous sommes à Vienne, pas à Rome.

Des vitres volent en éclats. Des débris de verre traversent l'air en tourbillonnant, se mêlent aux étincelles, retombent.

Des hommes descendent bruyamment l'escalier d'honneur ; les jambes arquées, les coudes écartés, ils portent un énorme cabinet orné d'ivoire, d'argent et d'or, le laissent presque échapper, le soulèvent de nouveau à grand renfort de cris et de jurons.

Nous entrons dans le grand salon. Seigneur ! il est trop tard pour cette merveille, déjà les flammes avides commencent à la dévorer.

« Allez, Stefan, dépêche-toi ! » Quelle est cette voix ?

Partout, des hommes et des femmes toussent, c'est la même toux déchirante que celle de Mère, mais ici c'est à cause de la fumée, de la fumée épaisse et terrifiante que vomissent les flammes ; après s'être longtemps attardée sous les plafonds, elle descend de plus en plus.

J'aperçois soudain Stefan. Pas celui qui est à mes côtés, qui me tient l'épaule d'une main implacable, pas le fantôme qui m'étreint comme un amant, mais un Stefan vivant, souvenir fait chair et sang ; il porte une jaquette à haut col brodé, une chemise à jabot noire de suie. Il se tient à l'extrémité opposée de l'immense salon. Je le vois briser les vitres d'une haute étagère, en sortir des violons et les passer à des hommes qui font la chaîne jusqu'à la fenêtre.

L'air lui-même, surchauffé, agité de tourbillons, est devenu un ennemi. « Dépêchez-vous ! »

D'autres se baissent pour ramasser ce qu'ils trouvent. Stefan lance un petit violon sur un fauteuil surchargé de dorures. Il crie des ordres, pousse des jurons. D'autres encore sortent à reculons par les fenêtres, portant ce qu'ils peuvent. Il y a même des partitions ; des feuillets se détachent, le vent chargé de fumée les emporte – musique perdue à jamais.

Sur le haut plafond cintré, les dieux et déesses peints noircissent et se plissent. Une forêt peinte se détache lentement du mur. Une pluie d'étincelles tourbillonne, dessinant de splendides volutes devant les médaillons qui commencent à roussir.

Soudain, avec un bruit pareil à un coup de canon, une énorme fissure s'ouvre dans le plafond, révélant la hideuse clarté des flammes nues.

Je m'agrippe à son bras, me serre contre lui, le fais reculer jusqu'au mur, sans pouvoir détacher mon regard de cette langue de feu qui semble chercher sa proie.

De toutes parts, du haut des cadres imposants et des peintures murales, de grandes dames et des hommes à perruques poudrées nous contemplent, impassibles et impuissants, et contemplent le temps. Regarde, celui-ci commence à peler, à se détacher de son cadre ! Écoute cette détonation soudaine, ce craquement de mauvais augure, regarde, même les fauteuils façonnés avec tant d'art, aux pieds gracieusement incurvés, tout est détruit, et le trou béant, au-dessus de nous, vomit maintenant une fumée noire, qui, ne pouvant plus s'élever, s'étend paresseusement sous le plafond, effaçant à jamais les champs élyséens rococo.

Des hommes arrivent en courant pour prendre les violoncelles et les violons éparpillés en désordre sur le tapis semé de roses, comme s'ils avaient été abandonnés par des fuyards. Une table penche dangereusement. C'est une salle de bal, sûrement, avec ce magnifique parquet et ces plateaux chargés de friandises encore toutes fraîches et luisantes, comme si des invités allaient venir se servir. La fumée descend, enveloppant d'un voile grisâtre la table de banquet qui craque et gémit. Des plats d'argent, des fruits.

Des innombrables bougies du lustre qui se balance, comme s'il était secoué par une tempête, coulent des cascades de cire fondue qui se répand sur les tapis, les sièges, les instruments de musique. Il en tombe même sur le visage d'un jeune gars ; il pousse un cri, lève les yeux et s'enfuit, sans lâcher le cor en métal doré qu'il tient à la main.

Dehors, la foule pousse des clameurs ; on croirait une fête, un défilé militaire.

« Tu as vu ça ! s'écrie un homme. Les murs commencent à brûler. Les murs, sacré nom de Dieu ! »

Dans un éclair de bottes luisantes, un homme encapuchonné, ruisselant d'eau, passe si près de nous que ses vêtements humides frôlent le dos de ma main. Il traverse précipitamment la salle, tend à Stefan un drap humide pour se protéger, saisit prestement un luth posé par terre, et s'empresse de gagner la fenêtre.

« Allez, Stefan, viens ! »

Il passe le luth à l'homme qui attend en haut de l'échelle, puis se retourne, le visage congestionné, les yeux larmoyants, et avance la main pour saisir le violoncelle que Stefan a poussé vers la fenêtre.

Un énorme craquement se répercute dans tout l'édifice.

La lumière devient d'une clarté insoutenable, comme si c'était le Jugement dernier. Derrière une porte, tout près de moi, le feu gronde. A l'extrémité opposée de la salle, des rideaux tombent dans un grand jaillissement de flammes et de fumée, les tringles tordues frappent le plancher comme des javelots.

Regarde ces magnifiques instruments de musique, ces merveilles fabriquées avec un tel art que personne, en dépit de toute la technologie de l'âge électronique, n'a jamais pu égaler leur perfection. Quelqu'un a marché sur ce violon. Quelqu'un a écrasé cette viole – briser un objet aussi sacré !

Et tout ceci sera la proie des flammes !

Dans la fumée vénéneuse, le plafond entier tremble et le lustre oscille dangereusement.

« Allez, viens ! » répète l'homme. Un autre attrape un petit violon, peut-être un instrument pour enfant, puis sort précipitamment par une autre fenêtre. Un autre encore, avec un haut col relevé et des cheveux broussailleux, tombe à genoux sur le parquet à chevrons, une main sur le tapis ; une toux rauque le secoue, il étouffe.

Le jeune Stefan, tout dépeigné, sa redingote princière couverte de cendres encore ardentes, fragments expirants des flammes vivantes, jette le tissu humide sur l'homme qui tousse. « Lève-toi, allez, lève-toi ! Viens, Joseph, tu vas mourir si tu restes ici ! »

Un rugissement emplit mes oreilles. Je me mets à crier : « Trop tard, il est trop tard ! Aidez-le ! Ne l'abandonnez pas ! »

Se tenant à côté de moi, une main sur mon épaule, Stefan, mon fantôme, riait. La fumée formait un voile entre nous, un nuage au sein duquel nous nous tenions, éthérés, intouchables, monstrueusement à l'écart. Son beau visage n'avait pas un jour de plus que cette autre image ; il riait et me regardait en ricanant, pauvre masque pour dissimuler sa souffrance, masque en quelque sorte innocent cachant son infini chagrin.

Se tournant vers moi, il me montra cette image active et lointaine de lui-même, trempée, braillant à tue-tête, que deux hommes entrés par la fenêtre entraînaient, tandis que le sacrifié continuait à tâtonner dans l'obscurité, à griffer le tapis ; je sais, je sais, tu ne peux plus respirer. Il était condamné, celui qui s'appelait Joseph. Trop tard, il est mort, on ne peut plus rien pour lui. Regarde, ô mon Dieu, regarde : une poutre s'est effondrée, juste devant lui.

Les vitres des étagères et des portes volèrent en éclats. Partout, gisaient des violons abandonnés, de brillantes trompettes. Un cor d'harmonie. Un plateau de confiseries renversé. Des gobelets étincelant – non, resplendissant à la lumière de l'incendie.

Complètement désorienté, le jeune Stefan luttait contre ses sauveteurs, se débattant, demandant impérieusement qu'ils le lâchent, juste le temps d'aller sauver un dernier instrument.

Avançant le bras vers l'étagère, il s'empara de... ceci, ce Stradivarius, ce « longuet », faisant tomber une pluie scintillante de poussières de verre en le saisissant de sa main droite qu'il avait réussi à libérer, puis ils l'emmenèrent. Il le tenait, et il tenait aussi l'archet.

A côté de moi, j'entendis mon fantôme retenir son souffle ; se détournait-il de sa propre magie ? Moi, je ne pouvais m'en détourner.

Dans un grand crépitement, le plafond entier s'embrasa. Dans le hall d'entrée, derrière nous, quelqu'un hurla. Stefan avait également pris l'archet, bien sûr ; comment aurait-il pu en être autrement ? Un homme grand et musclé, hésitant entre la fureur et la peur, empoigna Stefan et le passa par-dessus l'appui de la fenêtre.

Les flammes s'élevaient de plus en plus haut, exactement comme dans cette affreuse maison de l'avenue quand j'étais petite, ce sombre lieu empli d'arcades plus simples et d'ombres plus prosaïques, pâle écho américain de cette splendeur. Le feu avide se nourrissait, engloutissant tout jusqu'à former un mur de flammes. La nuit était rouge et lumineuse ; personne n'était à l'abri, rien n'était en sécurité. L'homme perdu dans la fumée toussa et mourut. L'incendie s'étendait implacablement. Tout près de nous, des sofas aux précieuses dorures prirent feu ; les tapisseries semblaient s'enflammer spontanément. Les rideaux et les draperies brûlaient comme des torches, les fenêtres n'étaient plus que des trous béants donnant sur un ciel noir et vide.

Je crois que je me mis à hurler.

Je m'arrêtai, étreignant toujours le violon fantôme dont il venait de sauver l'image.

Nous n'étions plus dans la maison. J'en rendis grâces à Dieu.

Nous nous trouvions sur la place, au milieu de la foule. Comme cette horreur illuminait la nuit entière !

Les dames en longues jupes allaient et venaient, pleuraient, s'embrassaient, faisaient de grands gestes en montrant le brasier.

Nous nous tenions face à la longue façade incandescente, invisibles aux hommes qui continuaient à s'affairer frénétiquement pour sauver quelques objets de plus. Les murs ne tarderaient pas à s'écrouler, ensevelissant tous ces fauteuils tendus de velours, ces canapés jetés sur le pavé dans un désordre indescriptible, ces tableaux... Regarde-les : cadres brisés, toiles éventrées, des portraits peints de main de maître, pourtant.

Stefan m'entoura de son bras et se rapprocha comme s'il avait froid, sa main blanche couvrant ma main posée sur le violon, mais sans tenter de me l'arracher. Je le sentais trembler contre moi. Il était entièrement absorbé par ce spectacle. Son murmure d'une infinie tristesse couvrait aisément le tumulte environnant.

« Ainsi, tu la verras tomber », soupira-t-il contre mon oreille. « Tu la verras tomber, cette dernière grande maison russe de la fastueuse Vienne, une demeure qui avait résisté aux soldats et aux canons de Napoléon, aux intrigues de Metternich et de ses espions toujours aux aguets, la dernière grande maison russe qui possédât son propre orchestre, des musiciens aussi nombreux que les domestiques qui servaient à table, prêts à jouer une sonate de Beethoven dès que l'encre était sèche, des hommes capables de jouer du Bach en bâillant, de jouer du Vivaldi lorsque la sueur perlait à leur front, soir après soir, jusqu'au moment où une chandelle, oui, une seule chandelle, a touché un chiffon de soie, et les vents de l'enfer sont venus guider le feu à travers cinquante salles et chambres, pas moins. La maison de mon père, la fortune de mon père, les espoirs qu'il nourrissait pour ses fils et ses filles russes, qui, dansant et chantant avec insouciance sur cette frontière entre l'Orient et l'Occident, n'avaient jamais vu Moscou, leur ville. »

Submergé par l'émotion, il me serra plus fort contre lui, tenant mon épaule de la main droite, la gauche restant posée sur ma main, le violon et mon cœur.

« Regarde autour de toi, ces autres palais, leurs fenêtres à architraves. Sais-tu où tu es ? Tu es au centre du monde de la musique. Tu es là où Schubert se fera bientôt un nom dans les salons, et mourra subitement sans jamais me trouver, moi qui étais aussi sombre et désespéré que lui, je t'assure, et où Paganini n'avait pas encore osé venir, par crainte de la censure. Vienne, et la maison de mon père. As-tu peur du feu, Triana ? »

Je ne répondis pas. En me faisant mal, il se faisait mal à lui-même. Mal comme si les flammes me brûlaient.

Je me mis à pleurer, mais les larmes étaient devenues des compagnes tellement fidèles que je devrais m'abstenir de le mentionner, ici ou ailleurs. Je pleurais. Je pleurais en regardant les voitures qui emportaient des femmes éplorées, des dames vêtues d'amples fourrures, agitant le bras aux fenêtres des berlines, les grandes roues si fines, les chevaux bruyants et rétifs dans ce tohu-bohu.

« Où es-tu, Stefan ? Où es-tu maintenant ? Tu es sorti de la maison, mais où es-tu allé ? Je ne te vois pas, toi, le vivant ! »

J'étais abritée de ce pandémonium à ses côtés ; ce qu'il me montrait, ce n'était rien de plus que des images du passé, je le savais. Dans mon enfance, la vue d'un tel incendie m'aurait fait hurler jusqu'à perdre haleine. Mais l'enfance était révolue, et ceci était un cauchemar pour une femme endeuillée, suscitant des sanglots silencieux et un effritement intérieur des forces vitales.

Le vent glacial attisait furieusement les flammes ; une aile entière de la maison explosa, les murs vacillèrent, toutes les fenêtres s'ouvrirent avec fracas, le toit éventré vomissait des torrents de fumée noire. L'immense carcasse ressemblait à une gigantesque lampe éclairée de l'intérieur. Prise de panique, la foule recula. Certains tombèrent. Des hurlements percèrent la nuit.

Une dernière silhouette condamnée sauta du toit, petite ombre noire agitant vainement bras et jambes dans l'air sulfureux. Un cri jaillit de la foule. Quelques hommes se précipitèrent vers cette pitoyable forme noire qui était un homme, un être humain désemparé, condamné, mais la tempête brûlante de l'incendie les empêcha d'approcher.

Les fenêtres du rez-de-chaussée éclatèrent, projetant de grandes fleurs de feu. Une pluie d'étincelles s'abattit sur nous, atteignant mes cheveux et mes paupières. De mes bras, je fis un bouclier pour protéger le violon spectral. De lourdes escarbilles répandant une odeur de mort et de destruction retombaient sur nous et sur tous ceux qui nous entouraient – sur cette vision, ce rêve.

Brise cette vision. C'est un stratagème, un artifice. Libère-toi de cette vision comme tu es déjà sortie de ces rêves lucides qui t'emprisonnaient au point que tu pensais être morte. Brise-la !

Je regardais fixement les pavés crasseux de la place, d'où montaient des relents de crottin. Mes poumons étaient douloureux à force de respirer l'air âcre chargé de fumée. Je regardais les longs palais rectangulaires tout autour de nous. Réelles, elles étaient bien réelles, ces façades baroques, et regarde, Seigneur, regarde dans le ciel les nuages rougis par l'incendie, cela donne la pleine mesure de la catastrophe – combien de morts, mon Dieu, combien de morts n'y avait-il pas eu, alors qu'une seule victime est déjà une calamité... La puanteur de l'incendie se mêlait au goût de mes larmes. De mes mains, j'attrapais les étincelles qui mouraient dans le vent glacial. Le vent me blessait davantage que cette pluie ardente.

Je levai les yeux sur Stefan, mon Stefan le fantôme, qui regardait au loin comme si lui aussi ne pouvait se détacher de cette vision infernale ; ses yeux étaient embués, sa bouche frémissait doucement, les muscles délicats de son visage tressaillaient comme s'il luttait désespérément contre ce qu'il voyait – ne pouvait-on changer ceci, ou cela, éviter telle perte, sauver telle chose de la destruction ?

Il se tourna brusquement vers moi, figé dans ce moment d'intense préoccupation, tout à sa douleur. Son regard semblait me demander : Vois-tu ce que je vois ?

La foule continuait à déferler autour de nous, sans jamais nous voir ; nous ne faisions pas partie de cette frénésie, nous n'étions pas un obstacle, rien que deux êtres susceptibles de voir et de ressentir tout ce que ce monde contenait, en parfaite harmonie.

Un mouvement attira mon attention, une silhouette familière.

« Mais te voilà ! » m'écriai-je. C'était le Stefan vivant, je le voyais au loin, le jeune Stefan de cette vie passée, dans sa superbe redingote évasée au haut col, sauvé de l'incendie, les instruments éparpillés autour de lui. Un vieil homme se pencha vers Stefan et l'embrassa sur la joue, pour apaiser ses larmes.

Le Stefan vivant prenait le violon, le violon qu'il avait sauvé *in extremis*, si jeune dans ses luxueux vêtements souillés et fripés. Une femme s'approcha, vêtue de soie verte bordée de fourrure, et releva son ample jupe.

Plusieurs jeunes hommes rassemblaient les précieux objets sauvés du désastre.

Une rafale soudaine me frappa, un vent qui ne semblait pas appartenir à cette vision. Un rêve, oui, c'est un rêve, éveille-toi ! Mais tu ne peux pas. Tu sais que tu ne peux pas.

« Évidemment pas ; le voudrais-tu, d'ailleurs ? » murmura Stefan, sa main glacée toujours posée sur la mienne qui tenait le violon réel. Et qu'était-il advenu de cela, de ce jouet que le jeune homme avait sauvé ? Comment en étions-nous arrivés là ?

Entrevue du coin de l'œil, une présence lumineuse finit par s'imposer.

C'était le Maestro, qui ne faisait pas plus que nous partie de ce monde. Étranger à la foule, d'une terrifiante intimité avec nous, il vint si près que je distinguais les touffes de cheveux grisonnants plantées sur son front bas, ses yeux noirs au regard vif qui nous observaient, jamais en repos, sa bouche pâle et boudeuse, Dieu du ciel ! mon gardien, sans lequel la vie elle-même me serait inconcevable.

Je ne voulais pas, certes pas, me retirer de cette vision, de cette réalité.

« Stefan, pourquoi *cela*, pourquoi *maintenant* ! » s'exclama Beethoven, ce petit homme qui m'était si familier, que le monde entier connaissait pour avoir vu des statuettes et des masques le représentant sombre et renfrogné, ou des dessins caricaturaux et pathétiques montrant son vilain visage vérolé et pourtant brûlant de passion – Beethoven, aussi sûrement un fantôme que nous l'étions nous-mêmes. Son regard se posa sur moi, s'attarda sur le violon, puis fixa la haute silhouette de son élève spectral.

« Maestro ! », le conjura Stefan, resserrant son étreinte tandis que l'incendie continuait à faire rage et que la nuit retentissait de cris et de cloches. « Elle l'a volé, Maestro ! Vous voyez ? Regardez, elle a pris mon violon ! Dites-lui de me le rendre, Maestro, aidez-moi ! »

Pour toute réponse, le petit homme lui lança un regard indigné, et, hochant la tête comme la fois précédente, se détourna, dégoûté, sarcastique, ronchonnant je ne sais quoi. Il ne tarda pas à se perdre dans la foule noire et chaotique, au milieu de tous ces gens qui jacassaient et gémissaient dans la plus totale confusion, tandis que Stefan, furieux, m'étreignait encore plus fort, essayant de refermer la main autour du violon.

Mais je le tenais, il était à moi.

« Me tourner ainsi le dos ! gémit-il. Maestro ! Mon Dieu, Triana, qu'as-tu fait, à quoi m'as-tu réduit ? Qu'as-tu fait ? Maestro ! Je le vois, et aussitôt il m'abandonne...

– Tu as toi-même ouvert cette porte », lui fis-je observer.

Il était manifestement accablé de douleur, en plein désarroi, mais aucune émotion ne pouvait entamer sa beauté. Pris d'une frénésie soudaine, il s'écarta de moi, se tordant les mains, oui, se tordant littéralement les mains, regarda ses doigts blancs qui s'entrelaçaient désespérément tandis que ses grands yeux tourmentés fixaient l'énorme carcasse fumante qui s'effondrait petit à petit avec un fracas infernal.

« Qu'as-tu fait ! » répéta-t-il, la bouche frémissante, le visage strié de larmes. Il me regarda et regarda le violon.

« Pourquoi pleures-tu ? Pour moi ? Pour cet objet ? Pour toi-même ? Pour eux tous ? » murmurai-je, trop bas pour qu'il entende.

« Maestro ! » cria-t-il de nouveau, fouillant la nuit du regard. Il fit un pas en arrière, et chuchota entre deux sanglots, « Rends-le moi. En l'espace de deux siècles, je n'ai jamais rencontré une autre ombre aussi substantielle que moi, jamais ! Et cette ombre est le Maestro, et voilà que cette ombre se détourne de moi ! Maestro, j'ai besoin de vous, de vous... »

Il s'éloigna, sans vraiment le vouloir : ce n'était que la danse anarchique de ses gestes affolés, de sa quête désespérée.

« Donne-moi ça, sorcière ! Tu es dans mon univers, maintenant. Ces choses sont des spectres, tu ne l'ignores pas !

– Comme toi-même, et comme lui », dis-je, d'une voix faible et brisée, mais insistante. « Le violon est entre mes mains, et je ne le lâcherai pas. Certainement pas.

– Que veux-tu de moi, enfin ! » s'écria-t-il en avançant pitoyablement le bras, les doigts écartés. Pour une fois, ses sourcils n'étaient pas froncés, mais son regard ardent n'en paraissait que plus furieux.

« Je n'en sais rien », répondis-je. Mes larmes coulaient. Je me sentais étouffer, je n'arrivais pas à reprendre mon souffle, mais peu importait. « Je veux le violon. Je veux le don et le talent. J'ai joué sur cet instrument. Chez moi, dans ma maison, je me suis abandonnée à lui et il m'a conquise.

– Non ! » rugit-il comme un fou, comme s'il perdait l'esprit dans cette sphère où nous étions seuls, lui et moi, ignorés par ces créatures de chair et de sang qui couraient et s'agitaient et criaient autour de nous.

Il fondit sur moi et m'entoura de ses bras. Je sentis sa tête se poser sur mon épaule. Ses cheveux me couvraient le visage. A travers les longues mèches soyeuses, j'aperçus le jeune Stefan, et à ses côtés un Beethoven vivant, oui, vivant, un Beethoven aux cheveux gris, légèrement courbé, belliqueux et pourtant empli d'amour, les cheveux en bataille, les vêtements en désordre, prenant par les épaules son élève qui pleurait et agitait le violon comme un vulgaire bâton, tandis que d'autres, dans leur détresse, s'agenouillaient ou s'asseyaient sur le pavé glacial.

La fumée emplissait mes poumons mais ne m'atteignait pas. Les flammèches ardentes tourbillonnaient autour de nous, mais n'avaient pas le pouvoir de nous brûler. Il m'étreignait, frissonnant de tout son corps, prenant soin de ne pas abîmer le précieux objet. Il m'étreignait aveuglément, le visage enfoui dans mon épaule.

Je sentais contre moi la vibration rythmée de ses sanglots. Empoignant fermement le violon, je dégageai mon bras gauche pour lui tenir la tête, pour toucher son crâne sous l'épaisse chevelure de velours.

Le feu pâlit, la foule devint indistincte. La nuit n'était plus glaciale, seulement fraîche, l'air semblait chargé d'embruns salés.

Nous étions seuls, ou très loin de la foule.

L'incendie avait disparu. Tout avait disparu.

« Où sommes-nous ? » murmurai-je à son oreille. Il m'étreignait toujours, et semblait en transe. L'air avait une odeur de terre, de vieilles choses moisies. Par moments, je sentais aussi l'odeur des morts, des morts récents et des vieux morts, qu'un vent vivifiant venu de la mer dispersait aussitôt.

Quelqu'un jouait du violon avec un raffinement exquis, tirant de l'instrument des sons ensorcelants, montrant un naturel et une force d'expression incroyables. Ou n'était-ce que simple virtuosité ?

Était-ce mon Stefan ? Non. Celui qui jouait était un magicien espiègle qui se jouait des difficultés, à la fois subtil et puissant, passant avec aisance de la légèreté à la majesté, et sa musique était propre à éveiller la peur plutôt que la tristesse.

Elle perçait la nuit comme une lame acérée, le moindre son résonnant avec une parfaite clarté, mais je n'aurais su dire d'où elle venait.

Il était malicieux, cet air, empli d'une joie sauvage et aussi de colère.

« Où es-tu, Stefan ? Où sommes-nous, maintenant ? » En guise de réponse, mon fantôme se blottit contre moi, comme si lui-même ne voulait pas le savoir. Il poussa un soupir empreint de nostalgie, à croire que ce chant passionné ne faisait pas bouillir son sang, ne galvanisait pas ses membres spectraux, ne pouvait pas le prendre à son piège mortel, ce chant dont j'étais moi-même la victime consentante.

Une douce brise se leva, et de nouveau l'air se chargea de l'humidité venue de la mer. Humant ces effluves salins, je pris conscience du spectacle qui s'offrait à mes yeux.

Une grande foule tenant des cierges, silhouettes vêtues de capes et de hauts chapeaux noirs et brillants, longues robes, jupes balayant doucement le sol, doigts gantés de noir protégeant les flammes vacillantes. Par endroits, les lumières plus nombreuses révélaient des visages attentifs et captivés. La musique emplissait l'espace, tantôt d'une délicatesse délicieuse, tantôt puissante, comme un torrent emportant tout sur son passage.

« Où sommes-nous ? » demandai-je de nouveau. Ce que je sentais, c'était l'odeur de la mort, de cadavres en décomposition. Des mausolées et des anges de pierre se dressaient tout autour de nous. « Ce sont des tombes ! m'exclamai-je. Regarde ces tombeaux de marbre, nous sommes dans un cimetière ! Qui joue ainsi ? Et qui sont ces gens ? »

Il continua à pleurer en silence. Finalement, il leva la tête, et, encore tout hébété, regarda la foule lointaine.

Soudain, il sembla prendre conscience de la musique et s'éveilla tout à fait.

Le violoniste invisible avait attaqué une danse – elle avait un nom, cette danse, mais il m'échappait –, une danse campagnarde qui, en quelque pays qu'on la joue, semble mettre en garde contre les dangers inhérents au plaisir.

Il desserra un peu son étreinte, et, sans cesser de regarder le spectacle qui s'offrait à nos yeux, il parla enfin.

« C'est vrai, nous nous trouvons dans un cimetière », dit-il d'une voix faible. Exténué à force de pleurer, il me serrait contre lui, prenant garde à ne pas écraser le violon ; rien, dans son attitude ni dans ses gestes, n'indiquait qu'il eût l'intention de s'en emparer.

Le regard fixé sur la foule lointaine, il semblait absorber l'énergie de la musique jaillissante.

« Nous sommes à Venise, Triana. » Il m'embrassa sur l'oreille et poussa un doux gémissement d'animal blessé. « C'est le cimetière du Lido. Et qui, selon toi, joue là-bas, par caprice, par goût des applaudissements, pour la gloire ? La ville de Metternich grouille d'espions au service des Habsbourg, qui sont prêts à tout pour empêcher une nouvelle révolution, ou l'ascension d'un autre Napoléon ; un gouvernement de censeurs et de dictateurs. Qui est-il, défiant Dieu pour ainsi dire, en jouant en ce lieu sacré cette chanson profane que nul ne bénirait ?

– Sur ce point, nous sommes d'accord, dis-je. Personne ne bénirait cette musique. » Les accords me faisaient frissonner, de peur plus que de plaisir. J'aurais voulu jouer moi aussi, prendre mon violon et me joindre à lui comme s'il s'agissait d'une fête champêtre à laquelle le premier violoneux venu pouvait participer. Quelle arrogance !

Elle était implacable comme l'acier, cette chanson – mais quelle dextérité, quelle puissance, quelle tendresse, aussi, s'exprimant dans de séduisants glissandos. Je sentis mon cœur se serrer, car cette musique semblait me supplier, comme Stefan lui-même l'avait fait si souvent, de me séparer du violon que je tenais toujours, de céder autre chose de bien plus précieux encore, de renoncer à tout.

Je m'arrachai au spectacle des visages et des cierges éparpillés dans la nuit humide. Les anges de pierre ne bénissaient ni ne protégeaient quiconque, ici. Levant la main, je touchai un tombeau de marbre percé d'une porte surmontée d'un fronton. Non, ce n'était pas un rêve. C'était aussi solide et matériel que Vienne. Un lieu bien réel. Le Lido, avait-il dit, la longue presqu'île de la lagune de Venise.

Je levai les yeux sur lui. Il paraissait songeur et presque tendre ; je crois même qu'il souriait, mais je n'en suis pas certaine. Les cierges émettaient une faible lueur, là-bas au loin. Il se pencha et m'embrassa sur la bouche. Un doux frisson me parcourut.

« Stefan, pauvre Stefan, murmurai-je sans détacher mes lèvres des siennes.

– Tu l'entends, Triana ?

– Si je l'entends ? Il fera de moi sa captive ! » J'essuyai ma joue humide. Le vent était bien moins froid qu'à Vienne, d'une fraîcheur dénuée de toute âpreté ; il apportait des odeurs légères, unissant l'infinie corruption de la mer et celle du cimetière. En fait, la puanteur de la mer semblait envelopper celle de la tombe, comme pour affirmer que toutes deux étaient naturelles.

« Quel est ce virtuose ? » demandai-je. Délibérément, je l'embrassai de nouveau. Il ne m'opposa aucune résistance. Je levai la main pour palper son front, explorer la haute arcade que traversaient ses sourcils épais et droits, caresser ses doux cheveux, très fins, foncés, sans une seule ondulation, abondants sans être vraiment épais ; ses cils dansaient contre la paume de ma main.

« Qui joue ainsi ? Est-ce toi ? Pourrons-nous nous mêler à la foule ? Lève la tête que je te voie.

– Oh ! non, ma chérie, ce n'est pas moi, non, bien que je lui aie fait un peu concurrence, comme tu le verras bientôt. Viens, plutôt, et regarde. Tu me vois ? Que suis-je ? Un spectateur. Un adorateur. Tenant un cierge à la main, j'écoute et je frémis comme tous les autres pendant qu'il joue, ce génie, simplement pour le plaisir de nous faire vibrer, et parce qu'il aime le spectacle du cimetière et des cierges... De qui pourrait-il s'agir, qui serais-je venu écouter ici, si loin de Vienne, en parcourant les dangereuses routes d'Italie – regarde mes cheveux poussiéreux, mon frac élimé. Pour qui aurais-je fait ce long chemin ? Pour qui d'autre que celui qu'ils appellent le démon, le possédé, le maître : Paganini. »

Le Stefan vivant devint nettement visible. Les joues rouges d'émotion, les yeux reflétant deux flammes identiques bien que lui-même ne tînt apparemment aucun cierge, les mains gantées croisées de telle sorte que la main gauche entourait le poignet droit, il écoutait.

« Seulement, vois-tu... », dit le fantôme qui se tenait à mes côtés. Me forçant à le regarder, en me détournant du spectacle des vivants, il reprit : « Seulement, vois-tu..., il y a une différence.

– Je comprends. Tu veux vraiment que je voie ces événements, que je sache tout. »

Il secoua vivement la tête, comme pour chasser cette idée par trop brutale et horrible, puis, d'une voix tremblante, avoua : « Moi-même, je ne les ai jamais regardés. »

La musique faiblit. La nuit se referma sur nous, se rouvrit sur une lumière d'une qualité différente.

Je me retournai, essayant de distinguer les tombes et la foule, mais elles avaient déjà fait place à un autre décor.

Nous deux, le fantôme et sa compagne de voyage – amante, bourreau, voleuse, que sais-je ? –, étions des spectateurs invisibles, extérieurs à tout espace, bien que je sentisse le violon, toujours en sécurité entre mes mains, mon dos fermement appuyé contre sa poitrine, mes seins, entre lesquels je tenais révérencieusement le violon. De ses lèvres posées sur mon cou, les mots semblaient couler directement dans ma chair.

Je regardai devant moi.

« Tu veux vraiment que je voie... ?

– Que Dieu m'assiste. »

12

C'était un petit canal. La gondole avait quitté le Grand Canal pour s'engager sur ce ruban d'eau verdâtre et malodorant, entre deux rangées de palais accolés. Arcades, fenêtres mauresques dont les couleurs se fondaient dans le gris de la nuit, hautes et imposantes façades comme enracinées dans l'eau : toute la gloire de l'arrogante Venise. Des deux côtés de l'étroit canal, les murs étaient tellement humides et couverts de vase que la ville semblait surgir des profondeurs marines pour dresser vers la lune sa sinistre ambition rongée de pourriture nocturne.

Pour la première fois de ma vie, je comprenais pourquoi la longue gondole noire à la haute proue était si effilée : pour mieux manœuvrer entre ces rives de pierre qu'éclairaient de faibles lanternes agitées par le vent.

Assis dans la gondole, le jeune Stefan parlait avec animation à Paganini.

Le grand homme paraissait captivé. Il avait effectivement le long nez crochu et les énormes yeux protubérants que lui prêtent de nombreux portraits ; la laideur de ses traits ne faisait que rehausser sa présence ardente et son magnétisme.

Dans notre fenêtre invisible ouverte sur ce monde, le fantôme qui m'enlaçait frissonna. J'embrassai les doigts qui enserraient délicatement mon épaule.

Venise.

Au dernier étage d'un palais, des volets s'ouvrirent en claquant, révélant un carré parfait de lumière jaune ; une femme se pencha par la fenêtre et lança des fleurs, qui tournoyèrent dans la lumière projetée par l'ouverture avant d'atterrir aux pieds du virtuose. Elle cria en italien : « Béni sois-tu, Paganini, qui joues pour les morts sans attendre de récompense ! », les syllabes s'enchaînant en un crescendo typiquement latin, mais en baissant respectueusement le ton en arrivant aux mots « pour les morts ».

Le long du canal, d'autres voix reprirent le même cri. Des volets s'ouvraient avec bruit. Sur un toit, des silhouettes s'agitaient, puisant des roses dans de grands paniers pour en parsemer l'eau noirâtre devant la frêle embarcation.

Des roses, une pluie de roses...

Des rires se répercutaient sur les parois de pierre humides et visqueuses. Des spectateurs invisibles se pressaient aux portes, des silhouettes indistinctes s'attardaient dans les ruelles. Un homme traversa un pont en courant au moment même où la gondole arrivait. Penchée à la balustrade, au milieu du pont, une femme dénuda sa poitrine à la lumière de la lanterne qui passait dans la nuit.

« Je suis venu ici pour étudier avec vous », disait Stefan à Paganini, dans la gondole. « Je suis venu sans bagages, avec les seuls vêtements que j'ai sur le dos, et sans la bénédiction de mon père. Je voulais vous entendre de mes propres oreilles, et ce n'était pas la musique du Diable – maudits soient ceux qui disent cela ! –, c'était un enchantement venu de la nuit des temps, certes, mais qui ne portait pas l'empreinte du Démon. »

Paganini – la silhouette plus ramassée, le blanc des yeux tranchant sur les ténèbres environnantes – éclata d'un rire tonitruant. Une femme s'accrochait à lui, pareille à une protubérance sur son flanc gauche, laissant échapper quelques boucles rousses qui serpentaient sur la redingote du virtuose.

« Prince Stefanovsky », commença le grand Italien, le violoniste byronien par excellence, idole romantique de toutes les jeunes filles. « J'ai entendu parler de vous, de votre talent. De votre palais à Vienne, où Beethoven en personne présente ses œuvres, où Mozart est venu vous donner des leçons. Je vous connais, Russes fortunés qui puisez votre or dans un coffre sans fond dont dispose le tsar.

– Peut-être me suis-je mal fait comprendre », dit Stefan dans un murmure respectueux et presque désespéré.

« J'ai de l'argent, signore Paganini, je paierai généreusement vos leçons. J'ai aussi un violon, un Stradivarius auquel je tiens comme à la prunelle de mes yeux, mais je n'ai pas osé l'emporter sur ces mauvaises routes, voyageant jour et nuit par la malle-poste. Je suis venu seul. Mais j'ai de l'argent. Je voulais vous entendre d'abord, être certain que vous m'accepteriez pour élève, que vous me jugeriez digne de...

– Allons, prince Stefanovsky, dois-je vous apprendre l'histoire des tsars et de leurs princes ? Votre père ne vous autorisera jamais à devenir l'élève du paysan Niccolo Paganini. Votre destin est de servir le tsar, comme tous les membres de votre famille avant vous. Certes, la musique est un passe-temps très prisé dans votre maison – allons, ne vous fâchez pas –, et je sais que Metternich lui-même... » (il se pencha vers Stefan et baissa le ton) « ... le fringant petit dictateur lui-même, joue du violon, fort bien d'ailleurs; j'ai même eu l'occasion de jouer pour lui. Mais qu'un prince devienne pareil à moi ! Prince Stefanovsky, je n'ai pas d'autres revenus, seul ce violon me fait vivre. » Il lui montra l'instrument dans son étui en bois vernis, qui ressemblait étrangement à un petit cercueil. « Et vous, mon bel adolescent russe, vous devez respecter la tradition et suivre l'appel du devoir. L'armée vous attend. La gloire et les honneurs. Le service en Crimée. »

Des acclamations enthousiastes fusaient des étages. Des torches s'agitaient sur les quais. Plusieurs femmes vêtues d'étoffes bruissantes se pressaient sur un haut pont enjambant le canal. Mamelons roses dans la nuit, corsets s'ouvrant comme un emballage pour les exposer.

« Paganini ! Paganini ! »

Une nouvelle pluie de pétales de roses tomba sur l'homme, qui les balaya d'un geste négligent, sans cesser de regarder Stefan. La forme féminine blottie contre lui sortit une main très blanche de son ample cape et la plongea dans l'ombre, entre les jambes de Paganini, jouant avec ses parties intimes comme s'il se fût agi d'une lyre, sinon d'un violon. Il ne sembla même pas le remarquer.

« Ce n'est pas que votre argent me laisse indifférent, dit Paganini. J'en ai besoin, croyez-moi. Oui, je joue pour les morts sans me faire payer, mais vous connaissez ma vie tumultueuse, les procès, les complications. Je suis un simple paysan, Prince, et je ne renoncerai pas à ma vie vagabonde pour m'emprisonner avec vous dans quelque salon viennois – ah ! ces Viennois tellement critiques, tellement blasés, qui n'ont même pas donné à Mozart de quoi vivre décemment. Le connaissiez-vous vraiment, Mozart ? Non, et vous ne pouvez pas rester ici avec moi. Il est probable qu'à la requête de votre père, Metternich a déjà envoyé quelqu'un à votre recherche. Si cela continue, je sérai accusé de trahison. »

La tête basse, Stefan était au bord du désespoir. Ses lèvres tremblaient, ses yeux profondément enfoncés luisaient à la lueur incertaine que réflétaient les eaux paresseuses.

Un intérieur :

Une chambre vénitienne en désordre. Les murs en plâtre sont grisâtres et cloqués, le haut plafond jauni offre un pâle reflet des orgies païennes aux vives couleurs que les flammes avaient dévorées dans le somptueux palais viennois de Stefan, lorsque celui-ci vivait encore. A un crochet du plafond, pend une tenture poussiéreuse en velours, couleur de vieux bourgogne, bordée d'un grand pan de satin vert foncé.

Par la fenêtre haute et étroite, je vois les murs ocre du palais d'en face, tellement proche que l'on pourrait tendre la main par-dessus l'étroit canal pour frapper aux épais volets peints en vert.

Le lit défait est jonché de casaques et de robes brodées, de chemises de lin froissées ornées de précieuses dentelles de Reticella ; sur les tables, des piles de lettres aux cachets de cire brisés, des bouts de chandelles ; partout, des bouquets de fleurs séchées.

Et regardez ! Stefan joue ! Debout au centre de la pièce, sur le luisant parquet de bois huilé selon la coutume vénitienne, il joue, non sur ce violon spectral, mais d'un autre instrument, certainement fabriqué par le même maître. Et Paganini, dansant en rond autour de lui, exécute des variations facétieuses sur le thème que joue Stefan : c'est un duo, un jeu, un tournoi ; une guerre, peut-être.

Stefan joue le sombre *Adagio* d'Albinoni en *sol* mineur, pour orgue et cordes, mais il en fait un solo, passant avec agileté d'une partie à l'autre. A cette lamentation mélancolique, il mêle sa propre douleur ; sa musique me fait entrevoir, indistinctement, le palais incendié de la froide Vienne, toutes ces splendeurs réduites en cendres.

Stefan, entièrement absorbé par la spirale lente et insistante qui se déroule sans fin, ne semble pas voir l'homme qui cabriole à ses côtés.

Quelle musique ! Le summum absolu de douleur qui se puisse exprimer avec pudeur. Elle ne porte aucune accusation, elle parle de sagesse et de tristesse infinie.

Je sens monter les larmes – des larmes pareilles à des mains qui applaudissent, et je vibre tout entière à l'unisson de ce jeune homme à peine sorti de l'adolescence, tandis que le génie italien sautille autour de lui comme un lutin.

Se dégageant progressivement de l'*Adagio*, Paganini se lance dans un capriccio endiablé, les doigts voltigeant sur les cordes trop vite pour que le regard puisse les suivre, avant de ralentir pour retrouver tout naturellement le rythme solennel de la phrase que Stefan vient d'aborder. Sans doute, comme on le dit si souvent, la virtuosité de Paganini ressemble-t-elle à de la sorcellerie, mais le spectacle qui s'offrait à mes yeux – la mince silhouette impériale, perdue dans sa douleur, et Paganini, l'acrobate qui arrachait au somptueux tissu des fils iridescents – ne témoignait d'aucune discordance suspecte ; c'était une splendeur à proprement parler inouïe.

Stefan, la tête légèrement penchée de côté, avait fermé les yeux. Ses manches bouffantes étaient tachées de pluie et de poussière, la fine dentelle « punto in aria » était déchirée aux poignets, ses bottes étaient maculées de boue, mais les mouvements de ses bras étaient harmonieux et sa cadence était parfaite. Jamais le dessin de ses sombres sourcils ne m'avait paru aussi beau. Lorsqu'il attaqua la partie d'orgue de la célèbre partition, je crus que mon cœur allait se briser. Paganini lui-même interrompit ses variations fantasques pour accompagner Stefan dans cette lamentation, ce moment de douleur suprême, faisant écho à ses notes, jouant tantôt plus haut que lui, tantôt plus bas, mais toujours avec une grave pudeur.

Ils cessèrent de jouer au même instant. Le plus jeune regarda l'autre avec une stupeur émerveillée.

Paganini posa précautionneusement son violon sur le lit ; les couvertures bordées de glands, les oreillers brodés, tout était bleu nuit et or. Son sourire était méphistophélique, son énergie était contagieuse, le regard de ses yeux globuleux était d'une telle générosité qu'on avait envie de l'embrasser.

Il se frotta les mains avec une visible satisfaction. « Vous avez le don ! s'exclama-t-il. Oh oui, le don ! »

Jamais tu ne joueras ainsi ! me dit à l'oreille mon capitaine fantôme, tout en m'enlaçant plus tendrement, comme pour me consoler, pour me supplier de ne pas m'en attrister.

Je ne répondis pas, attendant avec impatience la suite des événements.

« Vous acceptez donc de devenir mon professeur », dit Stefan dans un italien parfait, l'italien de Salieri, qu'admiraient tant les Allemands et les Anglais.

« Votre professeur ? Certes, certes. Et s'il faut partir d'ici, nous partirons, mais vous savez ce que je risque, en ces temps où l'Autriche fait tout pour imposer sa loi à l'Italie. Mais dites-moi...

– Oui ? »

Le petit homme aux gros yeux éclata de rire. Il ne restait jamais en place, martelant des talons le parquet huilé. Ses épaules voûtées le faisaient presque paraître bossu, ses épais sourcils relevés aux extrémités semblaient maquillés comme au théâtre, quoiqu'il n'y ait là aucun artifice.

« Mais dites-moi, reprit-il. Que voulez-vous que je vous enseigne, cher Prince ? Votre jeu est parfait, cela ne fait aucun doute. Parfait. Que puis-je apporter à un élève de Ludwig van Beethoven ? Un peu de légèreté italienne, peut-être, un soupçon d'ironie latine ?

– Non, répondit Stefan sans quitter des yeux l'homme qui allait et venait fébrilement. Le courage, Maestro. Le courage de tout jeter par-dessus bord. Quel malheur, quelle tristesse de penser que mon professeur ne vous entendra jamais jouer ! »

Paganini s'immobilisa, le front plissé. « Vous voulez dire, Beethoven ?

– Sourd, murmura Stefan. Tellement sourd, maintenant, qu'il n'entend même pas les notes les plus aiguës.

– Et cela l'empêche de vous donner ce courage ?

– Non, ce n'est pas ce que je voulais dire. » Stefan regarda le violon sur lequel il venait de jouer.

« Il est de Stradivari. Un cadeau que l'on m'a fait. Aussi bon que le vôtre, je suppose ?

– Certes. Meilleur peut-être, je ne sais pas. Non, Beethoven aurait pu enseigner le courage à n'importe qui. Mais il ne fait plus que composer. Non par choix, mais par nécessité. La surdité l'y a contraint, comme vous le savez. Le virtuose ne peut plus jouer ; la plume et le papier sont devenus son seul moyen de faire de la musique.

– Je sais, et combien nous en bénéficions ! Ah ! soupira-t-il, j'aimerais au moins le voir de loin, une fois ; peut-être consentirait-il à me regarder jouer ? *Mais si je m'attire l'inimitié de votre père, je ne mettrai jamais les pieds à Vienne.* Et Vienne, c'est... Après Rome, il y a... Vienne. » Paganini soupira de nouveau. « Je ne peux courir ce risque. Si Vienne m'échappe...

– Je veillerai à ce que cela ne se produise pas », chuchota Stefan. Se tournant vers l'étroite fenêtre, il parcourut du regard les façades, les murs de pierre. Comme cet endroit paraissait sordide, en comparaison des couloirs tarabiscotés qui étaient partis en fumée. Pourtant, c'était l'essence même de Venise. Quoi de plus romantique que ce velours couleur de feuille morte, ces fines chaussures en satin négligemment jetées au pied du lit ? Un secret doux et mystérieux, s'offrant comme la chair d'une pêche.

« Je sais, reprit Paganini. Je comprends. Si Beethoven avait continué à jouer à l'Argentine et à Schönbrunn, s'il était allé à Londres, poursuivi par les jolies femmes, il serait sans doute devenu comme moi : un virtuose toujours au centre de la scène, se consacrant entièrement à son jeu, mais négligeant la composition.

– Sans doute, dit Stefan, lui faisant face de nouveau. Mais ce que je veux, c'est jouer, voyez-vous.

– Le palais de votre père à Saint-Pétersbourg est légendaire. Il ne tardera pas à y retourner. Comment pourriez-vous renoncer à tout ce luxe ?

– Je n'y suis jamais allé. Mon berceau, c'est Vienne, je vous l'ai déjà dit. Un jour, je somnolais sur un sofa pendant que Mozart improvisait au clavier ; j'ai cru que mon cœur allait éclater. Écoutez. Ma passion, ce qui me fait vivre, c'est le son de cet instrument – ce n'est pas de composer, comme le fait mon grand professeur, d'écrire de la musique pour mon plaisir et pour celui des autres.

– Vous avez suffisamment d'audace pour devenir un vagabond », dit Paganini, se rembrunissant légèrement. « C'est certain. Mais je vous vois mal... Ah ! ces Russes ! Je ne vous...

– Ne me rejetez pas !

– N'ayez crainte. Mais vous devez résoudre ce problème chez vous. Il le faut ! Ce violon dont vous m'avez parlé, celui que vous avez sauvé des flammes, allez le chercher, ramenez-le avec la bénédiction de votre père. Sinon, ils me pourchasseront sans merci, ces riches au cœur de pierre, car j'aurai détourné de son devoir le fils d'un ambassadeur, l'empêchant de servir le tsar. Vous savez parfaitement qu'ils en sont capables.

– Il me faut l'autorisation de mon père », dit Stefan lentement, comme pour graver ces mots dans sa mémoire.

« Oui, et le Strad, le longuet dont vous m'avez parlé. N'oubliez pas de l'apporter. Je ne veux pas vous le prendre, n'ayez crainte. J'ai ce qu'il me faut, regardez ! Mais j'aimerais l'essayer. Et je veux vous entendre en jouer. Apportez-le avec la bénédiction de votre père, et nous ferons taire les mauvaises langues. Vous pourrez m'accompagner dans mes voyages. »

Stefan se mordit la lèvre. « Vous me le promettez, signore Paganini ? Je ne suis pas démuni, certes, mais je ne suis pas riche. Si vous rêvez de carrosses, de...

– Non, mon jeune ami, non. Vous vous méprenez. J'ai dit que vous pourrez m'accompagner là où je vais. Je ne veux pas être votre favori, Prince. Je suis un vababond dans l'âme, vous comprenez ? Un virtuose ! Pour m'entendre jouer, les gens m'ouvrent leur porte. Je n'ai nul besoin de composer, de diriger, de dédier, de monter des opéras avec des soprani qui s'égosillent et des violoneux qui bâillent dans la fosse. Je suis Paganini ! Et vous serez Stefanovsky.

– Je vais aller le chercher, ce violon, et j'obtiendrai l'accord de mon père ! dit Stefan. Il me versera une pension, ce n'est qu'une bagatelle pour lui. » Pour la première fois, il sourit.

Le petit homme s'approcha de lui et couvrit son visage de baisers, selon la coutume italienne, peut-être, ou simplement à la russe.

« Voilà qui est bien, mon beau et brave Stefan ! » l'encouragea-t-il.

Troublé, Stefan lui rendit le précieux violon. Il regarda alors ses doigts couverts de bagues précieuses. Il y avait des rubis, des émeraudes... Il en retira une et la lui tendit.

« Non, mon fils, dit Paganini, je n'en veux pas. Je suis obligé de jouer pour vivre, mais vous n'avez pas besoin de m'acheter. Vous avez ma promesse. »

Prenant Paganini par les épaules, Stefan l'embrassa à son tour. Un rire secoua le petit homme.

« Il faut absolument que vous apportiez le violon. Je veux le voir, ce Strad longuet, comme on l'appelle, et je veux l'essayer. »

Retour à Vienne.

Tout était tellement propre et soigné que l'on ne pouvait s'y tromper : le moindre siège était doré à la feuille ou peint en blanc et or, les parquets étaient immaculés. Je reconnus immédiatement le père de Stefan, assis dans un fauteuil près du feu, les genoux couverts d'une couverture en ours de Sibérie. La tête levée, il regardait son fils. Dans la vaste pièce, tous les violons étaient à leur place, comme auparavant, soigneusement rangés sur des étagères, bien que ce ne fût pas le somptueux palais qui avait brûlé, mais un logement provisoire.

C'est vrai. Ils s'y étaient installés en attendant de pouvoir regagner Saint-Pétersbourg. J'étais revenu en toute hâte. Avant de franchir les portes de la ville, je m'étais lavé et j'avais mis des vêtements neufs. Regarde bien, écoute.

Stefan était méconnaissable. Tiré à quatre épingles, il était vêtu à la mode un peu voyante de l'époque : élégante redingote noire rehaussée de superbes boutons de nacre, haut col amidonné et large cravate en soie. Les nattes avaient disparu ; ses cheveux brillants étaient peignés avec soin, mais il les avait gardés longs comme à Venise après le voyage, symbolisant peut-être sa liberté à venir – longs comme les cheveux de nos actuels rockers, qui chantent avec une égale ferveur le Christ et le Rebelle rejeté par la société.

Il avait manifestement peur du vieil homme, qui le regardait d'un air renfrogné.

« Un virtuose, un violoneux ambulant ! Crois-tu que j'aie fait venir ces grands musiciens dans ma maison, que je leur aie demandé de t'enseigner leur art pour que tu t'enfuies avec ce maudit Italien possédé du démon ? Cet escroc qui jongle avec ses doigts au lieu de suivre la partition ? Il n'a pas le courage de venir jouer à Vienne ! Que les Italiens se le gardent et le dévorent ! Ces satanés Italiens qui ont inventé le castrat, capable d'émettre des cascades de notes sans fin, enchaînant arpèges et crescendos !

– Écoutez-moi, Père, je vous en conjure. Vous avez cinq fils...

– Ah non ! il n'en est pas question ! » lui intima le Père, dont les cheveux blancs à la coupe austère effleuraient à peine la lourde robe de satin. « Pas un mot de plus ! Comment oses-tu, toi, mon aîné ! » Les mots étaient durs, mais le ton restait modéré. « Tu sais que le tsar ne tardera pas à exiger ta présence, car l'armée a besoin de toi. Nous servons le tsar ! Et n'oublie pas que je dépends de lui pour retrouver ma place à Saint-Pétersbourg ! » Son ton s'adoucit, comme si les années lui avaient appris la sagesse et la compassion, comme s'il comprenait son fils. « Stefan, le conjura-t-il, Stefan, obéis à l'appel du devoir. Tu dois obéissance à ta famille et à l'empereur. Pour ton divertissement, je t'ai donné des jouets : n'en fais pas une manie !

– Père, vous ne les avez jamais considérés comme de vulgaires jouets, nos violons et nos pianoforte, vous avez fait venir les meilleurs pour Beethoven, quand il était encore capable de jouer... »

Le père se pencha en avant dans le grand fauteuil Louis-XV aux boiseries blanches, dont les formes lourdes, larges et trapues étaient typiques du style qu'affectionnaient les Habsbourg. Il tourna le dos à l'énorme poêle émaillé de blanc, orné de vertigineux entrelacs dorés qui montaient vers l'inévitable plafond peint.

Je voyais et je sentais tout, comme si mon guide fantomatique et moi-même étions présents dans cette salle, tout près de ceux que nous observions avec une attention soutenue. Des odeurs de pâtisserie parfumaient l'air ; les fenêtres étaient immenses, majestueuses ; tout était propre ici, même l'humidité, pure comme la brume de mer.

« Oui », dit le père, s'efforçant visiblement d'être impartial et bon. « Oui, j'ai fait venir le plus grand de tous les musiciens pour te donner des leçons, pour t'émerveiller et rendre heureuse ton enfance. » Il haussa les épaules. « J'aimais moi-même jouer du violoncelle en leur compagnie, tu le sais bien ! Je vous ai tout donné, à toi, à tes sœurs et frères, sans lésiner, comme je l'aurais fait pour moi-même... Des portraits peints par les plus grands maîtres – détruits par l'incendie, hélas –, et vous avez toujours eu les plus beaux vêtements, les meilleurs chevaux. Les plus grands poètes venaient vous lire leurs œuvres, et Beethoven, oui, le pauvre et tragique Beethoven, je le garde auprès de moi pour vous, pour moi, et à cause de ce qu'il est.

« Mais tout ceci est secondaire, mon fils. Tu es aux ordres du tsar, qui requiert ta présence. Nous ne sommes pas de vulgaires commerçants viennois, nous ! Nous ne fréquentons pas les tavernes et les cafés bruissant de potins et de médisances ! Tu es mon fils, le prince Stefanovsky. Tu seras d'abord envoyé en Ukraine, comme moi à ton âge. Tu y passeras le nombre d'années nécessaire avant de gravir les échelons et d'accéder à des postes plus prestigieux.

– Non. » Stefan recula d'un pas.

« A quoi bon rendre les choses encore plus difficiles pour toi ? », dit le père avec lassitude. Ses bajoues couvertes de poils grisâtres frémissaient. « Nous avons tant perdu... tu ne peux imaginer combien nous avons perdu. Il a fallu vendre tout ce qui a été sauvé, uniquement pour pouvoir quitter cette ville, la seule où j'aie jamais été heureux.

– Laissez-vous instruire par votre propre douleur, Père. Je ne peux pas faire cela. Je me refuse à renoncer à la musique pour un empereur, proche ou lointain. Je ne suis pas né en Russie. J'ai vu le jour dans une maison où Salieri venait jouer, où Farinelli a chanté. Donnez-moi mon violon, je vous en conjure. Je ne demande rien de plus. Chassez-moi sans me donner un sou, et faites savoir que vous n'avez pu avoir raison de mon obstination. Vous ne tomberez pas en disgrâce pour autant. Donnez-moi le violon et je pars à l'instant. »

L'expression du père changea ; imperceptiblement, elle se fit plus menaçante. Je crus entendre un bruit de pas à proximité, mais aucun des deux hommes qui s'affrontaient du regard ne sembla s'en rendre compte.

« Ne t'emporte pas, mon fils. » Le père se leva, laissant glisser au sol la fourrure d'ours. Il était royal, dans sa longue robe de satin doublée de vair, dont dépassaient des mains couvertes de joyaux resplendissants.

Il était aussi grand que Stefan. Apparemment, nul sang paysan ne s'était mêlé à la lignée nordique et slave, qui donnait parfois de redoutables géants de l'acabit de Pierre le Grand – mais ces deux-là étaient de vrais princes.

Son père vint tout près de lui, puis se tourna vers les instruments superbement vernis ou laqués qui reposaient sur les rayons d'un cabinet dont les portes étaient peintes d'extravagants jardins rococo. Les murs étaient tendus de soie, et des baguettes dorées montaient vers les niches peintes du plafond.

Violons, altos, violoncelles... tous les instruments d'un orchestre à cordes y étaient. Je cherchais des yeux *ce* violon, mais comment le reconnaître parmi tant d'autres ?

Le père poussa un long soupir. Le fils attendait, impassible, manifestement dressé à retenir ses larmes – dans notre observatoire invisible, il pleurait, pourtant. Un instant, je l'entendis gémir doucement à côté de moi, mais aussitôt la vision reprit le dessus.

« Tu ne peux pas aller parcourir le monde en compagnie de cet homme vulgaire, mon fils, dit le père. Il n'en est pas question. Et tu ne peux pas davantage prendre ton violon. Cela me brise le cœur de te dire cela. Mais tu rêves, et dans un an, tu viendras me supplier de t'accorder le pardon. »

Le regard fixé sur son héritage, Stefan avait du mal à contrôler sa voix : « Père, même si nous sommes en désaccord, cet instrument m'appartient. Je l'ai arraché aux flammes, j'ai...

– Mon fils, l'instrument est vendu, de même que les autres Stradivari, et les pianoforte, et le clavecin sur lequel Mozart a joué... Tous vendus, je t'assure. »

Les traits de Stefan reflétaient le choc que je ressentais en observant cette scène. Le fantôme perdu avec moi dans les ténèbres indécises était lui aussi au comble de l'affliction. Tremblant comme s'il ne pouvait plus supporter ce spectacle, mais impuissant à remettre le nuage vénéneux dans son chaudron magique, il m'enlaça plus étroitement.

« Non... Non, pas vendus ! pas les violons, pas... pas le violon que j'ai... » Il pâlit, sa bouche se tordit, ses sourcils se rapprochèrent en une grimace de défi. « Non. Je ne vous crois pas. Pourquoi me mentez-vous !

– Prends garde à ce que tu dis, mon fils préféré ! » rétorqua le grand homme aux cheveux blanchissants, en se retenant au fauteuil. « J'ai vendu ce qu'il fallait vendre pour décamper d'ici et regagner notre palais de Saint-Pétersbourg. Les bijoux de ta sœur, les bijoux de ta mère, les tableaux, Dieu sait quoi encore, afin de sauver ce qui pouvait l'être, pour vous tous. Quant aux violons, je les ai vendus au marchand Schlesinger. Il les prendra le jour de notre départ. Il a eu la bonté de..

– Non ! » rugit Stefan en portant les mains à ses tempes. « Non ! Pas mon violon ! Vous n'avez pas le droit de vendre mon Strad, mon longuet ! »

Se détournant de son père, il parcourut frénétiquement du regard les longues crédences peintes, sur lesquelles des instruments étaient soigneusement posés sur des coussins de soie ; quelques violoncelles étaient appuyés contre des fauteuils ; des tableaux étaient entassés le long du mur, comme pour un déménagement.

« Je te dis que c'est fait ! » cria le père. Il chercha des yeux sa lourde canne en argent et l'empoigna, d'abord par le pommeau, puis par le milieu.

Stefan avait découvert le violon. Il courut vers la crédence.

Dans le silence de mon cœur, je l'encourageai : Vas-y, prends-le, n'accepte pas cette terrible injustice, ce stupide coup du sort ! Il est à toi, à toi... Prends-le, Stefan ! »

Et après tout cela, il a fallu que tu t'en empares... Dans l'obscurité insondable, il déposa un baiser sur ma joue, trop désespéré pour m'être hostile. *Regarde ce qui va suivre.*

« Ne touche pas à ce violon ! Ne t'avise pas de le prendre », dit le père, s'avançant vers le fils. « Je te préviens ! » Il retourna la canne, brandissant le lourd pommeau ciselé comme une massue.

« Vous n'allez quand même pas briser ce Stradivari, père ! »

A ces mots, le vieil homme entra dans une rage folle. Sa colère était provoquée par l'absurdité totale de cette supposition, par la profondeur de ce malentendu.

« Toi, ma fierté », gronda-t-il, s'avançant d'un pas lourd. « Le préféré de ta mère, l'enfant chéri de Mozart, me croire capable de détruire un pareil instrument ! Comment oses-tu ! Touche-le, et tu verras ce que je ferai ! »

Stefan tenta de prendre le violon ; aussitôt, la canne s'abattit sur ses épaules. Vacillant sous le coup, il se plia en deux de douleur. De nouveau, le pommeau d'argent le frappa, cette fois sur le côté gauche de la tête, près de la tempe ; du sang gicla de son oreille.

« Père, Père ! » gémit Stefan.

Dans notre refuge invisible, j'étais comme une lionne en cage. J'aurais voulu me précipiter sur le père, lui faire mal, le contraindre à s'arrêter. Sois maudit ! pensais-je, ne t'avise pas de frapper de nouveau Stefan, non, pas cela !

« Il ne nous appartient pas, je te l'ai déjà dit, rugit le père. Mais toi, mon fils Stefan, tu m'appartiens ! »

Stefan leva les mains pour se protéger le visage ; la canne traversa l'air en sifflant.

Je poussai un hurlement – je crois, du moins –, mais rien n'aurait pu empêcher ce qui s'ensuivit. Le pommeau d'argent massif s'écrasa sur la main gauche de Stefan avec une telle violence qu'il ferma les yeux et porta la main meurtrie à son cœur.

Il ne vit pas la canne s'abattre sur sa main droite, au moment où il la levait pour protéger la main ensanglantée.

« Non ! hurla-t-il. Non, pas mes mains, père ! Pas mes mains ! »

Dans la maison, des bruits de pas précipités. Des cris. Une voix de jeune femme : « Stefan ! »

« Tu me défies », gronda le vieil homme. « Tu oses me défier ! » Empoignant son fils par le col de sa redingote – Stefan, fou de douleur, étourdi par le choc, était incapable de se défendre –, il le poussa contre la crédence et abattit une fois de plus la canne sur ses doigts.

J'étais sur le point de défaillir. *Non, ouvre les yeux, regarde. Certains instruments sont en bois, d'autres sont faits de chair et de sang. Regarde ce qu'il me fait.*

« Arrête, Père ! » s'écria la jeune femme. Je la voyais de dos : une créature frêle et séduisante ; sa robe Empire en soie aux reflets dorés laissait apparaître un cou de cygne et des bras nus.

Stefan s'écarta du meuble, luttant contre la douleur. Recouvrant peu à peu ses esprits, il fit un pas de plus en arrière et contempla avec stupeur ses doigts écrasés, dont le sang coulait à flots.

Le père l'observait, immobile, la canne levée, prêt à frapper de nouveau.

Brusquement, l'expression de Stefan changea. Son visage n'était plus qu'un masque de rage et de vengeance, dénué de la moindre pitié.

« Tu m'as fait cela ! » cria-t-il, levant ses mains sanglantes, désormais inutiles. « Tu as fait cela à mes mains ! »

Stupéfait, le père recula d'un pas, mais son expression se fit encore plus dure et obstinée. Aux portes, se pressaient maintenant de nombreux spectateurs : frères, sœurs, serviteurs ? Je l'ignorais.

La jeune femme voulut s'interposer entre eux, mais le vieil homme lui ordonna d'une voix tonnante : « N'approche pas, Véra ! »

Stefan se jeta sur son père. Utilisant la seule arme qui lui restait, son genou, il le projeta avec violence contre le poêle brûlant, puis, de la pointe de son soulier, le frappa à l'entrejambe. Le vieil homme laissa échapper la canne ; il tomba à genoux, essayant en vain de se protéger.

Véra poussa un cri aigu.

« Tu m'as fait cela ! » répétait Stefan, brandissant ses mains qui pissaient le sang. « Tu m'as fait cela, tu m'as fait cela ! »

Le coup de pied suivant atteignit le vieil homme sous le menton ; il s'effondra sur le tapis, inerte. Stefan leva de nouveau le pied et le frappa à deux reprises à la tempe.

Je détournai les yeux, me refusant à assister à un spectacle aussi affreux. *Non, regarde avec moi.* Son ton était d'une grande douceur, presque implorant. *Il est mort, tu sais, mort, mais je ne le savais pas encore. Regarde, je le frappe une fois de plus. Tu vois, il ne relève même pas le genou, bien que je le frappe exactement à l'endroit où ta mère t'avait frappée, en plein ventre... Peut-être est-ce le coup au menton qui l'a tué, je ne l'ai jamais su.*

Parricide, parricide, parricide...

Plusieurs hommes se précipitèrent sur lui, mais Véra fit volte-face et écarta les bras pour leur barrer le chemin. « Non ! Vous ne toucherez pas à mon frère ! »

Cela donna à Stefan un instant de répit. Il regarda ses mains ensanglantées, puis courut vers la porte la plus proche, écartant violemment les serviteurs stupéfaits, et descendit l'escalier de marbre dans un grand claquement de talons.

Des rues. Sommes-nous toujours à Vienne ?

Quelque part, il s'était procuré un épais manteau, et des pansements pour ses mains. Il avançait furtivement, en rasant les murs. C'était une vieille ruelle au pavé inégal.

Ô douce putain, que t'imagines-tu ? Il me restait un peu d'or. Mais la nouvelle avait électrisé Vienne. J'avais tué mon père. J'avais tué mon père !

C'était le Graben, disparu de nos jours. Je connaissais ces rues tortueuses, la place où Mozart avait vécu, ce quartier désespérément morne et désert pendant le jour. Mais c'était la nuit, le cœur de la nuit. Caché dans l'ombre, Stefan attendait. Un homme sortit d'une taverne ; la nuit s'emplit soudain de bruits de voix et de rires.

Il referma la porte sur l'atmosphère chaude et épaisse où la fumée des pipes se mêlait à l'odeur du malt et du café ; le silence revint.

« Stefan ! » murmura-t-il. Il traversa la rue et prit le jeune homme par le bras. « Quitte Vienne au plus vite ! Ordre a été donné de t'abattre à vue. Le tsar en personne en a donné l'autorisation à Metternich. La ville grouille de soldats russes.

– Je sais, Franz, dit Stefan, pleurant comme un enfant. Je sais...

– Et tes mains ? demanda le jeune homme. A-t-on pu les soigner ?

– Oh ! pas assez, et de loin... Elles sont tordues, brisées, les fractures ne sont pas réduites. Tout est fini, fini... » Immobile, il regardait l'étroit ruban de ciel visible entre les toits. « Seigneur ! comment cela a-t-il pu arriver, Franz ? Je n'arrive pas à y croire. Comment en suis-je arrivé là, alors que l'année dernière encore, nous étions tous réunis dans la salle de bal et nous jouions ensemble ; même le Maestro était là, disant qu'il prenait plaisir à observer les gestes de nos doigts. Comment est-ce possible, mon Dieu...

– Dis-moi, Stefan, reprit le jeune homme qui s'appelait Franz. Tu ne l'as pas vraiment tué, n'est-ce pas ? Ils mentent, ils ont fabriqué cette histoire de toutes pièces. Il s'est passé quelque chose, évidemment, mais Véra dit qu'ils ont injustement... »

Stefan resta muet, les yeux fermés, les lèvres retroussées en un terrible rictus. Il n'osait pas répondre à cette question. Écartant brusquement son ami, il s'enfuit en courant. Les pans de sa cape flottaient derrière lui, ses talons frappaient avec bruit le pavé bosselé.

Nous le suivîmes dans sa course éperdue, petite silhouette perdue dans la nuit, sous l'immense voûte étoilée. La ville avait disparu au loin.

C'était une forêt dense et sombre, plantée de jeunes arbres dégarnis par l'hiver. Les feuilles mortes craquaient sous les pas de Stefan. Je la reconnus aussitôt : c'était la forêt viennoise, que je connaissais pour y avoir fait une brève excursion à l'occasion d'un voyage scolaire, sans oublier d'innombrables livres et morceaux de musique qui la célébraient. Courant toujours, Stefan la traversa et descendit vers une petite bourgade. Tenant contre lui ses mains couvertes de pansements sanguinolents et crasseux, grimaçant parfois de douleur mais serrant les dents, il suivit la rue principale jusqu'à la place. Il était tard, les boutiques avaient toutes fermé leurs portes ; les pittoresques ruelles bordées de maisons à hauts pignons ressemblaient à des illustrations de livres pour enfants. Stefan pressa le pas. Il trouva ce qu'il cherchait : une cour fermée par un portail, qui n'avait ni serrure ni cadenas. Il entra, sans être vu de quiconque.

Comme elle paraissait minuscule et étriquée, cette architecture rurale, en comparaison des palais où il avait vécu tant d'horreurs. Dans l'air froid de la nuit, parfumé par l'odeur de pins et des feux de bois, il s'arrêta devant une petite fenêtre projetant un rectangle de lumière jaunâtre.

A travers les vitres, l'on entendait s'élever un chant étrange, un braillement affreux et pourtant empli d'une féroce joie de vivre. C'était le chant d'un sourd.

Je reconnus également cet endroit ; j'en avais vu des dessins : c'était là que Beethoven avait vécu et composé. Nous nous approchâmes, et je vis ce que voyait Stefan en montant les petites marches menant à la porte : le Maestro assis à son bureau, la plume à la main, agitant le torse en tous sens, hochant vigoureusement la tête et marquant la mesure avec le pied tout en alignant hâtivement les notes sur le papier rayé, empli d'un délire sacré dans ce petit coin de l'univers où il était libre d'ordonner les sons en des combinaisons inouïes que les entendants n'auraient jamais imaginées et qu'ils auraient sans doute du mal à accepter.

Les cheveux du grand homme étaient sales et emmêlés, parsemés de mèches grises que je n'avais jamais vues, et son visage vérolé était très rouge. Pourtant, ses traits n'exprimaient qu'une joie paisible et pure ; il semblait en paix avec le monde entier. Se balançant sur son siège, il écrivait quelques mesures, s'interrompait un instant, puis se remettait à composer de plus belle, sans cesser de brailler ce chant rythmé qui lui servait sans doute de guide.

Le jeune Stefan ouvrit la porte et entra, en prenant soin de cacher ses mains bandées derrière le dos ; il observa un moment le Maestro, puis alla s'agenouiller à ses côtés.

« Stefan ! s'exclama Beethoven d'une voix rude et trop forte. Stefan, que se passe-t-il ? »

Secoué par des sanglots silencieux, le jeune homme laissa retomber sa tête sur la poitrine. Impulsivement, sans le vouloir vraiment, il tendit les pansements tachés de sang vers le Maestro.

« Tes mains ! » Pris d'une vive agitation, le Maestro se leva et se pencha au-dessus de la table, renversant l'encrier dans sa hâte de trouver le manuel de conversation – non, le petit tableau noir, fidèle compagnon de ses années de surdité, qui lui permettait de communiquer avec ses semblables.

Soudain, il s'immobilisa, réalisant avec épouvante que les mains de Stefan n'étaient même plus bonnes à tenir une plume ou un bout de craie. Stefan, toujours à genoux, tremblait de tout son corps et agitait la tête en tous sens comme un animal blessé qui supplie qu'on l'épargne.

« Tes mains ! Qu'ont-ils fait à tes mains, mon Stefan ! »

Stefan porta une main à ses lèvres pour lui dire de parler moins fort. Mais il était trop tard : dans son affolement et son désir de bien faire, Beethoven avait alerté les voisins, qui arrivaient en courant.

Stefan ne pouvait rester ici. Après avoir serré le Maestro sur son cœur, il s'enfuit par la porte du fond au moment même où s'ouvrait celle qui donnait sur la cour.

Tandis que Stefan reprenait sa fuite sans fin, Beethoven beuglait de douleur.

Une petite chambre, un lit défait.

Stefan, moulé dans son pantalon étroit, portant une chemise propre, était recroquevillé sur le lit, la tête enfoncée dans l'oreiller. La bouche entrouverte, le visage encore humide de larmes, il était figé dans une immobilité totale.

Une femme, bien en chair, au visage rond et enfantin (un peu le même type que moi, mais bien plus jeune), enroulait des bandages propres autour de ses mains. Se retenant à grand-peine de pleurer, elle regardait avec adoration son visage immobile, ses mains meurtries. Manifestement, elle l'aimait, cette femme.

« Vous devez quitter Vienne, prince », dit-elle dans l'allemand raffiné et légèrement chantant des Viennois. « Il le faut absolument ! Vous n'avez pas le choix ! »

Il ne réagit pas. Voyait-il même ce qui l'entourait ? Seul le blanc de ses yeux était visible, on aurait dit un cadavre ; pourtant, sa poitrine se soulevait régulièrement.

La femme prit un ton confidentiel : « Écoute-moi, Stefan. Demain, auront lieu les funérailles solennelles de ton père. Son corps reposera dans le caveau des Van Meck, et sais-tu ce qu'ils ont l'intention de faire ? Ils vont enterrer le violon à ses côtés ! »

Il ouvrit lentement les yeux. Son regard se posa sur la bougie qui brûlait derrière la femme, dans une simple soucoupe en terre cuite déjà pleine de cire fondue. Puis il se tourna vers elle, faisant craquer les planches de la tête de lit. De tous les lieux où il nous avait entraînés, c'était certainement le plus misérable ; peut-être un pauvre logis au-dessus d'une boutique.

Il la fixa de ses yeux dénués d'éclat. « Enterrer le violon, Berthe ? Tu as dit qu'ils...

– Oui, jusqu'à ce que son assassin soit retrouvé et qu'ils puissent ramener les restes de ton père à Moscou. De toute façon, c'est l'hiver ; ils ne pourraient pas faire le voyage en cette saison. Schlesinger, le marchand, leur a quand même payé l'instrument. C'est un piège qu'ils te tendent, tu comprends. Ils sont persuadés que tu iras le chercher.

– Quelle idée stupide, dit Stefan. C'est de la folie ! » Il s'adossa à la tête de lit, les genoux relevés, les pieds enfoncés dans le matelas bosselé. Ses cheveux luisants comme du satin flottaient librement sur ses épaules, comme maintenant. « Me tendre un piège ! Mettre le violon dans le cercueil avec lui !

– Allons, calme-toi... Ils pensent que tu essaieras de le voler avant même que le caveau ne soit refermé. Sinon, il restera dans la tombe jusqu'à ce que tu viennes, et alors, ils s'empareront de toi. Ou encore, ils le laisseront avec le corps de ton père jusqu'au jour où tu seras retrouvé, arrêté et exécuté pour le crime que tu as commis. Une bien triste histoire, tout cela. Tes sœurs et frères sont bouleversés, et au fond de leur cœur, tous ne te veulent pas de mal, soit dit en passant.

– Non... », murmura-t-il songeusement, se remémorant peut-être les circonstances de sa fuite. « Oh ! Berthe...

– Les plus assoiffés de vengeance sont les frères de ton père. Si tu les voyais s'agiter et faire les importants !

Ce sont eux qui ont eu l'idée d'ensevelir le violon avec celui que tu as tué, pour que tu ne puisses plus jamais en jouer. Ils s'imaginent que tu n'aurais pas hésité à le voler à Schlesinger.

– Je l'aurais fait », murmura-t-il d'une voix à peine audible.

Un bruit soudain les fit sursauter. La porte s'ouvrit, livrant passage à un homme petit et trapu au visage lunaire ; sous sa cape noire, l'on apercevait du linge immaculé, signe qu'il appartenait aux couches supérieures de la société. Avec ses joues rebondies et ses petits yeux, il était typiquement russe – en fait, il ressemblait étonnamment à un Russe d'aujourd'hui. Il avait apporté un ample manteau noir, qu'il posa sur le dossier d'une chaise. Je vis qu'il était muni d'un capuchon.

A travers ses petites lunettes ovales à monture d'argent, il considéra le jeune homme assis sur le lit, puis la jeune femme, qui ne daigna même pas se retourner pour le saluer.

« Stefan ! » L'homme ôta son haut-de-forme et passa la main dans les mèches grises clairsemées qui couvraient son crâne rose et luisant. « La maison est gardée jour et nuit. Ils te cherchent dans toutes les rues de la ville. Imagine, ils sont allés jusqu'à interroger Paganini en Italie ; il a farouchement nié qu'il te connaissait.

– Il ne pouvait faire autrement. Pauvre Paganini... Mais que m'importe tout cela, Hans. J'ai d'autres préoccupations.

– Regarde, Stefan. Je t'ai apporté une cape, une grande cape avec un capuchon, et un peu d'argent pour te permettre de quitter Vienne.

– D'où tiens-tu cet argent ? demanda Berthe avec alarme.

– Peu importe, répondit l'homme en la regardant avec froideur. Disons simplement que tous les membres de sa famille ne sont pas dénués de cœur.

– Véra, murmura Stefan, ma sœur Véra. Je l'ai vue, quand ils essayaient de m'attraper. Elle a couru se mettre devant eux. Ma tendre et douce Véra...

– Véra dit que tu dois partir au plus vite, aller en Amérique, où tu pourrais être accueilli au Brésil par la cour portugaise, n'importe où, mais dans un endroit où tes mains pourront être soignées comme il convient, et où tu pourras vivre en paix, sinon, tout est fini pour toi !

Le Brésil est bien loin, mais il existe d'autres pays. Même l'Angleterre – oui, va à Londres, va où tu voudras, à condition de quitter l'empire des Habsbourg, c'est vital. Nous courons nous-mêmes un grand danger en essayant de t'aider.

– As-tu oublié tout ce qu'il a fait pour toi ! s'exclama la jeune femme avec colère. Je ne l'abandonnerai jamais ! » Hésitant entre l'indignation et la tendresse, elle regarda Stefan, qui essaya maladroitement de la caresser avec ses mains bandées, puis se laissa retomber sur l'oreiller, les yeux voilés par la douleur – ou simplement par le désespoir.

« Je ne l'ai pas oublié, bien sûr, dit Hans. C'est notre garçon, notre Stefan, depuis toujours. Je voulais seulement dire qu'ils finiront par te trouver. Ce n'est qu'une question de jours. Vienne n'est pas tellement grande, tu sais. Et toi, que pourrais-tu faire, avec ces mains pareilles à des massues ? Qu'attends-tu pour partir ?

– Mon violon, dit Stefan d'une voix brisée. Il est à moi, et on me l'a pris...

– Pourquoi n'irais-*tu* pas le chercher ? » demanda la femme au petit homme trapu, sans cesser d'enrouler le long bandage autour d'une des mains de Stefan.

« Moi ? Prendre le violon ?

– Rien ne t'empêche d'entrer dans cette maison, non ? Ce ne serait pas la première fois. Pour vérifier en personne si tout est parfait : les tables chargées de douceurs et de pâtisseries, les tartes spéciales... Oh la la ! quand il y a un mort à Vienne, c'est étonnant que tous les proches ne rendent pas l'âme eux aussi à force de s'empiffrer de sucreries. Accompagne les pâtissiers pour voir si tout est en ordre, ce n'est pas bien compliqué, puis monte, glisse-toi dans la chambre mortuaire et prends le violon. Quelqu'un t'arrête ? Si quelqu'un te demande ce que tu fais là, dis que tu cherches un membre de la famille pour avoir des nouvelles – tu aimais énormément ce garçon, tout le monde le sait. Vas-y, et ramène le violon !

– Tout le monde le sait », répéta le petit homme. Pris d'une soudaine inquiétude, il alla à la fenêtre pour surveiller la rue. « Oui, tout le monde sait que c'est avec ma fille qu'il passait ses nuits d'ivresse !

– En me faisant de magnifiques cadeaux, que j'ai toujours. Et je les garderai jusqu'au jour de mon mariage, dit-elle avec amertume.

– Il a raison, reprit Stefan. Il faut que je partes. Je ne peux pas rester ici et vous mettre tous deux en danger. Ils finiront par retrouver votre trace, et... »

Elle l'interrompit : « Ils n'en feront rien. Les serviteurs de la maison, les fournisseurs de la famille, tous t'adoraient. Ces Françaises, ces traînées venues avec le conquérant, celles-là, oui, ils les surveillent de près – mais pas la fille du boulanger. Pourtant, mon père a raison. Tu dois quitter Vienne. Ne te l'ai-je pas dit moi-même ? Il faut partir. Si tu ne quittes pas Vienne, ils finiront par te retrouver. »

Stefan se contenta de hocher la tête, plongé dans ses pensées. Machinalement, il s'accouda sur sa main droite ; aussitôt, la douleur le fit grimacer et il se laissa retomber contre la tête de lit. Le plafond mansardé était bas, le mur massif était percé d'une minuscule fenêtre. Le jeune prince paraissait trop grand, trop brillant, trop passionné – en un mot, trop vivant – pour une aussi petite chambre.

Je revis la jeune image de mon fantôme traverser d'immenses salles, parcourir de larges allées.

La jeune femme se tourna vers son père : « Va dans cette maison, et rapporte le violon !

– Tu rêves, répondit l'homme. L'amour te fait perdre la tête. Tu n'es qu'une stupide fille de boulanger.

– Et toi, qui veux jouer au gentilhomme, avec ton luxueux café de la Ringstrasse ! La vérité, c'est que tu n'oses pas !

– C'est normal, intervint Stefan avec autorité. Sans oublier que Hans serait incapable de distinguer ce violon des autres.

– Comment cela ! Ils l'ont mis dans le cercueil à ses côtés. J'en suis sûre : plusieurs personnes me l'ont affirmé. » Prenant la bande de gaze entre ses dents, elle la déchira dans le sens de la longueur et noua les deux extrémités autour du poignet de Stefan. Le sang commençait déjà à traverser l'épais pansement. « Vas-y, Père, et ramène-lui son violon !

– Dans le cercueil ! cracha Stefan avec mépris. A ses côtés ! »

J'aurais voulu fermer les yeux, mais le corps dont je disposais dans cette sphère ne m'obéissait pas comme une enveloppe charnelle. Le violon dont il parlait, je le tenais entre les mains... Et à l'époque, mettons en 1825, cet objet dont nous suivons l'histoire sanglante se trouvait déjà dans une tombe! Il avait été aspergé d'eau bénite – à moins qu'ils ne le fassent pas avant les derniers rites, lors de la messe de requiem, peut-être dans la crypte d'une église viennoise couverte d'angelots en sucre doré.

Même moi, je me rendais compte que le petit homme ne pourrait pas aller prendre le violon. Allant et venant dans l'espace exigu de la chambre, ses lunettes reflétant par moments la lumière qui entrait par la fenêtre, il s'efforçait néanmoins de se justifier, devant eux et devant sa propre conscience :

« Enfin voyons! On n'entre pas comme ça dans une chambre où est exposée la dépouille mortelle d'un prince...

– Il a raison, Berthe, dit Stefan d'un ton conciliant. Je ne peux pas l'autoriser à courir un tel risque, ce serait impensable. Quand pourrait-il le faire, et comment s'y prendrait-il? Doit-il entrer hardiment dans la chambre mortuaire, arracher l'instrument aux mains du mort et prendre la fuite? »

Berthe leva la tête. Son visage très pâle était encadré par des cheveux châtain foncé, et son regard, normalement pétillant de malice, était implorant. Elle avait de longs cils noirs, sa bouche était pulpeuse et sensuelle.

« Il y a des moments propices, dit-elle. Tard dans la nuit, lorsque la chambre sera presque vide. L'heure où les hommes dorment. Seuls quelques personnes seront là, à dire leur chapelet, mais il y a de bonnes chances pour qu'eux aussi soient assoupis. Même la mère de Stefan se sera endormie. Tu profiteras de ce moment, Père, pour aller vérifier si les tables sont bien garnies.

– Non! » s'exclama Stefan. Pourtant, l'idée de Berthe avait trouvé dans son esprit un terreau fertile. Il était entièrement absorbé par ce plan. Les yeux mi-clos, il marmonnait très bas : « Approcher du cercueil, lui prendre le violon... mon violon, qu'ils ont placé à ses côtés... »

Berthe, qui avait deviné ses pensées, était consternée. « Tu n'y arriveras pas, dit-elle. Avec tes mains, tu ne pourras même pas le tenir... Je t'en conjure, n'approche pas de cette maison. »

Il ne répondit pas. S'appuyant une fois de plus sur ses mains, mais se redressant aussitôt à cause de la douleur, il regarda songeusement ce qui l'entourait. Tournant la tête, il aperçut les vêtements préparés à son intention, la cape avec sa cagoule...

S'arrachant à sa contemplation, il demanda soudain : « Dis-moi la vérité, Hans. C'est Véra qui m'a fait parvenir cet argent ?

– Oui, et ta mère était au courant, mais si jamais cela se sait, je suis perdu. Ne parle de cet acte charitable à personne, même pas au plus sûr de tes amis. Si jamais cela se sait, ta sœur et ta mère seront compromises, et ne pourront plus me protéger. »

Stefan hocha la tête en signe d'assentiment. Son sourire était amer.

Le petit Hans remonta ses lunettes sur son nez court et épais. « Saviez-vous que votre mère haïssait votre père ?

– Évidemment. Mais maintenant, je lui ai fait beaucoup plus de mal qu'il ne lui en a jamais fait, n'est-ce pas ? »

Sans attendre la réponse du petit homme, il s'assit sur le bord du lit. « Berthe, aide-moi à chausser ces bottes. Je n'y arriverai pas tout seul.

– Pourquoi veux-tu les mettre ? Où vas-tu ? » demanda-t-elle affolée. Elle contourna néanmoins le lit et l'aida à enfiler les bottes, puis à se lever, et lui tendit une redingote de fin lainage noir, repassée de frais – certainement un autre cadeau de sa sœur.

Le petit homme rondelet le regardait faire avec tristesse. « Écoute-moi, Stefan, dit-il en hochant la tête avec tristesse. Les abords de la maison grouillent de soldats : la garde russe, la garde privée de Metternich... Il y a des policiers partout. Renonce à ce projet, je t'en conjure. »

Il s'approcha, et saisit impulsivement la main blessée de Stefan, qui tressaillit et la retira aussitôt. Le petit homme baissa les yeux, tout honteux.

« Ce n'est rien, Hans, lui assura Stefan. Vous avez été bon pour moi. Je vous en remercie. Dieu ne vous reprochera pas vos actes. Vous n'êtes pas l'assassin de mon père, n'est-ce pas ? Quant à ma mère, elle donne sa bénédiction à tout cela, semble-t-il. Regardez, c'est la plus belle cape de mon père, doublée de renard de Sibérie. Quelle gentille attention ! Est-ce elle qui vous l'a donnée, ou Véra ?

– C'est Véra. Mais écoute-moi ! Quitte Vienne cette nuit même. Si tu es pris, il n'y aura pas de procès. Ils veilleront à ce que tu sois abattu avant de pouvoir te défendre, avant que ceux qui ont assisté à la scène ne puissent parler.

– J'ai déjà été jugé », répondit Stefan, portant la main bandée à son cœur. « Je l'ai tué.

– Quitte Vienne sans tarder, comme je te l'ai dit. Trouve un bon chirurgien, peut-être pourra-t-il sauver tes mains. Doué comme tu l'es, tu trouveras un autre violon digne de toi. Traverse les mers, va à Rio de Janeiro ou en Amérique du Nord, ou bien en Orient, à Istanbul, où personne ne te demandera qui tu es. As-tu des amis en Russie, des proches de ta mère ? »

Stefan secoua la tête en souriant. « Tous des cousins du tsar, ou ses bâtards. » Il eut un bref éclat de rire. C'était la première fois que je le voyais rire dans cette existence fantomatique. Il semblait avoir oublié tous ses soucis. Un moment, son visage devint tout lisse, jeune et radieux.

Il était plein de gratitude envers le petit homme, qui, rouge d'émotion, ne savait plus où se mettre. Poussant un long soupir, Stefan regarda ce qui l'entourait – et j'eus l'impression que son regard était empli d'amour, comme celui d'un homme qui, se sachant condamné, prend congé du monde.

Berthe fixa soigneusement sa collerette et remonta le col empesé sur sa nuque. Après avoir soigneusement noué la cravate de soie blanche, elle lui passa autour du cou une écharpe de fine laine noire, soulevant puis laissant retomber les longs cheveux soigneusement brossés.

« Permets-moi de les couper », lui demanda-t-elle. Sans doute pensait-elle que cela parachèverait le déguisement de Stefan.

« Ce n'est pas nécessaire. La cape et le capuchon suffiront à me cacher. D'ailleurs, il me reste peu de temps. Il est déjà minuit, tu vois ? La veillée a sûrement commencé.

– N'y va pas ! s'écria-t-elle, éplorée.

– Il le faut. Me trahirez-vous ? »

Cette suggestion fit sursauter la fille et le père. Secouant solennellement la tête, ils se jurèrent de ne jamais le trahir, quel que fût le prix à payer.

« Au revoir, ma chérie. J'aimerais te laisser quelque chose, un petit souvenir...

– Tu m'as déjà donné tout ce que je pouvais souhaiter », répondit-elle. Son ton était résigné. « Tu m'as donné des heures que la plupart des autres femmes sont obligées d'imaginer ou de chercher dans les livres. »

Il sourit de nouveau. Je ne l'avais jamais vu aussi à l'aise, aussi naturel que dans ce cadre misérable. Je me demandais si ses mains lui faisaient mal, car ses pansements étaient déjà tachés de sang.

Suivant son idée, Stefan expliqua à Berthe : « La femme qui a soigné mes mains a pris toutes mes bagues en paiement. Je n'ai pu l'en empêcher. » Il regarda de nouveau autour de lui. « C'est la dernière chambre chaude et accueillante où je passerai la nuit, mon dernier moment de paix. Embrasse-moi, Berthe, et je pars. Je ne peux pas te demander ta bénédiction, Hans, mais à toi aussi, je demande un baiser. »

Tous trois s'étreignirent un long moment. Ensuite, Stefan se dirigea vers la chaise où se trouvait la cape, mais Berthe le devança. Elle la passa sur ses épaules, puis rabattit le capuchon sur sa tête.

J'avais tellement peur que j'en avais la nausée. Je savais ce qui allait suivre, et je ne voulais pas le voir.

13

Le vestibule d'une grande maison.

La décoration est typique du baroque allemand. Boiseries dorées, peintures murales se faisant face : une femme et un homme aux perruques poudrées.

Stefan avait réussi à arriver jusque-là. Les mains dissimulées sous l'ample cape, il parlait d'une voix autoritaire aux gardes, qui ne savaient trop ce qu'ils devaient penser de cet homme si bien habillé, venu rendre un dernier hommage au défunt et présenter ses respects à la famille.

« Monsieur Beethoven est-il là ? En ce moment ? » demanda impérieusement Stefan en russe – simple diversion, car les gardes ne parlaient que l'allemand. Finalement, un des envoyés du tsar apparut.

Stefan joua le tout pour le tout. Il s'inclina profondément, à la russe, la cape retombant en larges plis sur le dallage. La lumière du chandelier éclairait sa noire silhouette quasi monastique.

« Je suis venu de Saint-Pétersbourg présenter les respects du comte Raminsky », déclara-t-il avec l'assurance d'un grand seigneur ; son ton, l'ensemble de son attitude étaient la perfection même. « Je dois également transmettre un message à Herr van Beethoven. Herr van Beethoven avait écrit à mon intention un quatuor, que le prince Stefanovsky avait eu l'amabilité de me faire parvenir. Permettez-moi, je vous prie, de passer quelques moments en compagnie de mon excellent ami. Normalement, je n'aurais jamais songé à déranger la famille à une heure pareille, mais comme la veillée mortuaire se poursuit toute la nuit, l'on m'a assuré que ma visite ne serait pas importune. »

Tout en parlant, Stefan se dirigeait vers la porte.

Les gardes russes avaient adopté à son égard une attitude déférente, qui déteignit aussitôt sur les officiers allemands et les serviteurs portant perruque.

Ces derniers s'empressèrent d'ouvrir la grande porte à deux battants.

« Herr van Beethoven est parti il y a déjà quelque temps, mais je puis vous escorter jusqu'à la chambre où repose le prince », dit le fonctionnaire russe, manifestement impressionné par cet imposant messager. « Je devrais peut-être réveiller...

– Ne vous donnez pas cette peine. Comme je l'ai déjà dit, je ne voudrais pas déranger les proches à une heure aussi tardive.« Stefan regarda avec curiosité les salles aux nobles proportions, comme si rien ne lui était familier dans cette superbe demeure.

Il s'engagea dans l'escalier, la cape doublée de fourrure ondulant gracieusement au ras de ses talons.

« La jeune princesse », dit-il par-dessus son épaule au garde russe qui s'était empressé de lui emboîter le pas. « C'est une amie d'enfance. Je viendrai lui présenter mes hommages à une heure plus convenable. Permettez-moi seulement de poser mon regard sur la dépouille du vieux prince et de dire une prière. »

Le garde russe voulut ajouter quelque chose, mais ils étaient déjà arrivés à la chambre mortuaire, dont les portes étaient ouvertes. L'heure n'était plus aux palabres.

La chambre mortuaire. Une salle plutôt immense, aux murs et aux plafonds couverts de ces entrelacs blanc et or à cause desquels tant d'intérieurs viennois évoquent irrésistiblement la crème fouettée. De hauts pilastres aux nervures dorées. Une succession de fenêtres surmontées d'intrados dorés, que reflétaient une rangée de grands miroirs. Et, aux deux extrémités, d'imposantes portes à double battant. Ce fut par l'une de celles-ci que nous pénétrâmes dans la chambre mortuaire.

Le cercueil était posé sur une plate-forme surélevée, ceinte de riches tentures de velours. A côté du cercueil, une femme était assise sur une chaise en bois doré ; la tête retombant sur la poitrine, elle dormait. Autour du cou, elle portait un unique rang de perles noires ; son élégante robe Empire à la taille très haute était également noire, et dénuée de tout ornement.

La plate-forme et la bière elle-même disparaissaient presque sous une profusion de fleurs exquises. Des vases en marbre répartis dans la salle contenaient des gerbes de lys solennels et de roses austères, qui semblaient faire partie de l'exubérante décoration.

Des chaises peintes en blanc, tendues de sévères damas verts ou rouge foncé, étaient disposées en rangées ; leur légèreté était caractéristique du mobilier français, si différent du style allemand, maladroit et lourd. Partout, brûlaient des cierges, dans des bougeoirs ou des candélabres, et aussi dans le massif lustre du plafond en cristal et métal doré, qui n'était pas sans rappeler celui qui était tombé dans la maison de Stefan, tout couvert de pure et blanche cire d'abeille.

Dans le silence, mille flammes vacillaient doucement.

Tout au fond de la salle, des moines assis en rang récitaient le chapelet à l'unisson. Ils ne levèrent même pas les yeux sur la silhouette vêtue d'une longue cape qui s'approchait à pas lents du cercueil.

Sur un long sofa aux pieds dorés, deux femmes étaient assoupies. La plus jeune, très brune, avait les traits harmonieux et énergiques de Stefan ; sa tête reposait sur l'épaule de sa compagne. Toutes deux, vêtues de riches dentelles noires, avaient relevé les voiles qui couvraient leurs visages. La plus jeune s'agita dans son sommeil, comme si elle se disputait avec quelqu'un. Pourtant, elle ne se réveilla pas, même lorsque Stefan passa devant elle. La plus âgée avait des cheveux d'un blanc d'argent ; elle portait une broche en sautoir.

Ma mère.

L'onctueux garde russe n'osa pas arrêter l'impérieux aristocrate qui s'avançait hardiment vers la plate-forme.

Les serviteurs étaient restés près de la porte, immobiles comme des figures de cire dans leur habits de satin bleu et leurs perruques à queue.

Stefan était arrivé au pied de la plate-forme. Deux marches seulement au-dessus de lui, la jeune femme somnolait sur la chaise dorée, un bras pendant dans le cercueil.

Ma sœur Véra. Ma voix tremble-t-elle ? Regarde-la, regarde comme elle est triste, Véra ! Et regarde aussi dans le cercueil.

Dans la vision, nous nous rapprochâmes. L'air était lourd du parfum capiteux des lys et d'autres fleurs, auquel se mêlait l'odeur de la cire fondue – les effluves légers et enivrants de la petite chapelle de mon enfance, sanctuaire protégé du monde où nous nous agenouillions avec Mère devant la balustrade sculptée, les magnifiques glaïeuls de l'autel écrasant de leur splendeur nos modestes bouquets de fleurs de lantaniers.

Tristesse. Ô mon cœur, quelle tristesse...

Mais je ne pouvais penser à autre chose qu'à la scène qui se déroulait devant mes yeux. J'étais unie à Stefan dans cette tentative, et pétrifiée de peur. D'un pas silencieux, le personnage encapuchonné monta les premières marches. Mon cœur brûlait d'une douleur intolérable. Aucun souvenir personnel ne pouvait atténuer la force de cette blessure, la peur panique de ce qui allait advenir. Quoi de plus cruel qu'un rêve détruit ?

Regarde mon père. Regarde l'homme qui a brisé mes mains.

L'expression du défunt prince était impitoyable, mais sa cruauté comme fanée, desséchée, était devenue dérisoire. Ses traits typiquement slaves étaient dramatisés par la mort : les angles s'étaient durcis, des plis profonds creusaient les joues, le nez aquilin sans doute accentué par l'employé des pompes funèbres ; la bouche rouge trop fardée s'était affaissée, faute d'un souffle de vie pour lui imprimer le petit sourire narquois qu'il arborait si souvent quand il n'était pas en colère, ni réduit à l'état de cadavre.

Trop maquillé, ce visage, et trop richement paré, ce corps couvert de fourrures et de joyaux, de velours et de galons multicolores, dans ce style typiquement russe qui veut que seul ce qui brille a de la valeur. Ses mains exsangues couvertes de bagues, croisées sur la poitrine, tenaient un crucifix.

Et à côté de lui, dans les replis du lourd satin, reposait le violon, *notre* violon, contre lequel pendait la main inerte de Véra.

« Non, Stefan ! Non ! Comment pourrais-tu le prendre ? murmurai-je dans nos ténèbres vigilantes. Sa main est presque posée dessus. »

Ah ! tu crains donc pour ma vie, tandis que nous observons ce vieux tableau. Et pourtant, tu te refuses à me rendre mon violon. Regarde bien, regarde-moi mourir pour lui.

Je voulus me détourner, mais il m'en empêcha. Fermement ancrés au cœur de la scène, rien ne nous serait épargné. Dans notre forme invisible j'entendais battre son cœur, je sentais trembler sa main moite.

Regarde, me dit-il encore, *regarde-moi pendant les derniers instants de ma vie.* Il ne put en dire davantage.

La grande silhouette encapuchonnée gravit les deux dernières marches. De ses yeux sombres et sans éclat, il regarda fixement le père mort. Sortant de la cape une main bandée, il saisit maladroitement l'instrument ainsi que l'archet, les ramena contre lui, et les maintint aussitôt avec son autre main mutilée.

Véra s'éveilla.

« Stefan, non ! » murmura-t-elle, bougeant les yeux en tous sens pour l'avertir du danger, et faisant des gestes désespérés pour l'inciter à s'enfuir.

Il fit volte-face.

Je compris tout. Le piège s'était refermé. Je vis s'accomplir le dernier acte. Déjà, ses frères apparaissaient aux portes. Un homme se précipita pour emmener Véra, qui tendait les bras vers Stefan en poussant des gémissements angoissés.

« Assassin ! » cria l'homme qui tira la première balle. Elle frappa non seulement la poitrine de Stefan, mais aussi le violon. J'entendis le bois éclater.

Stefan était en proie à une épouvante sans nom.

« Non ! s'exclama-t-il, Oh non ! vous ne ferez pas cela ! » Les balles se succédaient, frappant tantôt Stefan, tantôt le précieux instrument. Soudain, il sauta en bas des marches et traversa la salle en courant. Les balles pleuvaient de toutes parts maintenant, pénétrant son corps et fracassant le violon : les gardes s'étaient joints aux gentilshommes dans leurs beaux atours.

Le visage de Stefan était en feu. Rien ne pouvait arrêter le personnage que nous contemplions avec un intérêt passionné. Rien.

Il haletait, sa bouche s'ouvrait convulsivement, la cape flottait derrière lui tandis qu'il descendait l'escalier en courant, protégeant le violon et l'archet de ses bras. Il aurait dû être couvert de sang, mais ce n'était pas le cas. Pas de sang, sinon celui qui suintait de ses mains. Et soudain... Regardez, regardez bien !

Ses mains.

Comme par magie, les pansements avaient disparu. Elles étaient intactes. Les longs doigts, aussi parfaits que toujours, tenaient fermement le violon.

La tête baissée comme s'il luttait contre un vent contraire, il franchit la porte d'entrée. J'étais au comble de la stupéfaction : les portes étaient verrouillées, mais il ne s'en était même pas rendu compte ! L'on continuait à entendre des détonations, des cris, des bruits de pas précipités, mais bientôt cette cacophonie s'atténua, puis cessa complètement.

Il suivait la rue plongée dans l'obscurité, martelant le pavé inégal et luisant, courant de toutes les forces de ses jeunes jambes, baissant de temps à autre les yeux pour s'assurer que le violon et l'archet étaient toujours là, sains et saufs, courant à perdre haleine jusqu'à ce qu'il eût quitté le centre de la ville et ses rues pavées.

Des lumières indistinctes perçaient les ténèbres. Était-ce le brouillard qui les entourait d'étranges entrelacs ? Des silhouettes de maisons se dessinaient vaguement, aussi noires que la nuit elle-même.

Finalement, il s'arrêta, apparemment à bout de forces. S'adossant à un mur décrépi, il ferma un instant les yeux ; le capuchon retombé formait un coussin derrière sa nuque. Ses mains pâles tenaient toujours le violon et l'archet, tous deux intacts. Sa respiration était précipitée, et il regardait en tous sens pour s'assurer qu'il n'avait pas été suivi.

Aucun écho ne troublait le silence de la nuit. Pourtant, des formes se mouvaient dans l'obscurité, trop imprécises pour que le regard pût les enregistrer vraiment, trop éloignées des lampes allumées au-dessus de quelques rares portails. Avait-il vu le brouillard qui dessinait des volutes paresseuses au ras du sol ? Était-ce normal à Vienne, en cette saison hivernale ? Des groupes de silhouettes indistinctes l'observaient. Les prenait-il pour de simples clochards, des vagabonds de la nuit ?

Se redressant soudain, il reprit sa course éperdue.

Après avoir franchi la large Ringstrasse qui encercle Vienne, bordée de brillants lampadaires et emplie de l'habituelle foule de noctambules blasés et revenus de tout, il continua jusqu'aux confins de la ville. Arrivé aux dernières maisons, il fit une nouvelle halte. Pour la première fois, il regarda ses mains – indemnes, guéries, débarrassées de leurs pansements. Ensuite, il leva le violon pour mieux le voir à la faible lueur venue de la ville, et l'examina attentivement. Il n'avait pas la moindre égratignure, son Stradivarius longuet. L'archet qu'il aimait tant était lui aussi intact.

Debout sur une petite butte, il leva les yeux vers le ciel, puis regarda cette Vienne qu'il venait de fuir. Les nuages bas reflétaient les lumières de la ville, faible lueur chaleureuse. Stefan était à la fois troublé, enivré et stupéfait.

Nous reprîmes notre forme matérielle. L'air froid de la nuit était empli de l'odeur balsamique des pins, à laquelle se mêlait celle de la fumée des lointaines cheminées.

Nous étions dans la forêt, non loin de lui, mais impuissants à lui apporter le moindre réconfort, à ce Stefan de jadis – plus d'un siècle s'était écoulé depuis ces événements. Immobile, son haleine se condensant devant lui, il tenait l'instrument avec d'infinies précautions, le regard perdu au loin, contemplant le mystère de ce qui s'était produit.

Quelque chose était horriblement anormal, il s'en rendait compte. Un mystère tellement monstrueux qu'il l'emplissait d'une angoisse infinie.

L'esprit Stefan, mon guide et compagnon, poussa un doux gémissement. Le personnage que nous observions ne gémissait pas, lui. Il avait conservé toutes les couleurs de la vie et une vibrante matérialité, et examinait ses vêtements, palpait son corps, sa tête, ses cheveux. Pas la moindre blessure. Les balles n'avaient laissé aucune trace. Il était indemne.

« Il est devenu un fantôme, dis-je. Depuis le premier coup de feu. Et il ne le sait pas ! » Soupirant doucement, j'observai mon Stefan, puis l'autre, son double, qui paraissait tellement plus innocent, plus désemparé, et plus jeune aussi, ne serait-ce que par son manque d'assurance. Le spectre qui se tenait à mes côtés avala sa salive ; ses lèvres humides luisaient dans la nuit.

« Tu es mort dans cette chambre. » A peine eus-je dit ces mots qu'une douleur si vive me transperça que je n'aspirais plus qu'à l'aimer, à le connaître de toute mon âme, à l'étreindre. Je l'embrassai sur la joue. Il se pencha vers moi, offrant son visage à mes baisers, son front dur et froid appuyé contre le mien, puis il me fit signe de regarder le lointain fantôme nouveau-né, là-bas.

Le jeune fantôme examinait ses mains miraculeusement guéries, son violon.

« *Requiem aeternam dona eis, Domine* », murmura mon compagnon avec amertume.

« Les balles t'ont transpercé, elles ont fracassé le violon », murmurai-je avec effroi.

Pris d'une vive agitation, l'autre Stefan tourna le dos à la ville et se mit en marche dans la forêt, se retournant fréquemment pour voir s'il n'était pas suivi.

« Mon Dieu, il est mort mais il ne le sait pas ! »

Mon Stefan, une main posée sur ma nuque, se contenta de sourire.

Un voyage en terre inconnue, sans but ni destination.

Nous le suivîmes dans son errance affolée, au sein du hideux brouillard de la contrée inconnue de Hamlet, ce mystérieux pays dont nul ne revient.

Un froid glacial m'envahit. En esprit, je me tenais devant la tombe de Lily – à moins que ce ne fût celle de Mère ? C'était l'heure suffocante et monstrueuse qui précède le deuil et les larmes, l'heure où tout n'est qu'horreur et épouvante. Regardez-le, il est mort, et son errance est sans fin.

Il traversa de pittoresques petites villes allemandes au toits en pente et aux rues tortueuses. Partout, nous le suivions, redevenus immatériels, avec pour seul repère notre vision partagée. Il traversa de grands champs vides, de nouvelles forêts aux arbres clairsemés. Nul ne le voyait. Pourtant, il entendait le bruissement des esprits qui s'assemblaient, et s'efforçait de distinguer ce qui s'agitait ainsi autour de lui, et aussi sous terre et dans les airs.

Le jour se lève.

Arrivé dans la grand-rue d'une bourgade, il s'approcha de l'étal du boucher et lui parla, mais l'homme ne le voyait ni ne l'entendait. Avisant la cuisinière, il la secoua par l'épaule, mais la femme ne réagit pas, ne se rendit compte de rien. Lui-même avait clairement vu et senti son geste, pourtant ; il était pris dans un déchirant conflit entre volonté et réalité.

Un prêtre arriva dans sa longue soutane noire, et salua les clients matinaux. Stefan l'agrippa des deux mains, le conjura de l'écouter. En vain : le prêtre ne pouvait ni le voir ni l'entendre.

De plus en plus affolé, il regardait la foule qui commençait à emplir les rues de la petite ville. Puis, l'air grave et solennel, il tenta désespérément de trouver une explication logique à ce qui lui arrivait.

Il voyait de plus en plus nettement les morts qui rôdaient autour de lui. Ce ne pouvaient être que des fantômes, ces formes humaines brisées, inachevées. Il les regardait avec des yeux exorbités, en proie à une terreur égale à celle qu'aurait ressentie un vivant face à ce spectacle.

Fermant les yeux, je vis le petit rectangle de la tombe de Lily, je vis les poignées de terre tomber sur le minuscule cercueil blanc. « Triana, Triana, Triana ! » criait Karl, et je ne cessais de répéter : « Je suis là, je suis avec toi ! » « L'œuvre de ma vie est ruinée, disait Karl. Regarde, Triana, ce ne sera jamais terminé, il n'y aura pas de livre, où sont les papiers, aide-moi, tout est perdu... »

Allez-vous-en, laissez-moi en paix !

Regarde cette figure : elle ne peut détacher son regard des autres ombres, qui se rapprochent comme si elles étaient irrésistiblement attirées par son éclat de jeune mort. La peur l'étreint ; il scrute leurs visages évanescents. De temps en temps, il crie d'un ton implorant le nom d'un mort qu'il a connu enfant, puis, le regard empli d'épouvante, retombe dans le silence.

Personne ne l'avait entendu crier ainsi.

Un gémissement de douleur m'échappa. Mon fantôme se blottit contre moi, comme s'il ne pouvait pas plus que moi supporter la vue de sa propre âme égarée, tellement vivante et belle avec sa cape et ses cheveux brillants, entourée d'une foule au teint aussi coloré que le sien, mais qui ne la voyait pas.

Au prix d'un grand effort, le jeune Stefan parvint à se calmer. Son regard avait l'éclat et la profondeur que donnent les larmes sur le point de couler. Il leva le violon et le regarda un moment, puis le porta à son épaule.

Il se mit à jouer. Les yeux fermés, il s'abandonna à sa terreur, exprimant son angoisse dans une danse folle qui lui aurait valu les applaudissements de Paganini, à la fois chant de révolte et hymne funèbre. Sans cesser de jouer cette musique qui nous transperçait comme un poignard, il ouvrit les yeux et réalisa qu'aucun des villageois et villageoises assemblés sur la petite place ne le voyait, que personne, pas un seul vivant, proche ou lointain, n'entendait le son de son violon.

Un moment, il perdit son éclat. Tenant le violon de la main droite et l'archet de la main gauche, il leva les bras comme pour se boucher les oreilles et baissa la tête, tremblant de tout son corps, les yeux exorbités, tandis que la couleur quittait ses joues. Les esprits qui tourbillonnaient autour de lui devenaient, eux, de plus en plus visibles.

Il secoua la tête, et, la bouche frémissante comme celle d'un petit enfant sur le point de pleurer, il murmura : « Maestro, Maestro ! Vous êtes prisonnier de votre surdité, et je suis prisonnier de la surdité des autres. Je suis mort, Maestro ! Aussi seul et isolé que vous ! Personne ne m'entend, Maestro ! » Ce n'était plus un murmure, mais un cri déchirant.

Des jours s'étaient écoulés. Ou des années ?

Accrochée à Stefan, mon guide dans ce monde de ténèbres indécises, frissonnant, bien que le froid ne fût pas réel, je regardais l'autre Stefan, qui avait repris sa marche. De temps à autre, il levait de nouveau son violon et en tirait une succession d'accords désespérés, puis s'interrompait soudain, avec une rage impuissante, les dents serrées, secouant la tête comme pour chasser un mauvais rêve.

Peut-être était-ce Vienne, de nouveau. Ou une ville italienne. Paris, peut-être. Je ne saurais le dire : dans mon esprit, les détails de cette période se mélangent à des souvenirs de lectures ou à des créations de ma propre imagination.

La voûte céleste n'était plus la mesure de toute nature, mais un dais recouvrant une existence qui n'avait plus rien de naturel, un immense tissu noir parsemé d'étoiles et de constellations indifférentes, pareil à un voile de deuil. Le matin, parfois, ce voile se levait.

Dans un cimetière aux tombes fastueuses, le vagabond fit halte. De nouveau, nous étions près de lui, invisibles. Il regardait les tombes, déchiffrant les noms gravés dans la pierre. Arrivé au caveau des Van Meck, il trouva le nom de son père. Avançant le bras, il gratta l'épaisse couche de mousse et de poussière qui couvrait la pierre.

Le temps n'était plus celui que mesurent les horloges. Il sortit sa montre de gousset et la regarda avec une stupéfaction croissante. Le cadran était muet.

Attirés par ses gestes emplis d'assurance et son teint coloré, d'autres esprits affluaient dans la brume mouvante. Il les observa, s'efforçant de distinguer leurs traits.

« Père ? murmura-t-il. Père ? ».

Effarouchés, les esprits se dispersèrent comme autant de ballons flottant dans le vent, que la moindre secousse imprimée aux cordes qui les retiennent à la terre suffit à faire aller de-ci de-là.

Il avait pleinement réalisé qu'il était mort ; ses traits résignés en témoignaient. Mort, définitivement et incontestablement mort. Plus que cela : il était isolé, non seulement des vivants, mais aussi des autres fantômes !

Du regard, il fouilla l'air et la terre, espérant trouver un spectre sensible aussi déterminé que lui, aussi désespéré. Il ne trouva rien.

Comprenait-il sa situation ? Voyait-il ce que mon Stefan et moi voyions maintenant ?

Oui, nous voyons tous deux ce qu'il voyait alors – ce que je voyais, sachant seulement que j'étais mort, mais ignorant pourquoi je continuais à parcourir cette terre, ignorant ce qu'il m'était possible de faire dans cette funeste perdition – sachant seulement que j'allais de lieu en lieu, sans attaches, sans obligations et sans réconfort, sachant seulement que j'étais devenu personne !

Notre errance nous amena dans une petite église, à l'heure de la messe. Elle était construite dans le style allemand – le style ancien, plus austère, avant que le rococo n'envahisse tout Vienne. Des arcs gothiques s'élevaient des colonnes ornées de rosaces. Les pierres des murs étaient massives et brutes. Les fidèles étaient visiblement des gens de la campagne. Presque tous étaient debout, faute de chaises.

Son apparence spectrale n'avait pas changé : toujours aussi solide, et peinte des couleurs de la vie.

Du fond de l'église, il observait la cérémonie ; l'autel était surmonté d'un dais rouge sang que soutenaient des saints gothiques émaciés, rongés, vénérables, aux postures un peu grotesques, devenus de pieuses cariatides.

Face au haut crucifix, le prêtre leva l'hostie consacrée ronde et blanche, le pain magique, corps et sang miraculeusement devenus comestibles. Une odeur d'encens monta à mes narines. Des clochettes retentirent. Les fidèles marmonnèrent une formule latine.

Tout tremblant, le fantôme de Stefan les regardait avec indifférence, comme un condamné regarde la foule anonyme assemblée autour de la potence. Mais il n'y avait pas de potence.

Il ressortit dans le vent et commença à gravir une colline, du même pas obstiné que j'imagine lorsque j'écoute la *Neuvième* de Beethoven. Il s'enfonça dans la forêt, montant de plus en plus haut. Peut-être ai-je vu de la pluie, puis de la neige, mais je n'en suis pas certaine. Peut-être avançait-il sur un tapis de feuilles mortes, entouré de feuilles jaunes qui tourbillonnaient ; une fois, il s'arrêta au bord d'une route, tout chancelant, et fit signe à une voiture qui passa sans s'arrêter.

« Mais comment cela a-t-il commencé ? demandai-je. Comment as-tu réussi à t'imposer ? Comment es-tu devenu ce monstre tenace qui me torture ? » Dans les ténèbres qui nous enveloppaient, je sentis sa joue, je sentis ses lèvres.

Oh ! cruelle question. Tu as mon violon. Tais-toi et regarde. Ou donne-moi l'instrument sur-le-champ. N'en as-tu pas vu assez pour savoir qu'il est mien, qu'il m'appartient, que je l'ai rapporté dans cette sphère au prix de mon sang ? Mais tu le tiens et je ne peux pas te l'arracher ; les dieux, s'ils existent, sont fous d'autoriser une chose pareille. Le Dieu des cieux est un monstre. Regarde, et apprends.

« Toi aussi, Stefan, apprends », répondis-je en serrant le violon sur mon cœur.

Cela ne fit qu'augmenter son désespoir et son désarroi. Dans les ténèbres impénétrables où il flottait à mes côtés, un bras autour de ma taille, la tête enfouie dans mon épaule, il gémit comme pour me faire partager sa douleur, ses mains couvrant les miennes, caressant le bois et les cordes du violon mais n'essayant pas de s'en emparer. Je sentis sa bouche caresser mes cheveux, trouver la courbe de mon oreille tandis qu'il se pressait contre moi, empli d'ardeur, tremblant, irrésolu. Je sentis monter en moi une chaleur qui semblait assez forte pour nous réchauffer tous deux.

Mon regard revint au jeune esprit errant.

Il neigeait.

Le jeune esprit regardait tomber les flocons. Il ne tarda pas à remarquer que ceux-ci ne touchaient ni sa cape ni ses cheveux, mais semblaient passer à quelque distance. Il essaya d'en attraper dans ses mains. Un sourire fugitif éclaira son visage.

La neige crissait sous ses pas. Le ressentait-il vraiment ou n'était-ce qu'une impression issue de sa propre volonté, de sa soif de réalité ? Sa longue cape dessinait une ombre noire dans les tourbillons de neige ; le capuchon rejeté en arrière, il cillait dans la blancheur silencieuse qui tombait du ciel.

Soudain, il sursauta. Un fantôme avait surgi devant lui, vagabond insubstantiel hantant la forêt ; c'était une femme drapée d'un suaire, menaçante, un de ces spectres qui prennent plaisir à susciter la terreur. Il la repoussa. Un coup avait suffi ; pourtant, cette rencontre l'avait ébranlé. Il s'enfuit en claquant des dents. La neige tombait si dru qu'un moment, je crus l'avoir perdu de vue, mais bientôt, sa forme noire réapparut devant nous.

De nouveau, le cimetière. Se tenant devant le portail, il observait l'étendue des tombes petites et grandes, lorsqu'il vit un fantôme errant passer non loin de lui, parlant tout seul comme un humain qui a perdu la raison, enchevêtrement arachnéen de cheveux hirsutes et de membres vacillants.

Il avança la main et poussa la grille. Était-ce pure imagination, ou avait-il réellement la force de bouger cet objet matériel ? Il n'insista pas, et, passant simplement à travers les hauts barreaux, il s'engagea sur le sentier hivernal couvert de feuilles mortes brunes, rouges et jaunes. Ici, il n'avait pas encore neigé.

Devant lui, un petit groupe d'humains en deuil s'était assemblé autour d'une humble tombe, dont la pierre était une simple pyramide. Beaucoup pleuraient. Finalement, tous se dispersèrent, à l'exception d'une femme âgée. S'éloignant de quelques pas, elle trouva un endroit pour s'asseoir au bord d'un monument richement sculpté, à côté d'un bas-relief représentant un enfant. Un enfant mort ! Cela éveilla ma curiosité.

L'enfant de marbre tenait une fleur à la main. L'espace d'un instant, je vis ma fille – mais nul monument ne se dressait sur la tombe de Lily –, puis la vision – ce cimetière d'un autre siècle – s'imposa de nouveau, avec au loin notre fantôme errant qui regardait fixement la femme endeuillée ; elle portait un bonnet noir garni de rubans de satin, et une ample jupe longue, qui n'appartenait plus à l'époque où Véra, dans sa robe moulante à la taille haute, avait précipitamment traversé un salon pour secourir son frère.

Le fantôme se rendait-il compte que plusieurs décennies s'étaient écoulées ? Sans quitter la femme des yeux, il s'avança et passa devant elle pour éprouver son invisiblité, puis hocha méditativement la tête. Était-il résigné, maintenant, à l'épouvante absolue de cette existence sans objet ?

Soudain, son regard se posa sur la tombe autour de laquelle le petit groupe s'était assemblé. Il vit le nom gravé sur la pyramide.

Je le vis en même temps que lui.

Beethoven !

Un cri s'échappa de la bouche de Stefan, un cri propre à réveiller tous ceux qui dormaient dans la tombe. Portant à ses tempes les mains qui tenaient l'instrument et l'archet, il rugit de nouveau : « Maestro ! Maestro ! »

La femme en deuil n'entendit rien, ne remarqua rien. Elle ne vit pas le fantôme se jeter face contre terre, lâcher le violon, griffer la poussière.

« Maestro, où êtes-vous ? Où êtes-vous allé ? Quand êtes-vous mort ? Je suis seul au monde ! Maestro, c'est Stefan, secourez-moi. Plaidez ma cause devant Dieu ! Maestro... »

C'était une agonie.

Angor animi.

Le Stefan qui se tenait à mes côtés était agité de tremblements convulsifs. La douleur brûlante qui me tenaillait gagna mon cœur et mes poumons. Le jeune homme sanglotait, étendu devant le monument négligé, parmi les fleurs que la femme y avait déposées. Il frappa la terre du poing.

« Maestro ! Pourquoi ne suis-je pas allé en enfer ? Ou ceci est-il déjà l'enfer ? Maestro, où sont les fantômes des damnés, dans cette damnation ? Oh ! qu'ai-je fait ! Maestro, Maestro... » C'était de la douleur à l'état pur. « Maestro, mon maître adoré, mon bien-aimé Beethoven... »

Ses sanglots étaient silencieux, et il ne versait pas une larme.

La femme en deuil continuait à regarder la pierre tombale portant le nom de Beethoven. Elle égrenait très lentement les perles d'un simple rosaire noir et argent. Le même rosaire austère qu'utilisaient les nonnes lorsque j'étais petite. Ses lèvres bougeaient. Son visage étroit était éloquent, tandis qu'elle priait, les paupières mi-closes ; je distinguais ses fins cils gris, son regard fixe comme si elle méditait réellement sur les saints Mystères. Que voyaient-ils, ses yeux ?

Elle n'avait entendu aucun cri, aucune lamentation ; elle était seule dans son humanité, de même qu'il était seul, lui, l'esprit. Les feuilles jaunes et rouges formaient un tapis autour d'eux, les arbres dressaient leurs bras dénudés vers un ciel sans espoir.

Au bout d'un long moment, il se ressaisit. Péniblement, il se mit à genoux puis se leva, et, prenant le violon, ôta précautionneusement la terre et les débris de feuilles mortes. C'était l'image même du désespoir.

La femme continuait à égrener son chapelet, interminablement. J'entendais presque ses prières. Elle disait ses *Ave Maria* en allemand. Elle en était à la cinquante-quatrième perle, le dernier *Ave* du dernier dizain. Mon regard se tourna vers l'enfant sculpté dans le marbre. Quelle stupide coïncidence, à moins qu'il ne m'eût présenté délibérément cette scène, avec l'enfant de marbre blanc et la femme en noir. Sans oublier le chapelet, un chapelet pareil à celui que Rosalind et moi avions cassé en nous disputant après la mort de notre mère – « il est à moi ! ».

Cesse ces vaines sottises. Ce que tu vois s'est réellement produit ! Crois-tu que je les trouve dans ton esprit, ces désastres qui ont dénaturé mon âme et m'ont fait ce que je suis ? Je te montre ce que je suis, je n'invente rien. Ma souffrance est telle que l'imagination est sans objet. Je suis la victime d'un destin qui devrait t'enseigner la crainte et la compassion. Rends-moi mon violon.

« Et *toi*, cela t'a-t-il appris la compassion ? demandai-je. Toi, qui voudrais pousser les gens à la folie avec ta musique ? »

Ses lèvres effleurèrent mon cou, ses ongles s'enfoncèrent dans mon bras.

Le jeune fantôme brossa les feuilles mortes qui couvraient sa cape doublée de fourrure, exactement comme le ferait un humain, et les regarda, hébété, tomber au sol. Il se tourna de nouveau vers la tombe où le nom de Beethoven était gravé dans la pierre.

Lentement, il prit le violon et l'archet et commença à jouer. Cette fois, c'était un thème familier, un thème que je portais dans mon cœur : le tout premier motif que j'avais mémorisé quand j'étais jeune, le thème principal du seul concerto pour violon et orchestre de Beethoven. Une mélodie pleine de verve et de fantaisie, trop joyeuse pour avoir été composée par le Beethoven des symphonies héroïques et des quatuors mystiques, un air que même une godiche comme moi, absolument pas douée pour la musique, pouvait apprendre par cœur en l'espace d'une soirée, en écoutant un vieux génie l'interpréter.

Stefan le jouait avec une telle douceur que ce n'était plus qu'un hommage, dénué de toute tristesse. Pour vous, Maestro, cette musique enjouée que vous avez composée, cet air pour violon que vous avez composé quand vous étiez jeune, avant que le terrible silence ne s'abatte sur vous, vous coupant du monde, vous précipitant dans un vide où vous ne pouviez écrire qu'une musique monstrueuse.

J'aurais pu l'accompagner en la chantant, cette mélodie. Avec quelle perfection elle s'élevait dans l'air nocturne ! Entièrement absorbé par la musique, le fantôme lointain jouait dans une immobilité presque totale, entrelaçant avec brio l'air pour violon et les parties orchestrales, comme il l'avait déjà fait en jouant une autre composition musicale pour Paganini, il y avait si longtemps de cela.

Il attaqua la cadence, morceau de virtuosité reprenant et développant tous les thèmes dans une orgie d'inventivité. Il donna libre cours à cette imagination créatrice – avec fraîcheur et éclat, et une paisible sérénité. Ses traits détendus exprimaient la résignation. Au fur et à mesure qu'il jouait ainsi, je sentais mon corps faiblir, se laisser aller entre ses bras. Il me semble que je saisis alors ce que j'avais essayé de lui faire comprendre :

Le chagrin est sage. Le chagrin ne pleure pas. Il ne vient que longtemps après l'épouvante qui nous saisit à la vue de la tombe, ou au chevet du lit. Le chagrin est sage ; le chagrin est imperturbable.

Silence. Il était arrivé à la fin. La dernière note s'attarda au-dessus du cimetière puis mourut. Seule la forêt continuait à chanter sa petite musique coutumière, émise par de minuscules instruments organiques, trop nombreux pour en faire le compte : oiseaux, feuilles mortes, sauterelles cachées sous les fougères. Dans la nuit grise, le vent était doux et humide.

« Maestro, murmura-t-il. Que la Lumière perpétuelle vous éclaire... » Il s'essuya la joue. « Que votre âme, et les âmes de tous les fidèles, reposent en paix. »

La femme en deuil, à la silhouette alourdie par le bonnet et l'ample jupe, se leva lentement de son siège, à côté de l'enfant de marbre, et s'approcha de lui. Elle le voyait !

Le prenant par le bras, elle dit en allemand : « Merci d'avoir fait cela, beau jeune homme. Merci d'avoir joué cette pièce avec un tel talent, une telle émotion. »

Il ne put que la regarder, muet de surprise.

Il avait peur. Oui, le jeune fantôme avait peur. Il la considéra avec perplexité, n'osant pas parler. Elle lui caressa la joue et reprit :

« Vous êtes béni des dieux, jeune homme. Merci, merci d'avoir joué ainsi, surtout en un tel jour. J'aime tant cette musique. Depuis toujours. Seul un lâche pourrait ne pas l'aimer. »

Il ne lui répondit pas, toujours incapable de parler.

Avec une politesse apparemment innée, elle se retira, détournant les yeux pour ne pas gêner sa méditation, et commença à remonter l'allée.

Il lui cria alors : « Merci, madame. »

La vieille dame se retourna et, inclinant légèrement la tête, elle ajouta :

« Oui, surtout en un tel jour. C'est sans doute la dernière fois que je viens ici. Vous savez certainement que sa tombe sera bientôt transférée. On va le mettre au nouveau cimetière, avec Schubert.

– Schubert ! » s'exclama-t-il à mi-voix.

Il réussit à cacher l'émotion qui l'étreignait.

Schubert était mort jeune, mais comment cette pauvre parodie d'homme aurait-elle pu le savoir, coupée de tout, errant sans fin dans l'éther ?

Les mots étaient superflus. Nous le savions tous : la gardienne de la mémoire, le jeune fantôme d'antan, le fantôme qui m'étreignait, et moi. Oui, Schubert, le grand créateur de mélodies, était mort jeune, trois ans à peine après avoir rendu visite à Beethoven sur son lit de mort.

Pétrifié, le jeune fantôme la suivit des yeux jusqu'au portail du cimetière.

« C'est donc ainsi que tout a commencé ! » dis-je à voix basse, sans pouvoir détacher mon regard du fantôme visible, du fantôme puissant.

« Quelle force a poussé cet esprit à devenir visible ? lui demandai-je. Il y avait, certes, la femme assise à côté de l'enfant de marbre, mais connais-tu la nature de ce don sombre et secret qui t'a fait revenir du royaume des morts ? As-tu jamais médité ces leçons auparavant ? »

Il ne voulut pas me répondre.

14

Il ne répondit pas.

Frappé de crainte et de terreur, le jeune fantôme attendit que la femme en noir eût disparu au loin, puis, se reculant d'un ou deux pas, scruta le ciel – le ciel hivernal de Vienne, d'un gris sale – avant de baisser les yeux pour contempler solennellement la tombe.

Tout autour de lui, s'attroupaient les morts hirsutes et désorientés, plus nombreux que jamais, et de plus en plus hardis. Qu'il était affreux, le spectacle qu'offraient ces esprits !

Vois-tu quelqu'un que je puisse implorer ? Crois-tu que ta Lily erre dans ces ténèbres confuses, ou ton père, ta mère ? Non. Regarde mon visage. Regarde ce que cette prise de conscience provoque en moi, ce sentiment que la solitude exacerbe et cristallise. Où sont mes compagnons dans la mort, quels qu'aient été leurs péchés et les miens ? Pas même des monstres exécutés pour des crimes avérés ne viennent me tendre la main. Je suis seul, isolé de toutes ces lugubres épaves que tu vois. Observe mon visage. Regarde, et tu verras comment tout a commencé. Regarde la haine.

« Regarde-la, *toi* ! m'écriai-je. Regarde et laisse-la t'instruire ! »

Je ne la vis qu'un bref instant en considérant la silhouette immobile. Les traits durcis exprimaient un total mépris pour ces morts informes ; le regard fixé sur la tombe était impassible et froid.

C'est le crépuscule.

Un autre cimetière nous entoure. Les tombes sont neuves et d'une splendeur ostentatoire. Le monument que nous cherchons ne doit pas être loin. Ah ! le voilà : « A Schubert et Beethoven. » Leurs effigies sculptées dans la pierre donnent l'impression qu'ils étaient amis, alors que dans la vie ils se connaissaient à peine. Et, devant cette chose monumentale, le jeune Stefan devenu visible joue une impétueuse sonate de Beethoven, à laquelle il mêle habilement ses propres accords. Une petite foule de jeunes femmes l'écoute, captivées ; l'une d'elles pleure à chaudes larmes.

Je l'entendais. Oui, je l'entendais pleurer. Ses pleurs se mêlaient aux sanglots du violon, et le visage du fantôme était aussi lugubre que celui de la jeune femme qui se tenait le ventre de douleur ; il étirait les longues notes vibrantes, faisant se pâmer son auditoire.

Ç'aurait pu être Paganini au Lido, entouré de ses adoratrices, ce violoniste magique, certainement anonyme, maintenant vêtu à la mode de la fin du siècle, qui jouait pour les vivants et pour les morts, levant fréquemment les yeux sur celle qui pleurait.

« Tu avais besoin de leur souffrance, tu t'en nourrissais ! lui dis-je. Tu y puisais ta force. Depuis que tu ne jouais plus tes délirants et funèbres chants tsiganes, mais une musique pure et altruiste, elles pouvaient te voir. »

Tu parles sans réfléchir. Altruiste ! Ai-je jamais été altruiste ? Et toi, est-ce par altruisme que tu gardes mon violon ? Est-ce de l'altruisme que tu ressens en observant cette scène ? Je ne me nourrissais pas de sa douleur, mais sa douleur lui a ouvert les yeux et elle a pu me voir. D'autres yeux aussi se sont ouverts à moi, et ce chant, il venait de moi, de mon talent, de ce don que j'avais reçu dans la vie naturelle et que j'y avais développé. Tu n'as aucun don de la sorte. Mais tu as mon violon ! Tu es une voleuse, aussi sûrement que mon père était un voleur, un voleur pareil au feu qui a failli le dévorer.

« Tout en me faisant ce sermon, tu me tiens dans tes bras. Je sens tes lèvres. Je sens tes baisers. Je sens tes mains sur mes épaules. Pourquoi ? Pourquoi cette tendresse alors que tu craches ta haine à mon oreille ? Pourquoi ce mélange d'amour et de rage ? Que puis-je te donner de bon, Stefan ? Je te le répète, observe ta propre histoire. Je ne te rendrai pas un instrument qui te sert à rendre les gens fous. Montre-moi tout ce tu voudras – je ne te le rendrai pas. »

Il me murmura à l'oreille :

Cela te fait penser à ton défunt mari ? Quand les médicaments l'avaient rendu impuissant et qu'il se sentait tellement humilié ? Souviens-toi de son visage, de son visage hagard, de ses yeux vitreux au regard glacé. Il te haïssait. Tu compris alors que la maladie avait fini par prendre le dessus.

Je ne te tiens pas dans mes bras parce que je t'aime. Et il ne t'aimait pas davantage. Je te serre contre moi parce que tu es vivante. Ton mari te prenait pour une sotte, avec une belle maison qu'il emplissait de luxueuses babioles, porcelaine de Dresde, bureaux incrustés de motifs exotiques et d'or moulu. Il t'éblouissait avec les plus beaux cristaux de France et faisait briller les lustres, il couvrait ton lit de coussins de brocart.

Et toi, toi, la tête pleine de ces choses, et te sentant tellement héroïque d'avoir épousé cet homme malade et fragile, tu as laissé Faye, ta sœur chérie, partir à l'aventure. Tu ne l'aimais pas réellement, tu n'as rien fait pour l'en empêcher. Tu ne l'as pas vue prendre le journal de ton père et le lire, page après page ! Tu ne l'as pas vue, dans l'attique, fixer longuement la porte de la chambre où vous étiez couchés, toi et ton nouveau mari, Karl. Tu n'as pas senti combien elle était fragile, ébranlée, se sentant chassée de la maison de son propre père par ce nouveau drame – Karl, l'homme riche, dont tu te nourrissais aussi certainement que je me suis jamais nourri de ta douleur. Tu ne l'as pas vue réduite au rang d'orpheline par les mots de son père, des paroles de jugement, de déception, de condamnation. Tu n'as pas compris sa souffrance !

« Vois-tu la mienne ? » J'essayai de le repousser. « Vois-tu ma souffrance ? Tu prétends que la tienne est supérieure à la mienne, plus profonde, parce que tu as tué ton père de ta propre main ? Je suis aussi peu douée pour ce genre de crime que pour le violon. Nous avons en commun, je te l'accorde, un certain talent pour la souffrance et pour le deuil, et aussi cette passion pour la majesté et l'insondable mystère de la musique. Crois-tu pouvoir m'extorquer de la compassion en me plongeant de force dans des souvenirs de Faye qui me sont intolérables ? Tu n'es qu'une pauvre chose morte et souffreteuse ! Oh si ! j'ai vu la douleur de Faye, j'ai perçu sa souffrance, et je l'ai laissée partir, oui, j'ai laissé partir Faye, j'ai fait cela ! J'ai épousé Karl, et Faye en a été blessée. Faye avait besoin de moi. »

Éplorée, je tentai de me libérer de son étreinte. Mais j'étais comme paralysée. Je ne pouvais faire plus que détourner la tête et tenir le violon hors de sa portée. J'aurais voulu être seule pour pleurer, pleurer à n'en plus finir. Je ne voulais rien d'autre que pleurer, je ne voulais entendre rien d'autre que ces sons qui sont l'écho éternel des larmes, comme si les sanglots étaient l'unique son digne d'exprimer la vérité

Il m'embrassa sous le menton, puis dans le cou. Son corps tout de patience et de douceur vibrait d'une tendre ardeur, ses mains caressaient mon visage avec adoration, mais il baissait la tête, de honte peut-être. D'une voix brisée, il prononça mon nom :

Triana !

« Je vois que l'amour t'a donné ton nouvel élan et ta force, dis-je. L'amour du Maestro. Mais quand as-tu commencé à les rendre folles, à les faire souffrir ? A moins que ce ne soit en mon honneur que tu as adopté ce nouveau comportement ? Moi, Triana Becker, femme quelconque et sans talent, habitant la blanche villa de l'avenue ? Non, je n'étais certainement pas la première. Au service de qui es-tu ? Pourquoi m'éveilles-tu lorsque je rêve de cette mer splendide ? Crois-tu vraiment que tu sers l'homme dont la tombe a suscité en toi une telle douleur que tu as pris une forme matérielle ?

Il gémit, comme pour me supplier de me taire.

Mais je continuai, implacable.

« Crois-tu que tu servais le Dieu que tu priais ? Quand as-tu commencé à attiser la douleur lorsque celle-ci n'était pas assez vive pour te donner forme ? »

Une autre scène apparut. Des tramways passaient en ferraillant. Une femme en robe longue était étendue sur un lit aux courbes sensuelles – art nouveau, sans doute. La fenêtre était garnie de vitraux dans le style exubérant de l'époque. Près du lit, un phonographe au bras renflé, au plateau immobile et poussiéreux.

Stefan jouait pour elle.

Elle l'écoutait, des larmes brillantes perlaient à ses paupières – oui ! les indispensables larmes, les larmes éternelles. Que les larmes reviennent aussi souvent dans ce récit que n'importe quel autre mot du langage quotidien. Que l'encre se transforme en larmes, qu'elles imprègnent le papier !

Elle écoutait avec des larmes scintillantes, elle dévorait du regard le jeune homme vêtu d'un veston moderne parfaitement ajusté, ses cheveux de satin toujours aussi longs – comme s'il ne voulait pas y renoncer, bien qu'il se fût certainement rendu compte qu'il pouvait changer de forme à volonté – tandis qu'il jouait pour elle sur cet instrument céleste.

C'était un air flamboyant que je ne pus identifier, peut-être une de ses propres compositions, basculant parfois dans la dissonance qui caractérisait déjà la musique du début de notre siècle. Une pulsation véhémente, une protestation, un rejet de la nature et de la mort. La tête encadrée de velours vert, elle pleurait, cette élégante créature qui semblait sortir d'un vitrail art déco avec sa robe frivole, ses escarpins pointus, ses légères boucles rousses.

Il s'arrêta de jouer. Tenant ses superbes armes contre son flanc, il la regarda tendrement puis vint s'asseoir à côté d'elle sur la couche incurvée. Il l'embrassa – l'embrassa, oui, aussi visible et palpable pour elle qu'il l'était pour moi, et ses cheveux retombaient sur elle, comme ils retombaient sur moi en ce moment même dans ces ténèbres éthérées et sans limites d'où nous l'observions.

« Il y a longtemps de cela », dit-il dans un allemand plus moderne que j'avais moins de mal à comprendre, « Le grand Beethoven avait une amie endeuillée, Bettina Brentano. Il l'aimait tendrement, aussi tendrement qu'il aimait tant de gens. Tsss.... Ne croyez pas un mot des mensonges que l'on raconte à son sujet. Il avait de nombreuses amours. Et lorsque Bettina Brentano était en proie à la douleur, il venait dans sa maison de Vienne, à l'insu de tous. Pour soulager sa douleur, il jouait pour elle des heures durant, au pianoforte. La musique emplissait la vaste demeure, traversait les plafonds et parvenait à ses oreilles pour lui apporter le réconfort et atténuer sa peine. Il repartait avec la même discrétion, sans saluer quiconque. A cause de cela, elle l'aimait.

– Comme je t'aime », dit la jeune femme.

Était-elle morte maintenant, depuis longtemps peut-être, ou seulement très âgée ?

« L'as-tu rendue folle ? »

Je n'en sais rien ! Regarde, plutôt. La profondeur de tout ceci t'échappe !

Levant ses bras nus, elle enlaça le fantôme, enlaça cette forme solide apparemment virile et passionnée, empli de désir pour elle, pour sa chair dorlotée, avide de ses larmes qu'il léchait de sa langue spectrale, spectacle soudain si monstrueux que la vision s'effaça.

Lécher ses paupières, ses larmes salées, lécher ses yeux. Assez !

« Lâche-moi ! » criai-je en me débattant. Je martelai ses pieds de mes talons, je rejetai la tête en arrière et entendis le choc de nos crânes se heurtant. « Lâche-moi ! »

Donne-moi le violon et je te libérerai. Ah ! les yeux... Les yeux de Lily sont-ils toujours dans un bocal ? Tu les avais autorisés à la disséquer, t'en souviens-tu ? Pourquoi, d'ailleurs – pour t'assurer que, par négligence ou stupidité, tu ne l'avais pas assassinée ? Les yeux. Te souviens-tu des yeux ? Les yeux de ton père étaient restés ouverts quand il est mort, et ta tante Bridget t'avait dit : « Veux-tu les fermer, Triana ? » en t'expliquant quel honneur c'était de fermer les yeux d'un père mort, et en te montrant comment s'y prendre...

J'avais beau me débattre, je ne pouvais me dégager de son étreinte.

Une musique s'éleva, inquiétante et sauvage, mais son violon couvrait aisément le battement des tambours.

As-tu même regardé ta mère dans les yeux, ce jour où tu l'as laissée partir à la mort ? Elle est morte d'une attaque, stupide fille, elle aurait pu être sauvée, elle n'était pas usée, elle était seulement dégoûtée de la vie et de toi et de ses autres enfants crasseuses, de son mari craintif et puéril.

« Assez ! »

Soudain, je le vis, mon ravisseur. Nous étions visibles. Les ténèbres cédaient place progressivement à la lumière. Il était à quelques pas de moi. Tenant le violon, je lui lançai un regard furieux.

« Va au diable avec tes visions ! Oui, j'avoue, je le reconnais : je les ai tous tués, j'en suis la seule responsable. Si Faye est morte, allongée sur la table de la morgue, c'est ma faute ! Oui, ma faute ! Que ferais-tu de ce violon si je te le rendais ? Pousser une autre femme à la folie ? Te repaître de ses larmes ? Tu me fais horreur. Ma musique, c'était mon bonheur, ma joie. Ma musique était pure transcendance ! Qu'est la tienne, sinon cruauté et bassesse ?

– Et pourquoi pas ? » dit-il calmement. Se rapprochant de moi, il enserra traîtreusement mon cou de ses mains. Je ne suppporte pas cela, même quand c'est quelqu'un que j'aime; je ne supporte pas que l'on me touche à cet endroit si doux, si fragile. Mais je n'allais pas tomber dans son piège en essayant de le repousser.

« As-tu la force de me tuer? lui demandai-je. Disposes-tu aussi de ce pouvoir, dans ce vide, du pouvoir de tuer comme tu as tué ton père ? Si oui, fais-le. Peut-être sommes-nous au seuil de la mort, et tu es le dieu qui tient la balance où sera pesé mon cœur. Est-ce le jour du jugement, dois-je expier tout ce que j'ai jamais chéri au cours de ma vie ?

« Non ! » s'écria-t-il avec véhémence. Visiblement ébranlé, il se remit à pleurer. « Non. Regarde-moi ! Ne vois-tu pas ce que je suis ? Ce qu'il est advenu de moi ? Tu ne comprends donc pas ? Je suis perdu. Je suis seul. Quiconque parcourt le vide au même rythme que moi est aussi seul que moi ! Nous, les spectres visibles et puissants, car il en existe sûrement d'autres, nous ne pouvons ni communier ni communiquer entre nous... Te redonner Lily ? Si c'était en mon pouvoir, je le ferais ! Ta mère ? En un clin d'œil, si je savais comment m'y prendre ! Oui, pour qu'elle vienne réconforter cette fille qui a pleuré sa mère toute sa vie durant, en vain. Et c'est avec toi, avec toi, oui, en revisitant cette souffrance, devant la maison de mon père en proie aux flammes, que j'ai vu pour la première fois l'ombre de Beethoven ! Son fantôme ! Il était venu *pour toi, Triana !*

– Ou pour te faire échec, Stefan, dis-je d'un ton mielleux. Pour brider ta magie, ta sorcellerie à la fois naïve et puissante. Ce violon est fait de bois, tu es un être de chair, et je suis chair, bien que l'un de nous soit vivant, et l'autre, le produit d'une avidité implacable...

– Non, murmura-t-il. Ce n'est pas de l'avidité. Ça ne l'a jamais été.

– Laisse-moi partir. Peu m'importe si tout cela est folie, rêve ou sorcellerie. Je veux me libérer de toi !

– Tu ne peux pas.«

Je sentis le changement. Nous nous dissolvions. Seul le violon, entre mes bras, conservait sa forme. Nous étions de nouveau invisibles, dénués de substance comme de volonté. L'inquiétante musique reprit son rythme obsédant, et la scène apparut.

Un homme était agenouillé, les mains sur les oreilles, mais Stefan le violoniste ne lui laissait pas un instant de répit, couvrant le battement des tambours que frappaient des hommes à moitié nus, à la peau couleur de café, marquant le rythme sans quitter des yeux le sinistre violoniste, qu'ils suivaient malgré la peur qu'il leur inspirait.

La scène s'estompa pour faire place à une brève vision : une femme frappant du poing ce spectre tenace, qui jouait sans cesse une lamentation funèbre.

Ensuite, apparut une cour d'école avec de grands arbres feuillus. Les enfants faisaient la ronde autour du violoniste, comme s'il se fût agi du joueur de flûte de Hamelin. Une institutrice arriva, poussa un cri d'alarme, et essaya de rassembler les enfants, mais sa voix était couverte par le *cantabile* du violon.

Que vis-je encore ? Des silhouettes s'étreignant dans la nuit, des murmures tout proches ; je le vis sourire, puis une femme offerte cacha sa forme scintillante.

Les aimer, les rendre folles, cela revenait au même au bout du compte, car toutes mouraient ! Elles étaient mortelles. Pas moi. Et ce violon est mon trésor immortel ; si tu ne me le rends pas, je t'arracherai à la vie pour te précipiter à jamais dans cet Enfer que je hante.

Nous étions arrivés dans un lieu bien précis, aux contours parfaitement nets. Le ruban d'un long plafond s'étendait au-dessus de nos têtes. C'était un couloir.

« Mais je connais ces murs blancs... Je connais cet endroit... » Ma gorge se serrait, j'avais une terrifiante impression de déjà-vu.

Des carreaux de céramique crasseux. Le violon démoniaque se fit entendre de nouveau, mais c'était moins de la musique qu'une torture grinçante, insistante.

« J'ai vu ce lieu dans un rêve, dis-je. Ces murs carrelés de blanc, regarde, et ces placards métalliques. Les énormes machines à vapeur. Et le portail, regarde ! »

Pendant un précieux instant, tandis que nous nous tenions devant le portail rouillé, le rêve me revint dans toute sa splendeur, le rêve où il n'y avait pas seulement ce sinistre passage souterrain fermé par une grille, mais aussi le magnifique palais de marbre, et avant cela la mer lumineuse et infinie dont naissaient des esprits dansant dans l'écume, qui me semblaient maintenant bien moins misérables que ces spectres que nous avions regardés avec épouvante : des êtres libres et sains nés du brillant éclat et de l'ampleur des vagues – chrysalides de la vie elle-même. Des roses éparpillées sur le sol. « Le moment est venu. »

Mais nous ne voyions que le portail et le sombre tunnel, dans le vrombissement sourd des machines, et il jouait du violon dans le passage obscur, mais cette fois personne ne parlait, et regarde ! voici l'homme mort – non, mourant, le sang épais s'écoulant lentement de ses poignets tailladés.

« C'est toi qui l'as poussé à faire cela, n'est-ce pas ? Pour me montrer que je ferais mieux de céder à tes instances ? Jamais ! »

J'avais chassé sa propre musique de sa tête, en y substituant la mienne ! C'était devenu un jeu, aussi. Dans ton cas, j'aurais chassé le Maestro et Mozart, le petit génie, mais tu aimais ce que je jouais. Pour toi, la musique n'était pas le bien, menteuse ! La musique te servait à t'apitoyer sur toi-même. La musique entretenait des relations incestueuses avec les morts ! As-tu dans ton esprit enterré ta petite sœur Faye ? L'as-tu étendue dans une morgue anonyme, préparant déjà à son intention de somptueuses funérailles ? Grâce à l'argent de Karl, tu pourras lui acheter une jolie boîte, à ta sœur, glacée et tellement seule à l'ombre de ton défunt père, ta petite sœur regardant ton nouveau mari prendre la place de celui-ci dans la maison, flamme bénie qu'il t'a été si facile de trahir !

Me retournant dans l'étreinte invisible de ses bras, je levai un genou et le frappai, fort, aussi violemment peut-être qu'il avait frappé son propre père. Je le repoussai des deux mains. En un éclair, je le vis.

Les autres images disparurent. Il n'y avait plus de carreaux blancs, plus de vrombissement de machines. Même la puanteur s'était dissipée. La musique aussi. Aucun écho n'indiquait que nous étions dans un espace clos.

Il s'écarta brusquement de moi, le Stefan qui était venu à moi à La Nouvelle-Orléans, comme s'il tombait en arrière, puis revint à la charge, essayant de s'emparer du violon.

« Oh non ! Il n'en est pas question ! » Je le frappai de nouveau du genou. « Tu ne l'auras pas ! Non ! Tu ne recommenceras pas la même chose avec d'autres. Il est entre mes mains, et le Maestro en personne t'avait demandé pourquoi ! Pourquoi, Stefan ? Oui, tu m'as donné la musique, et tu m'as donné aussi l'excuse parfaite pour confisquer l'origine de ce don. »

Tenant le violon et l'archet à bout de bras, je levai le menton avec défi.

Il porta la main à ses lèvres.

« Je t'en supplie, Triana ! J'ignore la signification de ce que tu dis, ou de ce que je dis. Je t'en conjure ! Il m'appartient. Je suis mort pour lui. Lorsque je l'aurai, je partirai loin de toi. Tu seras libre, Triana ! »

Était-ce du pavé que je sentais sous mes pieds ? Quel était ce nouveau rêve lucide qui se préparait ? A quelles révélations fallait-il encore s'attendre ? Des bâtiments aux contours rendus imprécis par le brouillard. Un souffle de vent glacial.

« Reviens vers moi sous une forme charnelle et solide, et je le fracasse sur ta tête, je le jure !

– Triana.... » Il était atterré.

« Si jamais tu me touches, je le briserai ! J'en fais le serment. »

Tenant fermement le violon et l'archet à bout de bras, je fis mine de l'en frapper. Pris de panique, il se recula vivement.

« Tu ne peux pas faire cela, Triana. » Son ton était implorant. « Je t'en supplie, rends-moi le violon. J'ignore comment tu as réussi à t'en emparer. Par quelle justice, quelle ironie du sort ? Tu m'as dupé, Triana ! Tu m'as tendu un piège et tu me l'as volé ! Mon Dieu, toi, toi et tous les autres...

– Ce qui signifie quoi, mon chéri ?

– Que tu... que tu as des oreilles qui savent écouter de telles mélodies, de tels thèmes...

– Certes, tu sais créer des mélodies et des thèmes – et des souvenirs, aussi. Les plaisirs que tu donnes coûtent cher, je dois dire. »

Il secoua frénétiquement la tête en signe de dénégation. « Des airs créés pour toi, des chansons pleines de fraîcheur, presque de vie ! En levant les yeux vers ta fenêtre, j'ai aperçu ton visage, et j'ai ressenti ce que les vivants appellent l'amour, mais je ne me souviens pas...

– T'imagines-tu que cette tactique va m'amadouer ? Je t'ai déjà dit que j'ai une justification. Tu dois cesser de hanter les vivants. Je le tiens comme si c'était ton membre viril, ce violon. Nous ne connaîtrons sans doute jamais les véritables règles de ce jeu, mais il est entre mes mains, et tu n'es pas assez fort pour le reprendre. »

Je me détournai de lui. *C'était* du pavé, dur sous mes pas. Et ce vent froid était bien réel.

Je me mis à courir. Je crus entendre le bruit d'un tramway.

Mes pieds frappaient le pavé inégal. L'air était glacial, mordant, détestable. Je ne voyais qu'un ciel uniformément blanc, des arbres grisâtres dépouillés de leur feuillage, de massives façades d'une transparence spectrale.

Je courais, courais sans m'arrêter. Mes pieds étaient douloureux, mes orteils devenaient insensibles. Le froid me fit verser mes premières larmes dénuées de signification. Mes poumons étaient douloureux. Courir, courir pour échapper à ce rêve, à cette vision, pour me retrouver, pour être de nouveau Triana.

De nouveau, un bruit de tramway. Des lumières. Je m'arrêtai, le cœur battant à se rompre.

J'avais tellement froid aux mains qu'elles me faisaient mal. Prenant le violon et l'archet sous le bras, je suçai les doigts de ma main droite pour les réchauffer, les humectant avec mes lèvres froides et gercées avant de les enfoncer dans ma bouche. Ciel! c'était le froid de l'Enfer. Le vent transperçait mes vêtements.

Je n'avais sur moi que les légers habits que je portais lorsqu'il m'avait enlevée. De la soie, une tunique en velours.

« Réveille-toi ! m'écriai-je, face au vent. Retrouve ta place. Reviens à ta vraie place. Mets fin à ce rêve ! »

Combien de fois déjà n'avais-je pas réussi à sortir d'une rêverie, d'un rêve lucide ou d'un cauchemar pour me retrouver dans le lit à colonnes de la chambre octogonale, entourée du bruit familier de la circulation sur l'avenue ? Et si c'est de la folie, je n'en veux pas, je m'y refuse !

Plutôt vivre dans la souffrance que tolérer cela.

Mais « cela » était trop réel, d'une solidité trop matérielle.

Tout autour de moi, des édifices modernes se dressaient vers le ciel. Le long des rails en courbe, un tramway arrivait : deux voitures accouplées, lisses et luisantes, manifestement de notre époque. Non loin, un cube aux couleurs criardes attira mon regard ; ce n'était rien de plus qu'un kiosque à journaux, ouvert en dépit du froid hivernal, ses frêles cloisons couvertes de magazines multicolores.

Je courus dans cette direction. Je connaissais cet endroit. Mon pied se prit dans un rail. En tombant, j'eus le réflexe de me tourner de côté de sorte que mon coude heurta la chaussée, et non le violon.

Je me relevai.

La façade, juste au-dessus de moi, portait en grandes lettres des mots qui ne m'étaient pas inconnus :

HÔTEL IMPÉRIAL.

C'était Vienne, de nouveau, mais la Vienne de mon époque, la Vienne du temps présent. Comment était-ce possible ? Je ne pouvais me réveiller ailleurs que là où tout avait commencé !

Je me mis à danser, tournant sur moi-même, frappant le sol de mes pieds. Réveille-toi !

Rien ne changea. C'était le petit matin, la Ringstrasse s'éveillait. Stefan n'était pas présent sous quelque forme que ce soit. Les piétons qui suivaient les trottoirs étaient des gens tout à fait ordinaires. Le portier sortit de l'immense et luxueux hôtel, qui avait accueilli des rois et des reines, Wagner et Hitler – qu'ils soient maudits ! – et qui sait quels autres grands de ce monde, dans ces suites royales que j'avais eu l'occasion d'entrevoir. Mon Dieu, c'est vraiment ici. Je suis ici. Tu m'as déposée ici.

Un homme m'adressa la parole en allemand. J'avais heurté le kiosque, ébranlant la frêle construction. Tout s'effondrait, tout tombait, les visages des magazines et moi, stupide maladroite vêtue d'une absurde robe d'été en soie, tenant précautionneusement un violon et son archet.

Des mains solides me retinrent.

« Excusez-moi, s'il vous plaît », balbutiai-je en allemand. Passant à l'anglais, j'ajoutai : « Je suis désolée, vraiment désolée, je ne voulais pas... Je vous en prie... »

Mes mains. Je ne sentais plus mes mains, je ne pouvais plus bouger les doigts. Elles étaient en train de geler. « C'est cela, ton jeu ? » m'écriai-je, faisant fi des visages qui m'observaient. « Les geler, les massacrer, me faire ce que ton père t'a fait ? Eh bien, tu n'y parviendras pas ! »

J'aurais voulu frapper Stefan, lui faire mal. Mais tout autour de moi, je ne voyais que des hommes et des femmes parfaitement banals, trop quelconques pour ne pas être totalement réels.

Je levai le violon. Je le mis sous mon menton et commençai à jouer.

Cette fois, je jouais pour approfondir ma compréhension, pour élever mon âme, pour découvrir si un monde réel recevait mon chant. La musique reflétait fidèlement mes désirs les plus intimes, les plus innocents, je l'entendais s'élever avec foi et amour. Le monde réel m'apparaissait indistinctement – le monde réel se doit d'être indistinct : le kiosque à journaux, les gens assemblés autour de moi, une petite voiture s'arrêtant à proximité.

Peu importait. Je jouais, et en jouant, mes mains se réchauffaient. Pauvre, pauvre Stefan. Mon haleine formait de petits nuages dans l'air glacial. Je jouais, je jouais sans m'arrêter. Dans sa sagesse, le chagrin ne cherche pas à se venger de la vie.

Soudain, je sentis mes doigts se raidir. Il faisait trop froid, vraiment trop froid.

« Venez, madame, venez à l'intérieur », dit l'homme qui se tenait à mes côtés. D'autres arrivaient. Une jeune femme aux cheveux tirés en arrière. « Venez, entrez, ne restez pas dehors », disaient-ils tous.

« Entrer où ? Où sommes-nous ? Je veux mon lit, ma maison. Je me réveillerais si seulement je savais comment retrouver mon lit et ma maison. »

Nausée. Ce monde s'obscurcissait d'une façon parfaitement ordinaire. Le froid engourdissait mon corps entier. La conscience se dérobait.

« Le violon, réussis-je à dire. Le violon. Ne le prenez pas, s'il vous plaît. » Je ne sentais plus mes mains, mais je le voyais, je voyais le bois infiniment précieux dont il était fait. Devant mes yeux, des lumières dansaient, comme le font parfois les lumières sous la pluie ; seulement, il ne pleuvait pas.

« Oui, ma chérie, n'ayez crainte. Laissez-nous vous aider. Vous le tenez. Nous vous tenons. Tout va bien, vous ne risquez rien. »

Un vieil homme se tenait devant moi, faisant des signes, donnant des instructions aux autres. Un vénérable vieillard, tellement européen avec ses cheveux gris et sa barbe blanche. Il avait un visage étrange, qui semblait issu du lointain passé de Vienne, avec ces horribles guerres.

« Je veux tenir le violon dans mes bras.

– Vous le tenez, ce précieux instrument, ma chérie, me dit la femme. Appelez immédiatement le docteur. Soutenez-la. Doucement, faites attention ! Tout va bien, ma chérie. Ne vous inquiétez pas, vous êtes en de bonnes mains. »

La femme m'aida à franchir la porte tournante. L'air chaud, les lumières me firent un choc. Nausée. Je vais mourir sans même me réveiller.

« Où suis-je ? Quel jour sommes-nous ? Mes mains. Il faut les réchauffer. De l'eau chaude...

– Nous nous occupons de tout, mon enfant. Tout va bien. Nous allons vous aider.

– Je m'appelle Triana Becker. De La Nouvelle-Orléans. Téléphonez là-bas. Appelez l'avocat de la famille, Grady Dubosson. J'ai besoin d'aide. Triana Becker.

– Nous le ferons, m'assura le vieil homme aux cheveux gris. Nous nous occupons de tout. Il faut vous reposer. Portez-la. Laissez-lui le violon. Attention, ne lui faites pas mal.

– Oui... », murmurai-je, m'attendant que la lumière de la vie s'éteigne soudain, craignant que ce ne fût déjà la mort, survenue dans un mélange confus de rêveries, d'espoirs irréalisables et de miracles répugnants.

Mais la mort ne vint pas. Et ils étaient doux et attentionnés.

« Nous nous occupons de vous, ma chérie.

– Oui, mais qui êtes-vous ? »

15

La suite royale. Immense, blanc et or. Murs tendus de brocart taupe, moulures crème. Tout était beau et apaisant. Aux plafonds, les inévitables volutes de crème fouettée, un cartouche dans chaque coin. Le lit, par contre, était moderne, large et ferme. Je vis des entrelacs dorés galoper au-dessus de moi. L'on me couvrit d'édredons légers, d'une blancheur immaculée. C'était un appartement digne de la princesse de Galles, ou de quelque millionnaire à moitié folle.

J'avais sombré dans un demi-sommeil, ce sommeil inquiet qui suit une trop grande fatigue, un réseau d'angoisse vous empêchant de plonger dans l'abandon voluptueux, un sommeil irritable où la moindre voix résonne douloureusement jusque dans les pores de la peau.

La chaleur était un vrai délice. Des doubles fenêtres, habillées de somptueuses draperies, isolaient la suite du froid de la Vienne hivernale. Il faut ouvrir une fenêtre, puis une autre. La chaleur, une chaleur incontestablement moderne, diffusée avec un imperceptible ronronnement par des appareils cachés ou discrets, emplissait le vaste espace de la chambre.

« Madame Becker, le comte Sokolosky tient à vous offrir l'hospitalité.

– Je vous ai donné mon nom... » Mes lèvres avaient-elles bougé ? Tournant légèrement la tête, je considérai un moment l'applique en bronze doré ornée de franfreluches, où deux ampoules en forme de flammes éclairaient le mur. « C'est très aimable à ce monsieur, mais c'est inutile, je vous assure », dis-je en m'efforçant d'articuler clairement. « S'il vous plaît, appelez l'homme dont je vous ai donné le nom. Mon avocat, Grady Dubosson.

– C'est fait, madame Becker. Nous avons appelé toutes ces personnes. Les fonds ont été envoyés, et M. Dubosson lui-même va arriver sous peu. Vos sœurs vous embrassent et vous envoient leur amour. Elles sont tellement soulagées de savoir que vous êtes ici, en sécurité. »

Combien de temps cela avait-il duré ? Je souris. Je me souvins d'une scène d'un vieux film d'après les *Contes de Noël* de Dickens, avec l'acteur britannique Alastair Sim dans le rôle de Scrooge, dansant de joie le matin de Noël parce qu'à son réveil il était devenu un autre homme. « Je ne sais pas combien de temps je suis resté chez les esprits. » Quel merveilleux *happy end* !

Il y avait un bureau tout blanc, un fauteuil tendu de soie bleu nuit, une plante verte montant jusqu'au plafond ; des rideaux diaphanes laissaient entrer la lumière grise.

« Monsieur le comte serait tellement heureux que vous acceptiez son hospitalité. Monsieur le comte vous a entendu jouer sur ce Stradivarius. »

J'ouvris tout grands les yeux.

Le violon !

Il était à côté de moi, sur le lit. Une de mes mains reposait sur les cordes et sur l'archet. Il était d'un brun très foncé, luisant doucement sur l'oreiller de lin blanc.

« N'ayez crainte, madame, il est là », dit la femme dans un anglais irréprochable, avec un délicieux accent viennois. « A côté de vous.

– Je suis désolée de vous causer tant de soucis.

– Je vous en prie, madame, vous ne nous causez aucun souci. Monsieur le comte a regardé le violon. Regardé, seulement. Il ne se serait jamais permis de le toucher sans votre autorisation. » L'accent autrichien était bien moins prononcé que l'allemand, plus doux, plus coulant. « Monsieur le comte collectionne ce genre d'instruments. Il serait ravi et honoré que vous acceptiez son hospitalité. C'est bientôt l'heure du dîner, vous prendrez bien quelque chose ? »

Stefan se tenait dans l'encoignure, non loin de la porte.

Pâle, affaissé, comme si la couleur l'avait déserté, il me regardait fixement, silhouette indistincte perdue dans le brouillard.

Je me redressai vivement, serrant le violon contre moi.

« Ne t'évanouis pas, Stefan, ne deviens pas comme eux ! » m'exclamai-je.

Son visage, exprimant la tristesse et la défaite, ne changea pas. L'image paraissait indécise, comme dénuée de substance. Il était adossé au mur, une joue contre le panneau tendu de damas, les chevilles croisées sur le parquet, enveloppé de brume et d'ombre.

« Stefan ! Ne permets pas que cela t'arrive ! Ne disparais pas ! »

Se tournant de tous côtés, il chercha des yeux les morts errants, les ombres lugubres, âmes privées d'esprit.

La grande femme regarda par-dessus son épaule. « Vous me parliez, Frau Becker ?

– Non. Ce n'était qu'un fantôme. » A quoi bon le cacher plus longtemps ? Pourquoi ne pas le dire ? Sans doute ces gentils Autrichiens m'avaient-ils déjà classée : un esprit dérangé, parvenu au plus haut degré de la folie. « Je ne parlais à personne, à moins... à moins, bien sûr, que vous ne voyiez quelqu'un dans cette encoignure. »

Elle le chercha en vain des yeux. Lorsqu'elle me fit face de nouveau, elle souriait. En dépit de sa courtoisie innée, elle était mal à l'aise, ne sachant trop ce qu'elle pouvait faire pour moi.

« Ce n'est rien, dis-je. Le froid, les fatigues du voyage. N'importunez pas le comte avec ces histoires. Mon avocat va arriver ?

– N'ayez crainte, madame, nous avons veillé à tout. Permettez que je me présente : Frau Weber. Et voici notre concierge, Herr Melniker. »

C'était une belle femme, d'une noble stature ; ses cheveux noirs relevés en chignon dégageaient son visage sans rides. Herr Melniker, qui se tenait à ma droite, était un jeune homme aux yeux d'un bleu de glace ; il me considérait avec inquiétude.

« Madame... », dit-il en inclinant cérémonieusement le buste. Frau Weber lui fit discrètement signe de ne pas insister, mais il poursuivit :

« Madame, savez-vous comment vous êtes arrivée ici ?

– J'ai un passeport, dis-je. Mon avocat va l'apporter.

– Je n'en doute pas, madame. Mais comment êtes-vous entrée en Autriche ?

– Je ne sais pas. »

Je regardai Stefan, pâle, accablé de désespoir; dans son visage crayeux, la seule trace de couleur était ses yeux enflammés.

« Frau Becker, vous souvenez-vous d'un détail qui pourrait peut-être... » Il ne termina pas sa phrase.

« Il faudrait qu'elle mange quelque chose, intervint Frau Weber. Un peu de potage, peut-être ? Le potage est excellent. Et du vin. Désirez-vous un verre de vin ? »

Elle s'interrompit. Tous deux étaient figés dans une immobilité totale. Stefan ne regardait que moi.

Un bruit de pas irrégulier se fit entendre, de plus en plus proche. Un homme qui boitait, qui marchait en s'aidant d'une canne. Je connaissais ce bruit. Cela me plaisait assez, ces pas traînants, ponctués par le bruit sourd de la canne frappant le sol.

Je me redressai dans le lit. Frau Weber se hâta de caler mon dos avec des coussins. Je m'examinai. J'avais sur moi une chemise de nuit en flanelle d'une extrême finesse et un peignoir de soie molletonné. J'étais parfaitement décente. Et même propre.

Je regardai mes mains. Me rendant compte soudain que j'avais lâché le violon, je le pris et le serrai contre moi.

Mon fantôme tragique n'avait fait aucun geste inconsidéré. Il n'avait pas bougé le petit doigt.

« Vous êtes en sécurité ici, madame. Monsieur le comte est dans le salon. Puis-je le faire entrer ? »

Il se tenait dans l'encadrement de la porte, une épaisse porte capitonnée, en cuir de couleur beige – sans doute pour qu'aucun son ne passe lorsque la suite était divisée en deux. Tenant sa simple canne en bois, c'était le vieil homme aux cheveux gris que j'avais vu dans la rue, avec sa barbe et sa moustache blanches, un personnage désuet et plaisant, pareil aux vénérables acteurs des vieux films en noir et blanc, merveilleusement ancien monde.

« Comment allez-vous, mon enfant ? » demanda-t-il. Dieu merci, il s'exprimait en anglais. Il était très loin de moi. Comme ces pièces étaient grandes, aussi immenses que celles du palais de Stefan.

Des bouffées d'air brûlant. De hautes flammes.

« Je vais bien, monsieur, merci. Quel soulagement que vous parliez anglais. Mon allemand est abominable. Je vous remercie de la bonté dont vous avez témoigné à mon égard. Je ne voudrais pas être à votre charge. »

Il était inutile d'en dire davantage. Grady réglerait la facture. Grady expliquerait tout. C'est un des avantages de l'argent : l'on n'a pas à fournir d'explications, d'autres le font à votre place. Karl m'avait appris cela. Comment aurais-je pu dire à cet homme que je n'avais pas besoin de son hospitalité, de sa charité ? Foin de ces sordides détails matériels ; il existait d'autres valeurs, plus nobles.

« Entrez, je vous prie, dis-je. Je suis vraiment désolée...

– De quoi êtes-vous désolée, mon enfant ? »

Il s'approcha du lit en clopinant. Je vis pour la première fois le repose-pied tarabiscoté, de style rocaille. Et, derrière le comte, le grand lustre du salon. Un vrai palais, cet Hôtel Impérial.

Le vieil homme portait une espèce de médaillon autour du cou ; son veston de tweed bordé de velours noir pendait de travers sur ses épaules ; sa barbe blanche était soigneusement peignée.

Stefan était toujours immobile. Je le regardais et il me regardait. Image de défaite, chagrin, pitié. L'angle que faisait sa tête appuyée contre le mur suffisait à me montrer que les particules qui lui restaient commençaient à s'épuiser : le lien qui nous unissait était de plus en plus précaire. Il me sembla que ses lèvres remuaient légèrement. Un dialogue muet entre deux visages se faisant face.

Herr Melniker s'était empressé d'approcher un grand fauteuil blanc et or tendu de velours bleu, un des nombreux sièges disposés sur le tapis à l'inévitable motif rococo.

Il s'assit, à distance respectueuse du lit.

Un parfum délectable monta à mes narines.

« Du chocolat chaud ! m'exclamai-je.

– Exactement », dit Frau Weber en m'aidant à prendre la grande tasse fumante.

« Vous êtes très gentille », dis-je en coinçant le violon sous mon bras gauche. « Mettez la soucoupe ici, s'il vous plaît. »

Le vieil homme m'observait avec une sorte d'adoration émerveillée, qui me rappelait la façon dont une vieille nonne m'avait regardée le jour de ma première communion. Je me souviens encore de son visage tout ridé, de son expression extatique. C'était à l'ancien Mercy Hospital, qui a été démoli depuis. Elle était habillée tout en blanc, comme l'étaient alors les religieuses, et elle m'avait dit : « Tu es si pure en ce grand jour, si pure. » On m'avait emmenée visiter les malades, comme il était de coutume le jour de votre première communion. Où avais-je mis ce rosaire ?

Je vis la tasse de chocolat trembler dans ma main. Du coin de l'œil, je regardai Stefan, à ma droite.

J'en bus une gorgée. Il n'était ni trop chaud, ni trop froid ; la température idéale. Je vidai la tasse ; le chocolat était épais et crémeux. « Vienne », dis-je en souriant.

Le vieil homme fronça les sourcils. « Vous avez là un remarquable trésor, mon enfant.

– Oh oui ! Je sais, monsieur. Un Stradivarius, un longuet, et aussi cet archet en Pernambouc. »

Stefan plissa les yeux. Mais il était brisé. *Comment oses-tu !*

« Non, madame, je ne parlais pas du violon, encore que je n'aie jamais vu un instrument aussi superbe, infiniment supérieur à tous ceux que j'ai jamais vendus ou que l'on m'a proposés. Je parle de votre don, du talent avec lequel vous avez joué ce morceau de musique, qui nous a fait sortir de l'hôtel. C'était un véritable ravissement... une pureté naïve. C'est cela, le don. »

Une frayeur soudaine m'envahit.

Il y a de quoi. Après tout, pourquoi serais-tu capable de faire cela seule ? Sans mon aide ? Tu as rapporté cet objet dans ton monde. Ce n'est pas possible. Tu n'as aucun talent. Tu étais menée par le vent de ma sorcellerie, et maintenant, tu es de nouveau réduite à ramper. Tu n'es rien.

« C'est ce que nous verrons », dis-je à Stefan.

Les autres échangèrent des regards entendus. A qui parlais-je, qui voyais-je dans ce coin vide ?

« Disons que c'est un ange. » Regardant le comte, je fis un geste dans cette direction. « Le voyez-vous là-bas, cet ange ? » Le comte parcourut la chambre du regard. Je fis de même. Je vis pour la première fois une luxueuse table de toilette avec des miroirs orientables dignes d'une grande dame. Je vis les tapis orientaux aux somptueux bleus délavés et aux rouges devenus couleur de rouille ; je vis de nouveau les voilages bordés de brocart de soie.

« Non, chère amie, dit le comte. Je ne le vois pas. Puis-je vous donner mon nom ? Puis-je être votre ange gardien, moi aussi ?

– Peut-être le devriez-vous », dis-je, me détournant de Stefan pour observer le vieil homme. Ses cheveux descendaient jusqu'à la nuque de son crâne massif. Il avait les mêmes yeux d'un bleu très pâle que le jeune Melniker. Les ans lui avaient donné une onctuosité nacrée, mais le regard de ses yeux aux cils blancs restait vif et pénétrant.

« Peut-être, répétai-je. Vous pourriez être pour moi un meilleur ange, car celui-là, je le crains, est un mauvais ange.

Comment oses-tu dire de pareils mensonges ! Tu voles mon trésor. Tu me brises le cœur. Tu rejoins les rangs de ceux qui m'ont fait tant souffrir.

De nouveau, les lèvres du fantôme n'avaient pas bougé et sa posture paresseuse n'avait pas changé, cette misérable attitude de faiblesse et de courage perdu.

« Je ne sais comment t'aider, Stefan. Si seulement je savais ce que je pourrais faire de bien, d'utile... »

Voleuse !

J'entendais les autres murmurer.

« Frau Becker, intervint la femme, ce gentleman est le comte Sokolosky. Je suis désolée de ne pas vous avoir présentés dans les règles. Il habite notre hôtel depuis de longues années et il est tellement heureux de vous accueillir parmi nous. Ces pièces sont rarement ouvertes au public, nous les réservons pour de telles occasions.

– A savoir ? »

Le comte l'interrompit avec une autorité souriante, usant de la liberté qu'autorise le grand âge. « Ma chère, dit-il, accepteriez-vous de jouer de nouveau pour moi ? S'il n'est pas impertinent de vous le demander ? »

Non. C'est seulement vain et inutile.

« Pas maintenant, bien sûr, s'empressa d'ajouter le comte. Vous êtes malade, vous avez besoin de manger et de vous reposer, vous attendez l'arrivée de vos amis. Mais quand vous vous en sentirez capable, je serais tellement heureux que vous acceptiez... Rien qu'un petit peu de cette musique, pour moi. Ah ! quelle musique !

– Comment la décririez-vous, comte ? » lui demandai-je.

Dites-le-lui, elle en aura grand besoin.

« Silence ! » Je lançai un regard furieux à Stefan. « S'il t'appartient vraiment, pourquoi n'as-tu pas le pouvoir de le reprendre ? Pourquoi est-il confié à ma garde ? Mais peu importe. Pardonnez-moi, je vous prie. Excusez cette façon de parler à voix haute à des silhouettes imaginaires, de rêver tout en étant éveillée... »

« Ne vous excusez pas, dit le comte. Nous ne posons jamais de questions à ceux qui ont le don.

– Ai-je un tel don ? Qu'avez-vous entendu ? »

Stefan eut un ricanement méprisant.

« Je sais ce que j'ai moi-même entendu en jouant, ajoutai-je. Mais s'il vous plaît, si cela ne vous ennuie pas, dites-moi ce que *vous* avez entendu. »

Le comte réfléchit à ma question.

« C'était merveilleux, dit-il au bout d'un moment. Et totalement original. » Il marqua une pause. Je ne l'interrompis pas.

« Empli de clémence, peut-être ? reprit-il. Un curieux mélange d'extase, d'amertume et de longanimité... » Il s'interrompit de nouveau avant de poursuivre. « Comme si vous étiez habitée par Bartók et Tchaïkovski, s'unissant en vous : le moderne tendre et méditatif, et le moderne tragique... Votre musique m'a fait revoir tout un monde, le monde ancien d'avant les guerres... quand j'étais jeune, trop jeune pour faire revivre des souvenirs aussi sublimes. Je me souviens de ce monde, pourtant. Je m'en souviens. »

Je m'essuyai le visage avec le dos de la main.

Allez, dis-lui ! Dis-lui que tu n'es pas sûre de pouvoir refaire cela. Tu n'en sais rien. Moi, je sais. Tu n'en es pas capable.

« Qui es-tu pour me dire cela ? »

Stefan se redressa, les bras croisés sur la poitrine ; la colère redonnait un peu de couleur à son visage.

« Je sais, c'est toujours une question d'angoisse, n'est-ce pas, qu'elle soit profonde ou superficielle. Regarde comme tu t'enflammes soudain, maintenant que tu as fait naître le doute en moi ! Et si c'était ce défi même qui m'en donne la force ? »

Rien ne pourra te donner la force nécessaire. Tu n'es plus dans la sphère de mon pouvoir, et cet instrument ancien n'est plus que du bois mort entre tes mains, du bois sec, et tu ne pourras pas en jouer.

« Frau Weber ? » dis-je.

Elle me regarda avec effarement, puis jeta un coup d'œil perplexe sur l'encoignure inoccupée, avant de répondre avec un petit hochement de tête rassurant :

« Oui, Frau Becker ?

– Auriez-vous une robe que je puisse mettre, quelque chose d'ample et de décent ? Je voudrais jouer maintenant. Mes mains sont chaudes, tellement chaudes...

– N'est-ce pas un peu prématuré ? » dit le comte, mais déjà il se levait, s'appuyant lourdement sur sa canne et cherchant le bras de Melniker. Il tremblait presque d'impatience.

« Certainement », dit Frau Weber. Elle prit une robe posée sur une banquette, près du lit ; une robe toute simple, en lainage blanc.

Me tournant de côté, je posai les pieds sur le plancher. Mes pieds étaient nus, le bois était tiède. Je levai les yeux, admirant les splendides moulures du plafond, tous ces ornements adorables, cette chambre de rêve digne d'une reine.

Je me levai. Elle m'aida à passer la robe. J'enfilai d'abord la manche droite, puis la gauche, sans jamais lâcher le violon et l'archet. La robe m'arrivait aux chevilles.

Il y avait des mules au pied du lit, mais je ne les mis pas. Le plancher était doux comme de la soie.

Je me dirigeai vers la porte grande ouverte. Il ne me paraissait pas convenable de jouer dans la chambre à coucher, d'y connaître le triomphe de la révélation ou la défaite.

En entrant dans l'immense salon, la première chose que je vis, avec quel émerveillemment, ce fut un immense portrait de la grande impératrice Marie-Thérèse. Un splendide bureau, des fauteuils, des sofas. Et des fleurs ! Tant de fleurs fraîchement cueillies, pareilles aux fleurs que l'on apporte aux morts pour les honorer !

Je ne pouvais détacher mon regard de ces fleurs.

« Elles ont été envoyées par vos sœurs, madame. Je n'ai pas ouvert les cartes, mais votre sœur Rosalind a appelé. Votre sœur Katrinka aussi. Ce sont elles qui m'ont suggéré de vous servir du chocolat chaud. »

Je souris, puis me mis à rire doucement.

« Personne d'autre ? demandai-je. Vous ne vous souvenez d'aucun autre nom ? Une sœur nommée Faye ?

– Non, madame.«

Je m'approchai de la table placée au milieu du salon, sur laquelle se trouvait un énorme vase en cristal, et examinai les fleurs disposées en un savant désordre, sans en reconnaître une seule, sans me souvenir du nom d'une seule plante, d'une seule espèce, pas même celui du lys rose commun, aux étamines couvertes d'un épais pollen se dressant comme des tentacules.

Le vieux comte s'était installé sur un sofa, avec l'aide du jeune homme. Me retournant, je vis que Stefan se tenait dans l'embrasure de la porte donnant sur la chambre.

Vas-y, cours à l'échec ! Reste en panne d'inspiration et disparais sous terre ! Je veux assister à cela. Je veux te voir renoncer, emplie de honte !

Je portai la main droite à ma bouche et m'exclamai : « Nom de Dieu ! » Ce n'était pas un blasphème, mais une prière sincère. « Comment commencer ? Quelle est la formule, la règle ? Comment pourrais-je connaître ou rejeter ce dont j'ignore la véritable nature ? »

Une autre voix intervint, impérieuse : *« Allez, qu'attendez-vous ! »*

Stefan se retourna, stupéfait. Ses traits exprimaient une fureur sans bornes.

Je parcourus du regard le vaste salon. Je vis le comte, ébloui ; Frau Weber, désorientée ; le timide Melniker ; et enfin, le fantôme qui arrivait. Il avait ouvert, oui, vraiment ouvert les portes donnant sur le couloir. Les autres avaient vu les portes s'ouvrir, je le savais, mais ils ne pouvaient voir le fantôme ; sans doute pensaient-ils que c'était un courant d'air.

Le fantôme entra à grandes enjambées, marchant comme il le faisait dans la vie, à ce que l'on dit, les mains derrière le dos. Crasseux comme s'il venait droit de son lit de mort, il portait du linge taché et effiloché ; sur son visage, restaient collés des débris de plâtre, fragments de son masque mortuaire.

Par les portes ouvertes, je vis que des vivants se pressaient dans le couloir.

Maestro ! Le cœur de Stefan se brisa, ses larmes se mirent à couler.

J'étais emplie de pitié pour le pauvre Stefan.

Mais le Maestro se montra impitoyable. Son ton était familier mais sec :

« J'en ai assez, Stefan ! Me faire revenir pour cela ! Me faire venir à cette époque ! Jouez, Triana, jouez du violon pour moi. Faites-le, simplement. »

Je regardai le petit homme obstiné traverser la pièce.

« Ce doit être de la folie, dis-je, une folie magnifique. Ou bien est-ce simplement l'inspiration ? »

Le fantôme prit un siège, sans détacher de moi son regard sombre et brûlant.

« Pourrez-vous m'entendre ? lui demandai-je.

– Au nom du ciel, Triana, dit-il avec un geste brusque. Dans la mort, je ne suis pas sourd ! Je ne suis pas allé en enfer. Si c'était le cas, je ne serais pas ici ! » Il éclata d'un rire rauque et bruyant. « Quand j'étais vivant, j'étais sourd. Maintenant, je ne suis plus en vie. C'est ainsi. Jouez, maintenant. Prenez ce violon et jouez. Faites-le, pour qu'ils frémissent ! Pour leur faire payer toutes les paroles méchantes que l'on vous a jamais dites, toutes les accusations qui ont éveillé votre culpabilité. Ou pour ce qu'il vous plaira, mais jouez ! » Il se redressa. « Peu importe la raison. Blessures du cœur, amour ou simple caprice. Adressez-vous à Dieu ou à la partie la plus noble de vous-même, mais donnez-nous cette musique ! »

Stefan pleurait. Mon regard allait et venait entre les deux fantômes. Peu m'importaient les vivants qui étaient venus m'écouter. Sans doute me resteraient-ils à jamais indifférents.

Pourtant, je le compris alors, c'était pour eux que je devais créer cette musique.

« Allez, jouez », répéta Beethoven. Son ton s'était adouci. « Désolé d'avoir été aussi brusque, ce n'était pas intentionnel. Tu es mon élève, Stefan, mon élève orphelin. »

Stefan, appuyé contre le montant de la porte, le front sur son bras, ne nous regardait plus.

Les mortels attendaient, sans rien comprendre à ce qui se passait.

Je les observai attentivement, l'un après l'autre, m'efforçant de ne regarder que les vivants et non ces spectres. Je voyais aussi ceux qui s'étaient assemblés dans le couloir. Herr Melniker se leva pour aller fermer la porte.

« Non, laissez-la ouverte. »

Je commençai.

Il semblait toujours pareil à soi-même, cet objet sacré, léger et parfumé, fabriqué par les mains d'un homme qui ne pouvait savoir quelle magie il ferait surgir, quelle puissance il déchaînerait dans ces bouts de bois en leur donnant cette forme, en les faisant chauffer pour les courber.

Mère, laisse-moi retourner à la chapelle. Ramène-moi à Notre-Dame-du-Bon-Secours. Laisse-moi m'agenouiller avec toi dans la pénombre innocente, avant le temps de la douleur. Laisse-moi te tenir la main et te dire, non combien je regrette que tu sois morte, mais seulement que je t'aime, que je t'aime dans le présent. Je t'offre mon amour dans ce chant, pareil aux cantiques de la procession de mai que nous chantions toujours, et que tu aimais tant, et Faye, Faye va rentrer à la maison, Faye en viendra à reconnaître ton amour, je le sais, j'en ai l'intime conviction.

Ô Mère, qui aurait cru que la vie était faite de tant de sang ? Qui l'aurait rêvé, mais nous chérissons ce que nous possédons. Je joue pour toi, je joue ta chanson, je joue le chant de ta santé et de ta vigueur, je joue pour Père et pour Karl, et dans un avenir proche ou lointain j'aurai le pouvoir de jouer pour la douleur. Mais c'est le soir, et nous sommes dans ce sanctuaire paisible, entourées des saints familiers, et une lumière déclinant doucement baignera la rue quand nous rentrerons à la maison, Rosalind et moi gambadant devant toi, nous retournant pour voir ton visage souriant. Oh ! je veux me souvenir de ceci, me souvenir toujours de tes grands yeux noisette, de ton sourire si pur et assuré. Mère, ce n'était la faute de personne, n'est-ce pas, ce qui a causé notre perte à tous ? Y aura-t-il toujours ce poids à porter, ou parviendrons-nous à dépasser cela, à voir plus loin ?

Regarde, regarde ces grands chênes qui ont toujours entrelacé leurs branches au-dessus de moi, ces briques moussues sur lesquelles nous marchons, regarde le ciel, devenu pourpre comme il ne peut l'être que dans notre paradis. Sens la chaleur des lampes, la chaleur du poêle à gaz, regarde la photographie de Père, sur la cheminée : « Ton papa à la guerre. »

Nous lisons, nous nous blottissons, nous nous enfonçons dans ce lit, à jamais. Ce n'est pas une tombe. Le sang peut jaillir de bien des façons. Je le sais, maintenant. Il y a sang et sang. Je saigne pour toi, oui, je saigne avec joie, ainsi que tu as saigné pour moi.

...Que tout ce sang ne soit qu'un !

Je baissai l'instrument. J'étais trempée de sueur. J'avais des fourmis dans les mains, les applaudissements résonnaient douloureusement à mes oreilles.

Le vieux comte se leva péniblement. Ceux qui se pressaient dans le couloir envahirent le salon.

« Cette musique, dit le comte, c'était écrit sur l'air. »

Je regardai autour de moi. Pas un seul fantôme en vue.

« Il faut absolument enregistrer cette musique. Elle est tellement spontanée, l'on sent que ce n'est pas appris. C'est un don de la nature, une science innée, qui n'a pas exigé les sacrifices habituels. »

Le comte couvrit mon visage de baisers.

« Ou es-tu, Stefan ? murmurai-je. Maestro ? »

Je ne vis personne d'autre que les mortels qui m'entouraient.

Soudain, la voix de Stefan, tellement proche que je sentais son haleine sur mon oreille :

Je n'en ai pas terminé avec toi, fille vicieuse qui me l'as dérobé ! Ce n'est pas ton talent. Certes pas ! C'est de la sorcellerie.

« Tu te trompes, dis-je. Ce n'était pas de la sorcellerie, mais une libération, une décharge, une aventure périlleuse, comme le grand envol des oiseaux de nuit qui quittent l'abri du pont à la tombée du jour. Et tu as été mon maître, Stefan, c'est toi qui m'as appris cela. »

Le comte m'embrassa de nouveau. Avait-il entendu ce que je disais ?

Menteuse, menteuse, voleuse !

Je me tournai de tous côtés. Sans le moindre doute, le Maestro avait disparu. Je n'osais pas le rappeler. A vrai dire, je n'aurais pas su comment m'y prendre pour l'invoquer, pas plus que je n'aurais pu invoquer Stefan.

« Maestro, venez à son secours », murmurai-je faiblement.

Je posai ma tête sur le torse du comte. Je sentais l'odeur de sa vieille peau, l'odeur familière de la vieillesse, pareille à celle de mon père avant qu'il ne meure, ainsi qu'un parfum frais et un peu sucré, sans doute une poudre qu'il avait mise sous ses vêtements. Ses lèvres étaient douces et humides, ses cheveux gris étaient doux. « Maestro, je vous en supplie, n'abandonnez pas Stefan... »

Je tenais le violon. Fort, très fort, des deux mains.

« Tout va bien, ma très chère amie, dit le comte. Ah ! quel don vous nous avez fait ! »

16

Quel don vous nous avez fait. Comment expliquer cette orgie de sons, cet épanchement qui devenait si naturel qu'il n'y avait plus de place pour le doute ? Qu'était cette transe dans laquelle je parvenais à me glisser, trouvant les notes justes et les libérant au rythme délibéré de mes doigts agiles et enthousiastes ?

Quel était ce don, d'où venait ce chant qui déferlait autour de moi, qui s'enflait et retombait pour m'envelopper de tendres cascades, aussi douces que des langes de bébé ? Musique ! Joue. Ne pense pas. Ne doute pas. Et si tu penses ou doutes, n'y prends pas garde. Contente-toi de jouer. Joue selon ton bon plaisir, et libère le son.

Ma Rosalind bien-aimée est arrivée, tout éblouie d'être à Vienne, ainsi que Grady Dubosson. Avant notre départ, l'on a ouvert à notre intention le Theater an der Wien. Nous avons joué dans la petite salle décorée de peintures où Mozart joua jadis, où l'on avait donné *La Flûte enchantée*, où Schubert avait vécu et composé – le glorieux petit théâtre aux balcons dorés périlleusement superposés jusqu'au plafond. Un soir, nous avons joué à l'Opéra de Vienne, majestueux et gris, situé à quelques pas seulement de l'hôtel, et le comte nous a emmenés dans sa vieille maison de campagne, exactement le genre de propriété que possédait jadis le frère du Maestro, Johann van Beethoven, « propriétaire terrien », auquel le Maestro avait spirituellement répondu en signant une de ses lettres « Ludwig van Beethoven, propriétaire de cerveau ».

Je suis allée aussi me promener dans la forêt viennoise, une forêt paisible et douce. Cette fois, j'étais une femme vivante, accompagnée de sa sœur.

Chez nous, paraissaient les premières critiques consacrées au travail de Karl. Le livre sur saint Sébastien, publié par une excellente maison d'édition, en était au stade des épreuves. L'accueil était très favorable.

Je n'avais plus à m'en soucier. Tout avait été fait à la perfection – il n'aurait pu espérer mieux. Roz et Grady m'accompagnaient dans mes voyages.

La musique était mienne, et les concerts se succédaient. Grady passait sa vie au téléphone pour organiser les tournées.

L'argent allait à diverses œuvres charitables qui nous semblaient le mériter, et à des fondations destinées à aider les proches de ceux qui avaient connu une mort horrible et injuste pendant les guerres. Les Juifs, en tout premier lieu, en hommage à notre arrière-grand-mère qui avait renoncé à son identité juive pour devenir catholique aux États-Unis, mais surtout au nom de la justice.

A Londres, nous avons fait les premiers enregistrements.

Auparavant, nous étions allés à Saint-Pétersbourg et à Prague, sans compter les nombreux concerts improvisés dans la rue, auxquels je n'aurais renoncé pour rien au monde, avide comme une petite danseuse qui tournoie autour de chaque réverbère. C'était mon plus grand plaisir.

A chaque ravissement extatique, j'égrenais les grains du rosaire de ma jeunesse, de ces années de douceur noyées de délicates nuances de rouge et de violet. Je contemplais uniquement les Mystères joyeux : « L'Ange du Seigneur apporta l'annonce à Marie, et elle conçut du Saint-Esprit. »

Je possédais la vigueur intrépide de l'enfance, qui n'a jamais connu la défaite ni la souillure.

Chez nous, le livre de Karl fut imprimé à grands frais ; chaque planche en couleurs était supervisée par les meilleurs spécialistes en la matière.

La nuit, je dormais dans les draps les plus fins. Au réveil, je découvrais des villes splendides.

Rosalind était toujours à mes côtés. Les suites royales devinrent notre quotidien. Glenn ne tarda pas à se joindre à nous. Tables roulantes aux nappes de lin blanc tombant jusqu'au sol, couverts en argent massif, cristaux étincelants. Les escaliers d'honneur et les interminables couloirs revêtus de tapis d'Orient étaient notre lieu de promenade favori.

Je surveillais jalousement le violon. Je ne pouvais le tenir éternellement, c'eût été de la folie, mais, même en prenant mon bain, je ne le quittais pas des yeux, m'attendant à chaque instant qu'une main invisible s'en saisisse pour l'emporter dans le vide.

La nuit, je dormais avec lui. Le violon et l'archet, protégés par d'épaisses couches de la laine la plus fine, étaient attachés à mon corps par de souples courroies de cuir, que je ne montrais à personne. Le jour, quand je ne le tenais pas entre mes mains, il était posé près de mon fauteuil.

Il n'y avait pas le moindre signe de changement. D'autres l'examinaient, déclaraient qu'il était authentique et inestimable, et demandaient l'autorisation de l'essayer. Je ne pouvais pas le leur permettre. L'on interprétait cela, non comme une preuve d'égoïsme, mais comme une prérogative naturelle.

A Paris, Katrinka est venue nous rejoindre avec son mari David. Je lui ai acheté de splendides vêtements, toutes sortes de sacs et de portefeuilles, ainsi que des chaussures à talons hauts que ni Roz ni moi n'aurions pu porter, en lui disant qu'elle pourrait désormais clopiner pour nous trois, ce qui la fit rire.

Katrinka envoya à ses filles, Jackie et Julie, des paquets de cadeaux exquis. Katrinka paraissait libérée d'un terrible fardeau. Nous ne parlions pratiquement jamais du passé.

Glenn fouinait dans les boutiques, à la recherche de vieux bouquins et d'enregistrements de grands jazzmen européens. Rosalind ne cessait de rire, tellement elle était heureuse. Martin et Glenn traînaient dans les célèbres cafés de la rive gauche, espérant apparemment qu'à force d'écarquiller les yeux, ils finiraient par voir Jean-Paul Sartre en chair et en os. Martin passait le plus clair de son temps au téléphone, pour mettre au point les détails de l'acte de vente d'une propriété, jusqu'au jour où je lui demandai de prendre en main l'organisation de nos voyages sans fin.

Grady était ravi de constater que nous avions toujours autant besoin de lui.

Rires, cascades de rires. Leopold et le petit Wolfgang s'étaient-ils jamais autant amusés ? N'oublions pas qu'il y avait aussi une fille, une sœur dont on disait qu'elle jouait aussi merveilleusement que son frère si prodigieusement doué. Une sœur qui s'était mariée et avait donné naissance à des enfants plutôt qu'à des symphonies ou à des opéras.

Dès que nous prenions la route, nous étions les gens les plus heureux sur terre.

Le rire était redevenu notre idiome naturel, notre façon de communiquer.

A force de rire, nous avons failli nous faire chasser du Louvre. Non que nous n'aimions pas la *Joconde*, mais nous débordions d'enthousiasme et de vitalité, au point que nous aurions pu nous jeter au cou de parfaits étrangers ; mais la sagesse l'emportait, et nous nous contentions de nous embrasser les uns les autres.

Glenn nous devançait toujours de quelques pas, souriant d'un air gêné, puis finissait par éclater de rire lui aussi, parce que ce trop-plein de bonheur exigeait d'être exprimé.

A Londres, Lev, mon ex-mari Lev, est arrivé avec sa femme Chelsea, mon ex-amie, devenue une sorte de sœur ; leurs jumeaux aux cheveux noirs étaient là eux aussi, éclatants de santé, beaux et bien élevés, ainsi que leur aîné, le grand et blond Christopher. En regardant ce magnifique garçon, en écoutant son rire qui me rappelait Lily, je fus émue jusqu'aux larmes.

Dans la salle de concert, Lev était au premier rang. Ce soir-là, je jouai pour lui, pour les jours heureux. Par la suite, Lev me dit que c'était pareil au pique-nique d'ivresse de jadis – mais plus risqué, plus ambitieux, plus accompli. J'étais comme hébétée par l'amour d'antan. Ou par un amour qui ne peut mourir. Lev enrichissait la musique de son perspicace discours d'universitaire.

Nous avons promis de nous retrouver tous à Boston.

J'avais l'impression qu'ils étaient mes descendants, ces enfants, ces garçons pleins de vie, issus de la perte déjà ancienne de Lev, de son combat et de sa renaissance, comme si j'y avais participé. Pouvais-je dire à juste titre qu'ils étaient mes neveux ?

Les chambres d'hôtel se succédaient : Manchester, Édimbourg, Belfast... Les concerts étaient de nouveau au bénéfice des Juifs victimes de l'Holocauste, des

Gitans disparus, des catholiques en lutte d'Irlande du Nord, de ceux qui étaient atteints de la maladie qui avait tué Karl, ou du cancer du sang qui avait emporté Lily.

On venait nous proposer d'autres violons. Jouerions-nous sur ce superbe Stradivarius à l'occasion d'une soirée de gala ? Accepterions-nous ce Guarneri ? Achèterions-nous ce beau Stradivarius et cet excellent archet de Tourte ?

J'acceptais les cadeaux. *J'achetais les autres violons*. Je les observais avec une curiosité fébrile. Quel son auraient-ils ? Quelle impression aurais-je en les tenant ? Pourrais-je tirer une seule note du Guarneri ? Ou des autres ?

Je les regardais avec passion, je les emballais et les emportais lors de nos voyages, mais jamais je ne les touchais.

A Francfort, j'achetai un autre Stradivarius, plus tardif que mon longuet mais d'une qualité comparable. Je n'osais même pas en pincer les cordes. Il était à vendre, il n'avait personne pour l'aimer ; il était affreusement cher, mais qu'importait, dans notre bienheureuse prospérité ?

Les violons et leurs archets voyageaient avec les bagages. Mais le longuet – mon Strad –, je le portais dans mes bras, d'abord enveloppé d'épais velours, puis dans un sac spécial qui contenait aussi l'archet. Je me méfiais des étuis habituels. J'emportais le sac partout où j'allais.

Toujours sur le qui-vive, je guettais les fantômes.

Je voyais la lumière du soleil.

Ma marraine, tante Bridget, est venue nous rejoindre à Dublin. Comme elle détestait le froid, elle ne tarda pas à regagner le Mississippi.

Dommage, car elle adorait vraiment la musique. Pendant que je jouais, elle tapait dans ses mains et marquait la mesure du pied, ce qui choquait les autres auditeurs du théâtre – à moins que ce ne fût un auditorium ou je ne sais quelle autre salle de concert. Mais elle avait mon accord : je voulais qu'elle agisse ainsi.

D'autres tantes et de nombreux cousins sont également venus nous voir en Irlande, puis à Berlin.

Je fis le pèlerinage de Bonn. Tremblant de froid et d'émotion, je découvris la maison natale de Beethoven. La tête pressée contre la pierre glaciale, je pleurai, comme Stefan avait pleuré sur sa tombe.

Souvent, je me remémorais les thèmes du Maestro, les mélodies du Petit Génie ou du Russe dément, et je m'y plongeais avant d'ouvrir les vannes de ma propre inspiration, mais les critiques ne s'en rendaient presque jamais compte, tellement j'étais incapable de restituer la musique d'un autre, par manque de maîtrise et de discipline.

C'était une époque d'extase sans fin. Il aurait fallu être stupide pour ne pas l'admettre, stupide et fou pour tout gâcher en réveillant le chagrin ou le doute.

En de tels moments – quand une pluie légère tombait sur Covent Garden, quand je marchais sous la lune en dansant en rond, quand les voitures attendaient, leurs phares fumant dans la brume comme s'ils exhalaient une haleine pareille à la mienne –, il n'y avait place que pour le bonheur en moi. Ne rien mettre en doute, vivre cela et le reconnaître pour ce que c'est. Un jour peut-être, il me faudra m'en souvenir comme d'un observatoire lointain, et cela me paraîtra aussi flou et onirique, pittoresque et divin que ces visites à la chapelle, que ces moments où, blottie dans les bras de ma mère, je la regardais tourner les pages de son recueil de poésie à la lumière de la lampe qui n'écartait aucune menace, car aucune ne pesait encore sur nous.

Nous sommes allés à Milan. A Venise. A Florence. Le comte Sokolosky nous a rejoints à Belgrade.

Les salles d'opéra me fascinaient tout particulièrement. Peu importait l'argent. Si l'on me garantissait la salle, je venais, au besoin en payant tout de ma poche. Chaque soir, c'était différent et imprévisible, chaque soir c'était une joie renouvelée, et la douleur était solidement endiguée par ce bonheur. Chaque soir, le récital était enregistré par des techniciens qui couraient en tous sens avec leurs micros et déroulaient des fils sur le plateau, et chaque soir, je regardais les visages de ceux qui applaudissaient.

Quand le chant était terminé, j'observais la salle, m'efforçant de distinguer chaque visage, de n'en manquer aucun, de sentir la chaleur de tous ces visages, prenant garde à ne jamais retomber dans la douleur et la timidité et la crainte, comme si le passé était ma coquille, et moi, un escargot trop chétif pour supporter de telles hauteurs, comme si j'étais trop ancrée dans le vieux sentier de la laideur, trop pleine de dégoût envers moi-même.

Une couturière florentine me fit de ravissantes jupes en velours, et de légères tuniques de soie dont les manches ballon laissaient mes bras libres quand je jouais, sans gêner la précision du geste ni rompre l'enchantement, tout en dissimulant les kilos en trop que je détestais tant. Dans les quelques films que l'on m'obligea à regarder, ce n'était qu'un amalgame confus de cheveux, de couleurs et de son. Fantastique !

Le moment venu, lorsque je m'avançais vers les feux de la rampe, face à l'abîme obscur, je savais que mes rêves m'appartenaient.

Mais une musique plus sombre, plus mélancolique attendait son heure. Les Mystères du rosaire sont de trois ordres : Joyeux, Glorieux et Douloureux. Dors, Mère. Repose en paix, bien au chaud. Ferme les yeux, Lily. Père, c'est la fin, disent la respiration et les pupilles de tes yeux. Ferme-les. Seigneur, entendent-ils ma musique ?

Je continuais à chercher, n'est-ce pas, un certain et bien réel palais de marbre. Après avoir vu tous ces Opéras – Venise, Florence, Rome... –, je savais que le palais de marbre de mes rêves ne pouvait être qu'une salle d'opéra ; je savais, ou me doutais du moins, que le grand escalier de ces rêves étranges, dont j'avais gardé le souvenir, avait la même structure que celui de ces salles somptueuses, s'élevant vers un palier où il se divisait en deux pour monter à la mezzanine.

Où se trouvait ce palais des rêves, ce palais plein de motifs de marbre d'une telle richesse qu'il pouvait rivaliser avec la basilique Saint-Pierre ? Et que signifiait ce rêve ? Était-il seulement le fruit de son âme tourmentée, me faisant voir la ville de Rio, scène de son dernier crime avant qu'il ne me trouve, et ne découvre en mon âme une épine acérée reliée à ce lieu ? Ou était-ce un effet de ma propre imagination se greffant sur ses souvenirs à lui, de même que cette glorieuse mer écumeuse dont surgissaient d'innombrables fantômes dansants ?

Nulle part, je ne vis un Opéra d'une beauté aussi somptueuse et aussi complexe.

A New York, nous avons joué au Lincoln Center et à Carnegie Hall. Nos récitals étaient maintenant composés de morceaux plus ou moins longs. Comme je pouvais jouer sans interruption pendant plus longtemps, la mélodie devenait plus complexe et mon répertoire se diversifiait, tandis que l'ensemble devenait plus homogène.

J'avais horreur d'écouter mes propres enregistrements. Martin, Glenn, Rosalind et Katrinka s'en chargeaient. Rosalind, Katrinka et Grady s'occupaient des contrats.

Il faut dire que ces enregistrements – cassettes, disques – sortaient de l'ordinaire. C'était la musique d'une femme sans culture musicale, tout juste capable de déchiffrer *do-ré-fa-sol-la-si-do*, qui ne joue jamais deux fois le même morceau, et qui serait sans doute incapable de le faire – comme les critiques ne manquèrent pas de le faire observer. Comment juger de telles réalisations ? Ces improvisations qui, à l'époque de Mozart, étaient perdues à jamais à moins de les noter immédiatement avec une plume et de l'encre pouvaient être maintenant conservées, et avaient droit au même respect que la musique dite « sérieuse » !

« Pas vraiment du Tchaïkovski, pas vraiment du Chostakovitch ! Pas vraiment du Beethoven ! Pas vraiment du Mozart ! »

« Si vous aimez la musique aussi épaisse et sucrée que du sirop d'érable, peut-être trouverez-vous les improvisations de Miss Becker à votre goût, mais certains d'entre nous demandent à la vie davantage que des crêpes ou des gaufres. »

« Elle est sincère et authentique, sans doute maniaco-dépressive, voire épileptique – seul son médecin personnel peut le savoir – et elle ne sait manifestement pas comment elle fait ce qu'elle fait, mais le résultat est à coup sûr fascinant. »

Les éloges étaient grisants – génie, enchanteresse, magicienne, artiste naïve – tout en méconnaissant totalement les racines de ce chant que je portais en moi, ce que je savais et ressentais. Mais ils étaient pareils à de doux baisers, et donnaient parfois des frissons à mon entourage ; des extraits de ces critiques dithyrambiques figuraient sur les emballages de nos disques et cassettes, qui se vendaient maintenant à des millions d'exemplaires.

Nous allions d'hôtel en hôtel, au gré des invitations, des contrats, parfois par simple caprice, voire par pur hasard.

Grady nous mettait en garde contre nos mœurs dépensières, mais il fut contraint de reconnaître que le produit de la vente des enregistrements dépassait d'ores et déjà le fonds constitué par Karl – lequel, soit dit en passant, avait doublé entre-temps. Et les enregistrements continueraient sans doute à se vendre pendant de longues années.

A quoi bon se restreindre ? Katrinka se sentait en sécurité ! Jackie et Julie étaient inscrits dans la meilleure école du pays, et rêvaient déjà à la Suisse.

Nous sommes allés à Nashville.

Je voulais entendre les violonistes du Kentucky, le « Bluegrass State », et jouer pour eux. J'espérais voir la jeune prodige Alison Krauss, dont j'aimais follement la musique. J'irais déposer des roses devant sa porte ; peut-être reconnaîtrait-elle le nom de Triana Becker.

Ma sonorité étaient cependant aussi peu *bluegrass* que gaélique. C'était la sonorité européenne, celle de Vienne et de Russie, la sonorité héroïque, baroque – tout cela à la fois –, les envolées sublimes des « cheveux longs », comme on les appelait jadis, avant que cela ne devienne l'apanage des hippies ressemblant au Christ. Peu importait, j'étais l'un d'eux.

J'étais une musicienne.

Une virtuose.

Je jouais du violon. Sa place légitime était entre mes mains. Je l'aimais. Je l'aimais, je l'aimais plus que je ne saurais dire.

Je n'éprouvais pas le besoin de rencontrer la brillante Leila Josefowicz, Vanessa Mae, ou ma chère Alison Krauss. Ni le grand Isaac Stern. Je n'en avais pas vraiment le courage. Il me suffisait de savoir que je savais jouer.

Je sais jouer. Un jour, peut-être, ils écouteront Triana Becker.

Rires.

Ils résonnaient dans les chambres d'hôtel où nous nous réunissions pour sabler le champagne ; nous mangions des desserts au chocolat noyés de crème, et la nuit je m'allongeais par terre, regardant les lustres au-dessus de moi, comme j'aimais le faire à la maison, et chaque matin ou chaque soir...

...Chaque matin ou chaque soir, nous appelions chez nous pour savoir si Faye avait donné de ses nouvelles, Faye, notre sœur perdue, notre sœur tendrement aimée. Nous parlions d'elle, lorsque l'on nous interviewait sur les marches des théâtres, à Chicago, à Detroit, à San Francisco... :

« ...notre sœur Faye, que nous avons perdue de vue depuis deux ans ».

Le bureau de Grady, à La Nouvelle-Orléans, recevait des appels de personnes qui n'étaient pas Faye, et qui ne la connaissaient même pas. Elles étaient incapables de décrire son corps petit mais merveilleusement proportionné, son sourire pétillant, ses yeux emplis d'amour, ses petites mains aux pouces minuscules.

Parfois, je jouais pour Faye. J'étais avec la petite Faye sur le dallage de la maison de St Charles Avenue ; elle portait le chat dans ses bras, souriante, oublieuse de tout, elfe invincible en dépit de la femme soûle dans la maison, des cris et des disputes, du bruit d'une femme vomissant derrière la porte des toilettes. Pour Faye, allongée sur le patio, qui aimait sentir le dallage sécher au soleil après la pluie. Faye connaissait ce genre de secrets, alors que d'autres se querellaient et accusaient.

Nos incessants déplacements étaient parfois éprouvants pour les autres. Je ne pouvais m'empêcher de jouer encore et toujours sur ce Stradivarius longuet. Glenn disait que je devenais timbrée. Le Dr Guidry arriva. Un jour, mon beau-frère Martin suggéra de faire des analyses pour voir si j'étais droguée, et Katrinka l'engueula copieusement.

Il n'y avait pas de drogues. Pas d'alcool. Il n'y avait que la musique.

C'était une version des *Chaussons rouges* dont l'héroïne serait, non une danseuse, mais une violoniste. Je jouais, jouais sans pouvoir m'arrêter, jusqu'à ce que tout le monde se fût endormi dans la suite.

Un soir, il fallut me faire descendre de force de la scène. Une opération de sauvetage, je suppose, parce que cela semblait ne jamais devoir finir et que le public demandait toujours de nouveaux bis. Je m'effondrai, mais ne tardai pas à revenir à moi.

Je découvris *L'Immortelle bien-aimée*, un film magistral dans lequel le grand acteur Gary Oldman incarnait à la perfection le Beethoven auquel j'avais voué un véritable culte ma vie durant, et que dans ma folie j'avais peut-être même aperçu. J'observais le regard du grand Gary Oldman. Il avait capté la transcendance, l'héroïsme dont j'avais rêvé, l'isolement que je connaissais si bien, et la persévérance dont je faisais mon devoir quotidien.

« Nous retrouverons Faye ! » affirmait Rosalind. En dînant dans les salles à manger des hôtels, nous passions en revue tous les points positifs. « On parle tellement de toi que Faye finira inévitablement par l'apprendre, et elle reviendra ! Elle voudra être avec nous, maintenant... »

Katrinka racontait des blagues et faisait des traits d'esprit. Rien ne pouvait plus lui faire peur – ni les impôts, ni l'hypothèque, ni la vieillesse, ni la mort, ni la scolarité de ses filles, ni son mari qui dépensait trop de notre argent – elle n'avait plus aucun souci.

Grâce au succès et à l'argent qui coulait à flots, tout problème trouvait sa solution.

C'était un succès moderne, un succès qui ne peut exister que de nos jours, il me semble, à une époque où les spectateurs du monde entier peuvent écouter, regarder et enregistrer, le tout en même temps, les improvisations d'une seule violoniste.

Nous réussissions à nous convaincre que Faye devait partager notre nouvelle vie, que quelque part, d'une façon ou d'une autre, elle le faisait déjà, parce que nous lui envoyions des messages : Faye, reviens. Faye, ne sois pas morte. Où es-tu, Faye ? Faye, c'est si merveilleux de rouler en limousine, d'habiter ces suites somptueuses ; c'est si chouette de fendre la foule qui se presse à l'entrée des artistes, tout est super !

Faye, le public nous donne son amour ! Faye, il fait chaud, plus jamais il ne fera froid.

Un soir, à New York, je me tenais à côté d'un griffon de pierre ; je crois que c'était au dernier étage de l'hôtel Ritz-Carlton. Je dominais toute l'étendue de Central Park. Le vent soufflait, aussi froid qu'à Vienne. Je pensais à Mère. Je pensais à ce jour où elle m'avait demandé de réciter le chapelet avec elle ; elle m'avait parlé de son alcoolisme – qu'elle n'avait jamais mentionné à mes sœurs –, disant que c'était un besoin inné, une dépendance, que son père l'avait déjà, et le père de celui-ci avant lui. Dis ton chapelet. Fermant les yeux, je l'avais embrassée. *L'Agonie dans le Jardin*.

Cette nuit-là, je jouai pour elle, dans une rue de la ville.

Bientôt, ma cinquante-cinquième année sera révolue. En octobre, j'aurai cinquante-cinq ans.

Finalement – je m'y attendais – l'inévitable arriva.

Que c'était gentil à Stefan, que c'était spontané et irréfléchi de sa part, de l'avoir écrit lui-même, de sa propre main spectrale. Ou bien avait-il envahi le corps d'un mortel pour tracer ces caractères ?

A l'âge où nous vivons, personne n'a une écriture aussi parfaite, ces traits longs et précis tracés par une plume trempée dans une splendide encre violette – et sur du parchemin de surcroît, neuf bien sûr, mais d'une qualité égale à celle du meilleur qu'il aurait pu choisir à son époque.

Sa franchise était admirable :

« Stefan Stefanovsky, votre vieil ami, vous invite cordialement à donner un concert à Rio de Janeiro, et se réjouit à l'avance de vous voir à cette occasion. Des chambres sont réservées pour vous et les membres de votre famille à l'Hôtel Copacabana à Rio, tous frais payés. Tous autres dispositions et détails à votre convenance. Ayez l'amabilité d'appeler les numéros suivants au moment qui vous conviendra. »

Katrinka s'en chargea. « Quel théâtre ? demanda-t-elle au téléphone. Le Teatro Municipale ? »

Voilà qui semble bien moderne et aseptisé, pensai-je.

Je te donnerais Lily, si je le pouvais.

« Tu ne vas quand même pas aller là-bas ? » demanda Roz. Elle en était à sa quatrième bière ; tout alanguie, elle me tenait par la taille. La tête sur son épaule, somnolant à moitié, je regardais par la fenêtre. Nous étions à Houston, une ville tropicale en vérité, avec une excellente troupe de danse et un opéra ; le public nous avait accueillis chaleureusement, sans la moindre réserve.

« A ta place, je n'irais pas, me dit Katrinka.

– A Rio de Janeiro ? Mais c'est une ville fantastique. Karl voulait y aller. Pour mettre la dernière main à son livre, trouver de la documentation sur saint Sébastien, son sujet, son... »

Roz termina ma phrase : « ...domaine de recherche. »

Cela fit rire Katrinka.

« En tous cas, son livre est terminé, ajouta Glenn, le mari de Roz. Il sera en librairie dans quelques jours. Selon Grady, tout se passe à merveille. » Il remonta ses lunettes sur son front, puis s'assit et croisa les bras.

Je regardai de nouveau le mot que j'avais reçu. Venez à Rio...

« Je le vois à ton expression : tu ferais mieux de ne pas y aller. »

Je regardais fixement l'invitation. Mes mains étaient moites et tremblaient légèrement. Son écriture. Le seul fait de voir son nom.

« De quoi parlez-vous, au nom du ciel ! »

Ils échangèrent des regards entendus. « Elle ne s'en souvient peut-être pas pour le moment, mais cela lui reviendra, dit Katrinka.

– Cette femme qui t'avait écrit, ta copine de Berkeley, pour t'annoncer que...

– Que Lily... était ressuscitée à Rio ?

– Hum, fit Roz. Ça va te rendre malheureuse, d'aller là-bas. Quand Karl voulait y aller, tu lui avais dit que tu avais toujours rêvé de voir Rio, mais que tu ne t'en sentais pas le courage, tu te souviens ? Je t'ai entendue dire à Karl...

– Je ne sais plus ce que je lui ai dit. Je me souviens seulement que nous n'y sommes pas allés ; il le voulait, mais pas moi. Et maintenant, je dois aller là-bas.

– Triana, intervint Martin. Tu ne trouveras pas la réincarnation de Lily. Ni là-bas, ni ailleurs.

– Elle le sait parfaitement », dit Roz.

Les traits de Katrinka exprimaient une tristesse résignée, comme si souvent, dans le temps. Je ne voulais pas voir cela.

Elle était tellement proche de Lily, jadis. Roz ne nous avait pas accompagnés à Berkeley et à San Francisco. Katrinka, elle, avait vécu tout cela – le lit de la petite malade, le cercueil, le cimetière... Tout.

« N'y va pas, répéta Katrinka d'une voix étranglée.

– J'irai, dis-je, mais pour une autre raison. Je ne pense pas que Lily soit là-bas. Et je suis convaincue que si Lily existe quelque part, elle n'a pas besoin de moi. Sinon, elle serait venue...«

Je ne terminai pas ma phrase. J'entendais de nouveaux ses mots blessants, emplis de haine :

Tu étais jalouse, jalouse parce que ta fille s'était révélée à Susan, et non à toi. Reconnais-le ! C'est cela que tu pensais. Pourquoi ta fille n'était-elle pas venue à toi ? Et tu as égaré sa lettre, tu n'y as jamais répondu, alors que tu savais que Susan était sincère, tu savais combien elle avait aimé Lily, combien elle croyait...

« Triana ? »

Je levai la tête. Dans les yeux de Roz, était apparue la petite lueur de la peur, la peur familière des années difficiles, avant que tout nous soit donné sans effort.

« Ne t'inquiète pas, Roz, je ne vais pas à la recherche de Lily. Mais cet homme... j'ai une dette envers lui.

– Qui ? demanda Katrinka. Ce Stefan Stefanovsky ? Les gens que j'ai eus au téléphone ne savaient même pas qui c'était. Je m'explique : l'invitation est sérieuse, mais ils n'ont aucune idée du genre d'homme...

– Je le connais très bien, dis-je. Tu ne te souviens pas ? » Je me levai pour prendre le violon qui était posé sur une chaise, à quelques centimètres seulement de la table.

« Le violoniste de La Nouvelle-Orléans ! s'exclama Katrinka.

– Oui. Stefan, c'est lui. Je tiens à y aller. Et puis... tout le monde dit que c'est une très belle ville. »

Était-ce possible ? Serait-ce la ville de mes rêves ? Si c'était le paradis, on pouvait compter sur Lily pour le dénicher.

« Le Teatro Municipale... Cela ne semble pas très prometteur. » Avais-je déjà entendu ces mots quelque part ?

« C'est une ville dangereuse, fit observer Glenn. Ils vous tueraient pour une paire de mocassins. Elle est pleine de pauvres logeant dans de misérables cabanes au flanc des collines. Et la plage de Copacabana ? Tout est construit depuis des décennies...

– C'est beau », dis-je si bas que personne n'entendit. Je tenais le violon à la main. Je commençai à pincer les cordes.

« Je t'en supplie, ne joue pas maintenant, dit Katrinka, ça me rendrait folle. »

J'éclatai de rire. Roz se joignit à moi.

« Question de moment, tu comprends, s'empressa d'ajouter Katrinka.

– Ne t'excuse pas. En tout cas, je veux y aller. Il le faut. Stefan me l'a demandé. »

Je leur dis qu'ils n'étaient pas obligés de m'accompagner. C'était le Brésil, après tout. Mais quand arriva le moment du départ, tous étaient impatients de découvrir cette contrée exotique et légendaire, la forêt vierge, les immenses plages, et aussi le Teatro Municipale, nom qui évoquait un auditoriumm moderne en béton.

Ce n'était pas du tout cela, bien sûr.

Vous le savez.

Le Brésil n'est pas seulement un autre pays, c'est un autre monde. Un monde où les rêves prennent des formes différentes, où les humains conversent quotidiennement avec les esprits, où les saints chrétiens et les dieux africains voisinent sur des autels dorés.

Vous savez ce que j'ai découvert. Évidemment...

J'avais peur. Mes compagnons le voyaient. Ils le sentaient. Je pensais sans cesse à Susan ; pas seulement à sa lettre, mais aussi à ce qu'elle m'avait dit après la mort de Lily. Elle m'avait dit que Lily savait qu'elle allait mourir. J'avais tout fait pour le lui cacher. Pourtant, elle avait dit à Susan : « Devine quoi ? Je vais mourir. » Elle s'était mise à rire sans pouvoir s'arrêter. « Je le sais parce que ma maman le sait, et que ma maman a peur. »

Mais je te dois ceci, Stefan. C'est à tes sauvages et ténébreuses attaques que je dois la substance même de ma force. Je ne peux le nier.

Je me forçais à sourire, et je gardais mes pensées pour moi. Parler d'un enfant mort n'est pas tellement difficile. Ils avaient cessé depuis longtemps de me demander comment je m'étais retrouvée à Vienne. Ils ne faisaient pas le lien avec le violoniste fou.

Nous sommes donc partis, et ce furent de nouveau des rires, mais sous les rires se cachait la peur, semblable aux ombres dans la grande coque creuse de la maison quand mère buvait et que les bébés dormaient dans la chaleur moite et que j'avais peur que la maison ne prenne feu et que je ne puisse pas les sauver, et notre père était parti je ne savais où, et je claquais des dents, bien qu'il fît une chaleur étouffante et que la nuit fût pleine de moustiques.

17

Tout engourdis et hébétés après le long vol – la traversée de l'équateur, le survol de l'Amazone, la descente sur Rio –, nous somnolions dans les voitures qui suivaient le long et sombre tunnel creusé sous le mont Corcovado, couvert de forêt vierge. Et soudain cette splendeur, le Christ de granit au sommet du pic, les bras écartés comme pour embrasser l'univers ; je me promis d'y monter avant notre départ.

Je me séparais moins que jamais du violon. J'avais fait faire un nouveau sac, en velours bourgogne, solide et bien rembourré, que je pouvais porter en bandoulière sans risque pour l'instrument.

Nous aurions tout le temps de visiter les merveilles de Rio : le Pain de Sucre, les anciens palais des Habsbourg, qui s'étaient réfugiés ici car ils avaient peur – à juste titre – de Napoléon dont l'artillerie bombardait la Vienne de Stefan.

Quelque chose frôla mon visage. Je sentis un souffle, un soupir. Tous les poils de mon corps se hérissèrent, mais je ne bronchai pas, tandis que la voiture roulait en cahotant.

Nous sortîmes du tunnel. L'air était frais. Le ciel immense et d'un bleu presque excessif.

Nous arrivions à Copacabana. Depuis que nous étions en ville, des frissons glacés parcouraient mes bras, comme si Stefan était à mes côtés. Sentant quelque chose effleurer ma joue, je serrai plus fort le violon dans son sac de velours doux et épais, tout en m'efforçant de ne pas succomber à l'hystérie et de regarder ce qui m'entourait.

Copacabana était un incroyable mélange de hauts immeubles modernes et d'éventaires improvisés. Partout, des marchands ambulants, des hommes et femmes d'affaires marchant d'un pas énergique, des touristes alanguis. C'était un quartier aussi vibrant et animé qu'Ocean Drive à Miami Beach, que le centre de Manhattan, ou Market Street à San Francisco à l'heure du déjeuner.

« Quels arbres ! dis-je à mes compagnons. Regardez ces arbres immenses, partout. »

Ils se dressaient d'un seul élan, couronnés de grandes ombrelles dentelées, d'un vert soutenu, qui donnaient une ombre pure et bienfaisante par cette chaleur étouffante. Je n'avais jamais encore vu, dans une ville aussi encombrée, une telle profusion de verdure ; il y en avait partout, de ces arbres, se dressant au-dessus du pavé crasseux, faisant fi de la foule qui se pressait sur les trottoirs, poussant même à l'ombre des gratte-ciel.

« Je crois que c'est ce que vous appelez des amandiers, Miss Becker », expliqua notre guide, un grand jeune homme efflanqué, très pâle, aux cheveux blonds et aux yeux d'un bleu délavé. Il se nommait Antonio. Antonio parlait avec l'accent que j'avais entendu dans le rêve. Il était portugais.

Nous étions arrivés. C'était ici que se trouvaient la mer écumeuse et le palais de marbre, je n'en doutais pas. Mais que nous réservait la suite des événements ?

La voiture s'engagea sur l'avenue qui longeait la plage. Quel choc ! Un frisson brûlant parcourut mon corps. Il n'y avait presque pas de vagues, mais c'était bien la mer de mes rêves. Je voyais, au loin, les bras de terre qui la séparaient des autres plages de Rio.

Antonio, notre guide à la voix mélodieuse, parlait des nombreuses plages qui bordaient cette ville de onze millions d'habitants. Des montagnes semblaient surgir du sol. Le long du rivage, des cabanes aux toits d'herbe proposaient des boissons fraîches. Partout, des bus et des cars piaffaient d'impatience, cherchant une voie libre pour foncer. L'Atlantique était une immense étendue bleue et verte, apparement illimitée, alors qu'en fait c'était une baie, et qu'au-delà de l'horizon, se dressaient d'autres montagnes que nous ne pouvions voir. Le plus beau port naturel du monde.

Rosalind était subjuguée. Glenn prenait une photo après l'autre. Katrinka regardait avec un soupçon d'inquiétude l'incessant défilé de femmes et d'hommes vêtus de blanc sur le sable jaune pâle. Je n'avais jamais vu une plage aussi vaste, aussi magnifique.

Et puis ce furent les trottoirs aux curieux dessins qui m'étaient apparus dans les rêves – je voyais maintenant que c'était une savante mosaïque.

Notre guide, Antonio, parlait de l'homme qui avait construit cette immense avenue de l'Atlantique le long de la plage, et qui avait conçu ces motifs destinés à être vus d'avion. Il parlait des nombreux endroits que nous devrions visiter, de la merveilleuse douceur de l'eau, du Nouvel An et du Carnaval – deux grandes fêtes à l'occasion desquelles nous devrions revenir.

La voiture tourna à gauche. Je vis l'hôtel se dresser devant nous. Le Copacabana Palace, un majestueux et désuet bâtiment blanc de six étages; au premier, une large terrasse, bordée d'arcs romans. Les salles de conférences et de bal se trouvaient certainement derrière ces hautes arcades aux lignes si pures. La plaisante façade de stuc blanc faisait très respectable, très « British ».

Un dernier et lointain écho du baroque, perdu au milieu de tous ces hauts immeubles résidentiels, qui l'entouraient de toutes parts, mais ne pourraient jamais l'écraser.

L'allée contournait un terre-plein planté d'arbres aux grandes feuilles luisantes, pas très hauts, comme si la nature avait voulu les maintenir à l'échelle humaine. Je me retournai. A perte de vue, l'avenue était bordée de ces arbres, les mêmes arbres qui prodiguaient leur ombre dans les rues bruyantes et encombrées du centre.

Il y avait trop de choses à voir. Serrant le violon contre moi, je frissonnais.

Regarde le ciel au-dessus de la mer, comme il change vite, regarde les grands bancs de nuages qui filent sur l'horizon! Dieu, que le ciel est haut!

Ça te plaît, ma chérie?

Je me raidis. J'eus aussitôt un petit rire défensif, mais cela ne l'empêcha pas de me toucher – une impression de mains osseuses contre ma joue. Puis quelque chose me tira les cheveux. Je détestais cela. Ne touche pas à mes longs cheveux, à mon voile protecteur! Ne me touche pas!

« Ne te laisse pas envahir par de sombres pensées, me dit Rosalind. C'est si beau! »

Dès que la voiture s'arrêta devant l'entrée, la concierge vint nous accueillir. C'était une ravissante Anglaise qui répondait au nom de Felice. Elle se montra d'une politesse exquise, qualité qui me semble être l'apanage des Anglais, cette espèce rare apparemment préservée de l'obsession moderne de l'efficacité, qui avilit tous les autres peuples du monde.

Je descendis et m'éloignai de quelques pas pour pouvoir embrasser toute la façade de l'hôtel.

Mon regard se posa aussitôt sur la fenêtre située au-dessus de l'arc qui marquait le milieu de la terrasse.

« C'est ma chambre, n'est-ce pas ?

– Effectivement, Miss Becker, dit Felice. Exactement au centre de l'hôtel. C'est la suite présidentielle, comme vous l'aviez demandé. Vos invités ont tous des suites au même étage. Venez, vous devez être fatiguée après ce long voyage. Pour vous, c'est le milieu de la nuit, alors qu'ici, il est midi. »

Rosalind dansait de joie. Katrinka avait déjà repéré les bijouteries toutes proches, les joailliers vendant les précieuses émeraudes du Brésil. Je vis que l'hôtel avait deux ailes sur les côtés. Il y avait d'autres magasins. Une petite librairie à la vitrine pleine de livres en langue portugaise. American Express.

Une nuée de chasseurs se rua sur nos bagages.

« Il fait une chaleur d'enfer, dit Glenn. Viens, Triana, entrons. »

J'étais comme paralysée.

Pourquoi n'entres-tu pas, chérie ?

Je levai les yeux sur la fenêtre, la fenêtre du rêve que j'avais fait juste après l'arrivée de Stefan, la fenêtre du haut de laquelle je regarderai, je le savais, cette plage et les vagues, apaisées maintenant, mais qui se gonfleraient peut-être pour se couronner d'écume. Le rêve n'avait rien exagéré.

Jamais je n'avais vu un golfe, ou un port, aussi majestueux, plus grand et plus beau encore que la baie de San Francisco.

On nous conduisit à l'intérieur. Dans l'ascenseur, je fermai les yeux. Je sentais sa présence, je sentais sa main me toucher.

« Alors ? murmurai-je. Pourquoi ici, entre tant d'autres lieux ? Quel est son avantage ? »

Les alliés, ma chérie.

« Arrête de parler toute seule, Triana. » C'était Martin. « Tout le monde va croire que tu es complètement folle.

– Quelle importance, maintenant ? » dit Roz.

Chacun alla de son côté. On nous accompagna, nous servit des boissons fraîches, nous inonda d'attentions et de paroles gentilles.

J'entrai dans le salon de la suite présidentielle, et me dirigeai droit vers la petite fenêtre carrée. Je la connaissais. Je connaissais l'espagnolette. Je l'ouvris.

« Des alliés, Stefan ? » demandai-je d'une voix aussi douce que si je psalmodiais des *Ave.* « Et qui seraient-ils, ces alliés, et pourquoi ici ? Pourquoi ai-je vu ceci quand tu es arrivé ? »

Seule la brise me répondit, la brise douce et pure que rien ne peut souiller, envahissant la pièce entière, le mobilier conventionnel, le tapis aux couleurs sombres. Une brise venant du grand large, d'au-delà de cette plage immense sur laquelle des silhouettes marchaient paisiblement dans le sable ou se baignaient dans les vagues paresseuses. Dans le ciel, les nuages bas étaient nimbés de gloire.

« Sais-tu donc *tout* ce que j'ai rêvé, Stefan ? »

C'est mon violon, mon amour. Je ne veux pas te faire de mal. Mais il me le faut.

Les autres s'occupaient de leurs bagages ; ils avaient leurs propres fenêtres, leurs vues à eux ; quelqu'un apporta une table roulante chargée de fruits et de rafraîchissements.

Et moi, je pensais : de ma vie entière je n'ai respiré un air aussi pur, aussi léger. Au loin, une abrupte montagne de granit se dressait au-dessus des eaux bleues. L'horizon parfaitement rectiligne était chatoyant.

Felice, la concierge, vint se mettre à côté de moi ; montrant les falaises lointaines, elle disait leur nom. Entre l'hôtel et la plage, des bus passaient en rugissant. Cela ne me gênait pas. La plupart des gens portaient des vêtements blancs, amples, à manches courtes ; c'était apparemment l'uniforme national. Je vis des peaux de toutes les couleurs. Derrière moi, chantaient les douces voix portugaises.

« Désirez-vous me confier le violon ? Nous pourrions...

– Non, merci, je le garde avec moi. »

Il rit.
« Avez-vous entendu cela ? demandai-je à l'Anglaise.
– Si j'ai entendu quelque chose ? Une fois les fenêtres fermées, je vous assure que la chambre est très silencieuse. Vous serez agréablement surprise.
– Non, pas cela. Une voix, un rire. »
Glenn me tapota le coude. « Ne pense pas à ces choses. »
« Je suis vraiment désolée », dit soudain une autre voix. Me retournant, je vis une grande femme au teint foncé, aux cheveux ondoyants, très belle, qui me fixait de ses yeux d'un vert intense – un mélange de races produisant une beauté qui dépasse les limites de notre imagination. Ses bras étaient nus, ses longs cheveux évoquaient ceux du Christ, son rouge à lèvres était couleur sang et ses dents d'une blancheur parfaite.
« Désolée ?
– Ne parlons pas de cela maintenant, intervint Felice, soudain inquiète.
– Les journaux l'ont appris », poursuivit sans se troubler la déesse aux cheveux ondoyants, en avançant les mains comme pour me supplier de comprendre et pardonner. « Nous sommes à Rio, vous comprenez. Les gens croient aux esprits, et l'on aime beaucoup votre musique ici, Miss Becker. Vos cassettes sont importées par milliers. Les habitants de ce pays sont profondément spirituels, ils ne veulent de mal à personne.
– Qu'ont appris les journaux ? lui demanda Martin. Qu'elle est descendue dans cet hôtel ? De quoi parlez-vous ?
– Non, tout le monde s'attendait que vous choisissiez cet hôtel », dit la grande femme noire aux yeux verts. « Je voulais parler de cette triste histoire, selon laquelle vous seriez venue ici pour chercher l'âme de votre enfant. Miss Becker... » Elle avança la main et s'empara de la mienne.
Dès que sa peau si chaude toucha la mienne, des frissons glacés parcoururent tous mes circuits nerveux. Le seul fait de la regarder dans les yeux me faisait défaillir.
Et pourtant, cela avait quelque chose d'horriblement excitant. Oui, horriblement.
« Excusez-nous, Miss Becker, mais nous n'avons pu empêcher la rumeur de se répandre. Je suis désolée de ce pénible désagrément. Il y a déjà des journalistes dans le hall...

– Eh bien, il ne leur reste qu'à repartir, déclara Martin. Triana doit se reposer. Le vol a duré plus de neuf heures. Il faut absolument qu'elle dorme. Son concert est demain soir, nous aurons à peine le temps... »

Je leur tournai le dos pour regarder la mer. Je souris, puis leur fis de nouveau face et pris les mains de la jeune femme noire dans les miennes.

« Vous êtes un peuple très mystique, dis-je. Catholiques, Africains, Indiens aussi, tous d'une profonde spiritualité, c'est du moins ce que l'on m'a dit. Comment s'appellent ces rituels populaires ? Je n'arrive pas à m'en souvenir.

– *Mogambo. Candomblé.* » Elle haussa légèrement les épaules, manifestement soulagée que je ne lui en veuille pas. Felice, l'Anglaise, se tenait à l'écart ; elle paraissait perturbée.

Je ne pouvais le nier : quelle que fût notre félicité, en quelque lieu que nous allions, quelqu'un, à la périphérie, était toujours troublé. Et maintenant, c'était cette Anglaise, qui craignait que je ne fusse blessée par des choses qui ne pouvaient pas m'atteindre.

Vraiment ? Penses-tu qu'elle est ici, ta fille ?

« C'est à toi de me le dire. Elle n'est pas ton alliée, n'essaie pas de me faire croire cela. » J'avais parlé à voix basse, en fixant le sol à mes pieds.

Les autres s'éloignèrent discrètement. Martin les accompagna à la porte.

« Que veux-tu que je dise à ces maudits journalistes ?

– La vérité, répondis-je. Une vieille amie a dit que Lily était ressuscitée et qu'elle se trouvait ici. » Je me tournai de nouveau vers la fenêtre, face au doux souffle du vent. « Mon Dieu, regarde cette mer, regarde ! Si Lily réapparaissait, ce qui me semble improbable, pourquoi pas dans un lieu comme celui-ci ? Entends-tu leurs voix ? T'avais-je parlé des enfants brésiliens qu'elle aimait tant, ceux qui habitaient à côté de chez nous, les dernières années de notre séjour là-bas ?

– Je les ai rencontrés, dit Martin. J'étais là, tu le sais bien. Ils venaient de São Paulo. Ne te laisse pas démoraliser par ces histoires.

– Va leur dire que nous cherchons Lily, mais que nous ne nous attendons pas à la trouver sous une quelconque forme humaine, dis-leur quelque chose de gentil, pour remplir l'auditorium municipal où nous allons jouer. Qu'attends-tu ?

– Nous jouons à guichets fermés. Et je préfère ne pas te laisser seule.

– Je ne pourrai pas dormir avant la tombée de la nuit. C'est trop immense, trop fabuleux, trop lumineux. Es-tu fatigué, Martin ? »

J'avais une seule idée en tête : Rio. Rio.

« Je veux aller dans la forêt tropicale, dis-je. Monter au sommet du Corcovado. Regarde comme le ciel est limpide. Crois-tu que nous aurons le temps avant la nuit ? Je veux voir le Christ là-haut, le Christ aux bras grands ouverts. Dommage qu'on ne l'aperçoive pas d'ici. »

Martin décrocha le téléphone et prit toutes les dispositions.

« Quelle idée merveilleuse, repris-je, de croire que Lily reviendrait, pour vivre de longues années dans un tel endroit. » Fermant les yeux, je pensai à elle, ma lumineuse, chauve et souriante, dans sa robe à carreaux au petit col blanc relevé ; à cause de ses rondeurs adorables, dues aux corticoïdes, nous l'appelions « Humpty. »

Je l'entendais rire aussi clairement que si elle était assise à califourchon sur Lev, allongé dans l'herbe fraîche de la roseraie d'Oakland. Katrinka et Martin nous avaient photographiés. La photo devait être quelque part, peut-être chez Lev : Lev allongé sur le dos et Lily assise sur sa poitrine, son petit visage rond illuminé par un sourire radieux. Katrinka prenait de très belles photos.

Au nom du ciel, arrête !

Un rire.

Non, ce n'était pas beau, tu ne pourras pas rendre ce souvenir agréable, cela fait trop mal, et tu te demandes si en fait elle ne te haïssait pas parce que tu l'avais laissée mourir, et ta mère aussi, peut-être, et te voici arrivée au pays des esprits.

Derrière moi, Martin prononça mon nom. Il m'avait sûrement observée pendant que je parlais au néant, à moins que le vent n'eût emporté mes paroles.

Antonio nous attendait. Une voiture nous amènerait jusqu'au tram. Nous étions accompagnés de deux gardes du corps, des policiers en congé engagés pour assurer notre sécurité. Le tram gravissait la colline couverte d'une dense forêt tropicale ; ensuite, il nous faudrait monter les dernières marches jusqu'au pied du Christ, tout en haut de la montagne.

« Tu es sûre que tu n'es pas trop fatiguée ? me demanda Martin.

– Je bous d'enthousiame. J'adore cet air, cette mer, tout ce qui m'entoure... »

Antonio nous assura que nous avions largement le temps. Il ne ferait nuit que dans cinq heures. Mais regardez ces nuages, le ciel s'assombrit, ce n'est pas un jour idéal pour le Corcovado.

« C'est mon jour de congé, dis-je à Antonio. Allons-y. Je monte devant avec vous, je veux tout voir. »

Martin et les deux gardes du corps s'installèrent à l'arrière.

Au moment où nous démarrions, j'aperçus un groupe de gens chargés d'appareils photo, manifestement des journalistes, en grande discussion avec Felice, laquelle faisait semblant d'ignorer que nous étions à quelques pas.

Je me demandais à quoi ressemblait ce « tram » que nous devions prendre ; je savais seulement qu'il était vieux, comme les anciens tramways en bois de La Nouvelle-Orléans, et qu'il était tiré par un câble pour gravir la montagne, comme le funiculaire de San Francisco. Je crois même avoir entendu dire qu'il pouvait être dangereux de le prendre. Mais cela m'était égal.

Aussitôt arrivés à la station, nous nous précipitâmes vers le petit train, qui était sur le point de partir. Il n'y avait que quelques passagers, pour la plupart européens. Je les entendais parler en français, en espagnol, et aussi dans cette langue mélodieuse et angélique qui devait être du portugais.

« Fantastique ! m'exclamai-je. Nous nous enfonçons dans la forêt vierge !

– Certainement, dit Antonio, notre guide. Cette forêt va jusqu'au sommet de la montagne ; elle est très belle, mais ce n'est pas la forêt primitive...

– Continuez. » Étonnée et émerveillée, je me penchai par la vitre ouverte pour toucher la terre nue – nous passions tout près –, pour caresser les fougères enracinées dans les fissures, pour regarder les grands arbres qui formaient une voûte au-dessus de la voie.

Les autres passagers souriaient, bavardaient...

« C'était une plantation de café, voyez-vous, et puis cet homme est arrivé au Brésil, un homme très riche. Il a compris qu'il fallait faire renaître la forêt. C'est une nouvelle forêt, elle n'a que cinquante ans, mais c'est notre forêt vierge, la forêt de Rio, et nous le devons à cet homme. Tous les arbres que vous voyez ont été soigneusement replantés. »

Elle paraissait aussi sauvage et vierge que les plus beaux paradis tropicaux qu'il m'avait été donné de voir. Mon cœur battait très fort.

« Es-tu là, espèce de salaud ? » murmurai-je à l'intention de Stefan.

– Tu disais... ? me demanda Martin.

– Je parlais toute seule. Je récitais mon chapelet, je disais des *Ave Maria* pour écarter le malheur. Les Mystères Glorieux : *Jésus ressuscité d'entre les morts.*

– Toi et tes *Ave* !

– Que veux-tu insinuer ? Tu as vu ? La terre est rouge, complètement rouge ! » Nous continuions à gravir la montagne, prenant lentement les virages, franchissant de profondes entailles creusées dans le rocher, puis nous retrouvant au même niveau que la végétation luxuriante, douce et comme assoupie.

« Hum..., le brouillard se lève », fit observer Antonio, avec l'air de s'excuser.

« Peu importe, répondis-je. C'est tellement merveilleux ainsi. Il faut voir cette forêt sous tous ses aspects, ne croyez-vous pas ? Quand je gravis une montagne vers le ciel et vers le Christ, j'oublie tous mes soucis.

– Excellent, ça », dit Martin. Il avait allumé une cigarette ; Katrinka n'était pas là pour lui dire de l'éteindre. Antonio ne fumait pas, mais cela ne le gênait pas ; lorsque Martin lui avait demandé s'il pouvait fumer, il avait paru sincèrement surpris.

Le tram s'arrêta pour prendre une femme chargée de plusieurs ballots ; elle avait le teint très foncé et portait des chaussures informes en cuir souple.

« C'est donc comme un vrai tramway ? demandai-je à Antonio.

– Il y a des gens qui travaillent en haut, d'autres qui vont ici ou là. Vous comprenez, elle vient d'un de ces endroits misérables...

– Les bidonvilles, précisa Martin. J'en ai entendu parler, mais nous ne tenons pas à les visiter.

– Non, ce n'est pas indispensable. »

De nouveau, un rire. Manifestement j'étais seule à l'avoir entendu. « Tu en es donc là, complètement exténué », murmurai-je. Je me penchai de nouveau dehors, ignorant les mises en garde de Martin. Je voyais les branches feuillues venir à ma rencontre. Je sentais l'odeur de la terre. Je parlais au vent : « Tu ne peux donc pas prendre une forme visible, ni te faire entendre de qui que ce soit d'autre ? »

Je te garde ce que j'ai de meilleur, mon amour, toi qui as effrontément pénétré dans les cloîtres les plus secrets de mon esprit, alors que je m'y ébattais, chantant les vêpres sur une musique intérieure que, moi-même je n'entendais pas. Pour toi, rien que pour toi, je ferai de nouveaux miracles.

« Menteur, tu es un menteur et un escroc ! » dis-je dans le ferraillement du tram. « As-tu pour compagnons des fantômes loqueteux ? »

Le tram s'arrêta de nouveau.

« Ce bâtiment-là, demandai-je à notre guide. Vous voyez, cette belle maison, à droite. Qu'est-ce que c'est ?

– Ah oui..., fit Antonio en souriant. Nous pourrons la visiter en redescendant, si vous voulez. Attendez, je vais arranger ça. » Il sortit de sa poche un petit téléphone portable. « La voiture pourra venir nous chercher, si cela vous convient. C'était un hôtel, dans le temps. Maintenant, il est abandonné.

– J'y tiens absolument, dis-je. Je veux le voir. » Je me retournai, mais le grand bâtiment était déjà caché par un tournant.

Finalement, nous arrivâmes au terminus. Une foule de touristes attendait le tram. Nous descendîmes sur le quai, une simple plate-forme cimentée.

« Ah oui..., dit Antonio. Maintenant, il faut monter les marches jusqu'au Christ.

– Montons, alors ! » s'exclama Martin.

Les gardes du corps nous suivaient d'un pas nonchalant, côte à côte, entrouvrant leurs vestons kaki pour montrer leurs pistolets noirs afin que tout le monde les voie. L'un d'eux m'adressa un sourire protecteur, à la fois tendre et respectueux.

« Ce n'est pas si terrible, me dit Antonio. Il y a beaucoup de marches, mais avec des paliers, il y a des endroits pour s'arrêter à chaque... comment diriez-vous... à chaque étape, où vous trouverez des boissons fraîches. Vous tenez vraiment à porter le violon vous-même ? Si vous voulez, je...

– Elle le porte toujours elle-même, intervint Martin.
– Je veux aller jusqu'en haut. Quand j'étais petite, je l'ai vu dans un film, ce grand Christ aux bras écartés. Comme sur un crucifix. »

Je dépassai mes compagnons.

Quel spectacle adorable, cette foule nonchalante, ces petites boutiques vendant des souvenirs bon marché et des sodas en boîte, ces gens assis paresseusement aux petites tables en fer disposées sur les paliers, dans cette merveilleuse chaleur qui rendait tout si doux, si moelleux, et le vent apportait des lambeaux de brume blanche.

« Ce sont des nuages, expliqua Antonio. Nous sommes dans les nuages.
– Fantastique ! m'écriai-je. Et la balustrade, qu'elle est belle ! Elle vient d'Italie, je suppose ? Regarde, Martin, c'est un mélange de tous les styles, ancien et moderne, européen et exotique.
– Absolument, elle très vieille, cette balustrade, et les marches, vous voyez, elles ne sont pas hautes. »

Les paliers se succédaient.

Nous avancions maintenant dans un épais brouillard d'une blancheur absolue, ne voyant que nos pieds et nos compagnons, mais pratiquement rien d'autre.

« Oh la la ! fit Antonio, ce n'est pas Rio, vous savez. Vous ne voyez rien, il faudra revenir quand il y a du soleil.
– Montre-nous la voie, Christ ! Par où faut-il aller ?
– Nous sommes arrivés au pied de la statue, Miss Becker. Reculez-vous un peu et regardez !
– Dire que nous sommes dans le ciel ! » m'exclamai-je.

Au ciel ou en enfer !

« Personnellement, je ne vois que de la brume », dit Martin, en m'adressant néanmoins un sourire bienveillant. « Mais tu as raison, c'est un sacré pays, une sacrée ville. » Il montra, à notre droite, une grande trouée révélant la métropole qui s'étalait à nos pieds, plus grande que Rome ou Manhattan. Les nuages se refermèrent.

Antonio nous fit signe de lever les yeux.

Un petit miracle s'était produit, un miracle banal et pourtant merveilleux.

Le gigantesque Christ en granit apparut un instant dans la brume blanche, le visage très haut au-dessus de nous, les bras écartés, rigides, non pour accueillir mais pour être crucifiés. Aussi soudainement, la vision disparut.

« Continuez à regarder », dit Antonio, le bras tendu. Une blancheur immaculée avait englouti le monde. Soudain, la statue réapparut dans l'air devenu ténu. Cela me donnait envie de pleurer. Je ne retins pas mes larmes.

« Ô mon Dieu, Lily est-elle ici ? murmurai-je. Dis-le-moi !

– Triana... » C'était Martin.

« Tout le monde a le droit de prier, non ? De toute façon, je ne tiens pas à ce qu'elle y soit. » Je reculai encore pour mieux Le voir, le Dieu que j'adorais, tandis qu'une fois de plus les nuages se déchiraient puis se refermaient.

« Après tout, ce n'est pas tellement mal par ce jour nuageux, comme je l'avais supposé.

– Au contraire, dis-je, c'est divin. »

Tu t'imagines que cela va t'aider ? Comme quand tu avais pris ton rosaire sous l'oreiller, la nuit où je t'avais abandonnée ?

« Reste-t-il des sanctuaires inexplorés dans ton esprit ? » Je bougeais à peine les lèvres, ma voix n'était qu'un murmure à peine audible. « Notre ténébreux voyage ne t'a-t-il donc rien appris ? Es-tu devenu complètement dénaturé, pareil aux ombres grotesques et pitoyables qui te suivaient partout ? Je n'étais pas censée voir ta Rio, n'est-ce pas, seulement mes propres souvenirs, dont tu étais si avide. Es-tu jaloux que je l'aime tant ? Qu'est-ce qui te retient ici ? Tes forces t'abandonnent, tu ne sais plus que haïr... »

J'attends le moment de ton humiliation ultime.

« J'aurais pu m'en douter, murmurai-je.

– Je préférerais que tu ne dises pas tes *Ave* à voix haute, dit Martin d'un ton léger. Cela me rappelle ma tante Lucy, qui nous obligeait à écouter le rosaire à la radio, tous les soirs à six heures. Pendant un quart d'heure, à genoux sur le parquet !

– Typiquement catholique », dit Antonio en riant. Il tapota mon épaule, puis celle de Martin. « Mes amis, il va pleuvoir. Si vous voulez voir le vieil hôtel avant la pluie, il faut se dépêcher de prendre le tram. »

Nous attendîmes que les nuages se déchirent encore une fois. Le grand Christ sévère apparut. « Si Lily est en paix, Seigneur, je ne Te demande pas de me le dire.

– Crois-tu vraiment en ces sottises ? » demanda Martin.

Antonio était visiblement choqué. Il ne pouvait pas savoir, bien sûr, que mes proches me sermonnaient quotidiennement à ce sujet.

« Je suis convaincue que Lily, où qu'elle soit, n'a plus besoin de moi. Je crois cela de tous ceux qui sont réellement morts. »

Martin n'écoutait pas.

Une dernière fois, le Christ se dressa au-dessus de nous, les bras aussi rigides que s'il était sur une croix.

Nous descendîmes l'escalier à tout vitesse, pour ne pas rater le tram.

Nos gardes du corps, qui étaient nonchalamment accoudés à la balustrade, écrasèrent leurs boîtes de soda et les lancèrent dans une poubelle avant de nous emboîter le pas.

Le brouillard était tout humide lorsque nous arrivâmes enfin à la station.

« C'est le premier arrêt ? demandai-je.

– Oui, nous ne pouvons pas le manquer, répondit Antonio. J'ai appelé la voiture, elle va venir. La montée est très raide, mais à la descente, ça ne va pas trop mal. Nous roulerons doucement, si vous le souhaitez, et s'il pleut, c'est sans importance. Évidemment, je suis désolé qu'il ne fasse pas beau...

– J'adore ce temps. »

Qui utilisait ce premier arrêt du tram ? L'arrêt à côté de l'hôtel abandonné ?

Il y avait un parking. Sans doute certains visiteurs montaient-ils jusqu'ici dans leurs puissantes petites voitures, puis prenaient le tram jusqu'au sommet. Mais il n'y avait rien pour s'abriter.

Le grand hôtel au crépi ocre était encore solide, mais manifestement à l'abandon.

Je le regardais, fascinée. Les nuages n'étaient pas très bas ; je voyais la ville et l'océan, comme on devait les découvrir de ces fenêtres, maintenant fermées par des volets.

« Quel endroit extraordinaire...

– Ah oui..., dit Antonio, il y a eu des projets, de nombreux projets, et peut-être... Tenez, regardez à travers la clôture. » Je vis une allée, je vis une cour. Levant les yeux, je regardai les volets d'un ocre passé qui condamnaient les fenêtres, le toit en tuiles. Imaginer que je pourrais... que je pourrais réellement... il suffisait de le vouloir...

Une aspiration était née en moi, un désir que je n'avais ressenti nulle part ailleurs au cours de nos voyages : créer ici une merveilleuse retraite, où je viendrais de temps en temps de La Nouvelle-Orléans pour respirer l'air de la forêt. Aucun endroit sur terre ne me semblait aussi beau que Rio.

« Venez », dit Antonio.

Nous contournâmes l'hôtel. Une large balustrade en béton nous protégeait d'un ravin. Le bâtiment était encore plus grand qu'il ne le paraissait de prime abord. Il dominait la vallée entière. Mon cœur se serrait à la vue de tant de beauté. Des bananiers coupaient le flanc de la montagne en dessinant une ligne presque droite, comme s'ils suivaient la trace d'une unique racine, ou d'une source, et de tous côtés s'élevait une végétation luxuriante, dont émergeaient de grands arbres agités par le vent. De l'autre côté de la route, derrière nous, la forêt descendait à pic, sombre et foisonnante.

« C'est le paradis. »

Je m'immobilisai. Un moment de calme. Pas besoin d'explications, un geste avait suffi. Les messieurs s'éloignèrent, fumant leurs cigarettes, bavardant entre eux. Je ne les entendais pas. Le vent soufflait moins fort qu'au sommet. Les nuages s'abaissaient, mais lentement, et ils n'étaient pas épais. Tout était calme et silencieux ; à mes pieds s'étendaient ces milliers de maisons, d'immeubles, de tours, de rues, et enfin l'exquise et paisible étendue bleue, sans limites.

Lily n'était pas ici. Lily était partie, aussi certainement que l'esprit du Maestro, aussi sûrement que disparaissent la plupart des esprits, l'esprit de Karl, celui de Mère. Lily avait mieux à faire que de se manifester à moi, que ce fût pour me consoler ou pour me tourmenter.

N'en sois pas si sûre.

« Prends garde avec tes stratagèmes. En me faisant souffrir, tu m'a appris à jouer. Je suis capable de recommencer. Il n'est pas facile de me tromper, tu devrais le savoir. »

Ce que tu verras te glacera le sang et le violon t'échappera, tu le laisseras tomber, tu me supplieras de le reprendre, ! Tu te dépouilleras de tout ce que tu as tant admiré ! Tu n'en es pas digne.

« Cela me surprendrait. N'oublie pas que je les connaissais intimement, que je les adorais. Souviens-toi combien j'aimais le lit de mort et le moindre petit détail. Leurs visages et leurs formes sont intacts dans mon souvenir. Tu ne parviendras pas à les reproduire. Je déjouerai ta ruse. »

Il poussa un long soupir. Je sentis quelque chose se détacher, s'éloigner, je sentis une nostalgie ou un désir qui me glaça les bras et le cou. Je crus entendre pleurer.

« Stefan, dis-je, essaie de ne pas t'accrocher à moi ou à ces choses, mais... »

Sois maudite !

Martin me toucha le bras pour attirer mon attention. Au loin, Antonio nous faisait signe de venir.

C'était une longue descente. Les gardes du corps nous accompagnaient, vigilants.

Le brouillard était de plus en plus humide, mais le ciel s'éclaircissait. Peut-être est-ce ainsi que cela se passe : le brouillard se change en pluie et se dissipe.

Une petite clairière s'étendait devant nous ; tout au fond, une vieille fontaine cimentée était entourée d'un cercle de ce qui semblait être de vieux sacs en plastique, d'un bleu éclatant, de simples sacs comme on en donne dans les épiceries ou dans les grandes surfaces. Je n'en avais jamais vu de cette couleur.

« Ce sont leurs offrandes », expliqua Antonio.

Je le regardai d'un air interrogateur.

« Les offrandes des adeptes du *Mogambo*, du *Candomblé*. Vous voyez ? Chaque sac contient une offrande à un dieu. Dans l'un, il y a du riz, dans un autre, je ne sais quoi, peut-être du maïs, vous voyez, ils font un cercle. Regardez, il y avait des bougies. »

J'étais ravie. Pourtant, cela n'évoquait pour moi rien de surnaturel, rien que le mystère des êtres humains, le mystère de la foi, le mystère de la forêt elle-même, qui avait créé cette petite chapelle de verdure pour l'étrange religion brésilienne qui avait annexé les saints catholiques, au point qu'il était impossible de comprendre le sens exact des divers rituels.

Martin posa les questions qui s'imposaient. Y avait-il longtemps qu'ils s'étaient réunis ici ? Qu'avaient-ils fait, au juste ?

Antonio mit un moment à trouver ses mots. Une purification rituelle...

« Cela *te* sauverait-il ? » murmurai-je. Cette question s'adressait à Stefan, évidemment.

Aucune réponse ne me parvint.

Tout autour de nous, il n'y avait que la forêt, toute scintillante sous l'averse soudaine. Couvrant de mes bras le sac en velours pour protéger le violon de l'humidité, j'observais intensément le cercle formé par ces étranges sacs en plastique bleu et luisant, les restes de bougies. Et pourquoi pas des sacs bleus ? Dans la Rome antique, les lampes à huile du temple étaient-elles si différentes de celles qui éclairaient les maisons ? Des sacs bleus contenant du riz, du maïs... pour les esprits. Le cercle rituel. Les bougies.

« On se tient... vous savez, au centre, dit Antonio dans son anglais hésitant. Pour être purifié, peut-être. »

Pas un mot de Stefan. Pas un murmure. J'essayais d'apercevoir le ciel à travers l'épais rideau de branches et de feuillage. La pluie baignait silencieusement mon visage.

« Il est temps de rentrer, dit Martin. Tu as besoin de sommeil, Triana. Nos hôtes préparent je ne sais quoi. Ils ont l'intention de venir te chercher très tôt. Je ne sais pourquoi, ils sont incroyablement fiers de ce Teatro Municipale.

– Mais c'est un vrai Opéra, intervint Antonio. Très grandiose. Beaucoup de gens vont l'admirer. Et après le concert, il y aura des foules...

– Oui, dis-je, certainement. Je veux arriver bien avant l'heure du concert. Il est tout en marbre, n'est-ce pas ? Du marbre magnifique ?

– Je vois que vous en avez entendu parler, dit-il, ravi. Il est splendide. »

Nous sommes rentrés sous la pluie.

Antonio nous avoua en riant que, depuis des années qu'il servait de guide, il n'avait encore jamais vu la forêt tropicale sous la pluie ; il trouvait ce spectacle fantastique. Autour de moi, tout n'était que splendeur, et je n'avais plus peur. Je croyais savoir ce que Stefan avait l'intention de faire. Une idée prenait forme dans mon esprit, presque un plan.

J'y avais déjà pensé à Vienne, en jouant pour les gens de l'Hôtel Impérial.

Je ne dormis pas.

Il pleuvait sur la mer.

Tout était gris, et ce fut la nuit. De brillantes lumières s'étendaient au loin, le long de Copacabana Boulevard, ou de l'Avenida Atlantica.

Dans la chambre climatisée aux couleurs pastel, je somnolais sans doute à moitié, en regardant la nuit grise et électrique emplir les fenêres.

Des heures durant, étendue sur le lit, j'observais ce qui semblait être le monde réel, le monde qui obéit au temps des horloges, dans cette chambre de la suite présidentielle, à travers mes paupières closes.

J'enlaçais le violon, je me blottissais contre lui, je le tenais dans mes bras comme Mère me tenait jadis, ou comme je tenais Lily, ou comme Lev et moi, Karl et moi, nous tenions enlacés tendrement.

A un moment donné, prise d'une panique soudaine, je fus sur le point de téléphoner à mon mari Lev, mon mari légalement épousé, que j'avais si stupidement donné à une autre. Non, cela lui ferait seulement du mal, et à Chelsea aussi.

Pense aux trois garçons. Et puis, qu'est-ce qui me faisait croire qu'il reviendrait, mon Lev ? Il ne devrait pas la quitter, ni les enfants. Il ne devrait pas agir ainsi, et je ne devrais pas y penser, ni même le souhaiter.

Sois avec moi, Karl. Karl, le livre est en bonnes mains, le travail est terminé. J'avais obligé l'homme hagard et confus à quitter sa table de travail. « Allonge-toi, Karl, tous les papiers sont en ordre. »

Un bruit violent me fit sursauter.

J'avais dû m'endormir.

Quelque part dans le salon ou la salle à manger de la suite, une fenêtre s'était ouverte sous la poussée du vent. Je l'entendais battre et claquer. C'était la fenêtre du salon, celle qui se trouvait au centre même de l'hôtel.

En chaussettes, le violon dans mes bras, je traversai la chambre obscure. Arrivée dans le salon, je sentis le souffle pur et puissant du vent. Je regardai dehors.

Le ciel était clair et parsemé d'étoiles. Le sable était doré à la lumière des lampadaires qui bordaient le boulevard.

La mer se déchaînait sur la vaste plage.

D'innombrables rouleaux s'avançaient, se chevauchaient ; à la lumière des lampes, la crête de chaque vague cristalline devenait presque verte avant de déferler, puis, de l'eau noire et opaque, je voyais s'élever devant moi la grande danse des figures d'écume.

Regarde, c'est pareil tout au long de la plage, à chaque vague !

Je le vis une fois, deux fois, je le vis sur ma droite puis sur ma gauche. J'observais avec soin chaque groupe de figures, pareil à un chœur majestueux. A chaque vague, ils naissaient de l'écume, tendant des bras implorants vers le rivage, vers les étoiles ou vers moi – comment le savoir ?

Parfois, une vague s'étendait si loin et l'écume était si épaisse qu'elle formait huit ou neuf formes souples et gracieuses, pourvues de têtes et de bras et de tailles incurvées qui retombaient à l'arrivée du rouleau suivant.

« Vous n'êtes pas les âmes des damnés ou des élus, dis-je. Vous êtes belles, simplement. Belles comme vous l'étiez quand je vous ai vues dans un sommeil prophétique. Comme la forêt vierge sur la montagne, comme les nuages passant devant la face de Dieu.

« Lily, ma chérie, tu n'es pas là, tu n'es plus liée à un lieu quel qu'il soit, pas même un lieu aussi magnifique que celui-ci. Si tu étais là, je le sentirais, n'est-ce pas ? »

Cette pensée surgit de nouveau, ce projet tout juste ébauché – cette prière inachevée destinée à le repousser.

J'allai prendre une chaise et m'assis devant la fenêtre. Le vent rejettait mes cheveux en arrière.

Vague après vague, les danseurs surgissaient, jamais les mêmes, chaque groupe de nymphes différent des autres, comme l'étaient mes concerts, et s'il y avait une logique dans tout cela, seuls les génies de la théorie du chaos la connaissaient. De temps à autre, un des danseurs devenait si grand que ses jambes semblaient prêtes à bondir pour se libérer.

Je regardai jusqu'au matin.

Je n'ai pas besoin de sommeil pour jouer. Je suis folle, de toute façon. Devenir encore plus folle ne peut qu'améliorer les choses.

L'aube arriva, le soleil se leva. Les voitures filaient le long du boulevard, la foule se pressait sur les trottoirs, les magasins ouvraient leurs portes, les bus passaient avec bruit. Des nageurs matinaux se jetaient dans les vagues. Je me tenais à la fenêtre, le sac contenant le violon à l'épaule.

Un bruit me fit sursauter. Je me retournai. Ce n'était qu'un chasseur. Il tenait un grand bouquet de roses.

« Je me suis permis d'entrer, madame. J'avais frappé à plusieurs reprises...

– Pas de problème, c'est le vent.

– Il y a des jeunes gens en bas, devant l'hôtel. Ils tiennent tellement à vous voir, ils sont venus de très loin. Je suis désolé, madame.

– Ne vous excusez pas, tout va bien. Donnez-moi les roses, je vais leur faire signe. Lorsqu'ils me verront avec les roses, ils sauront que c'est moi. »

J'allai à la fenêtre.

Le soleil se reflétait sur la mer, éblouissant. Je les vis aussitôt : trois jeunes filles très minces et deux jeunes hommes. Ils parcouraient la façade de l'hôtel du regard, la main en visière. L'un d'eux m'aperçut : une femme aux mèches brunes, tenant des roses rouges dans ses bras.

Je libérai mon bras droit et leur fis signe, agitant la main, longtemps. Ils sautaient et bondissaient de joie.

« Il existe une chanson portugaise, une chanson traditionnelle », dit le chasseur, qui s'affairait autour du petit réfrigérateur placé près de la fenêtre, pour régler la température et s'assurer qu'il ne manquait rien.

En bas, les gosses dansaient, bondissaient, m'envoyaient des baisers.

Oui, des baisers.

Me reculant d'un pas, je leur envoyai moi aussi des baisers jusqu'au moment où, sentant que le moment avait atteint son apogée, je laissai la fenêtre se refermer toute seule. Je me détournai, serrant les roses sur mon cœur, qui battait très fort et le violon faisait une bosse dans mon dos.

« Cette chanson, reprit-il, je crois qu'elle était célèbre en Amérique. Elle s'appelle *Roses, Roses, Roses*. »

18

Nous suivions le grand couloir pavé de mosaïques dessinant des grecques, aux murs de marbre brun-rouge ornés d'arabesques d'or.

« Dieu, que c'est beau ! s'exclama Roz. Je n'ai jamais vu un endroit pareil. Tout est en marbre ! Tu as vu, Triana, du marbre de toutes les couleurs, rouge, vert, blanc... »

Je souris. Je savais. Je voyais.

« Et tout cela était dans le sanctuaire de ta mémoire ? » murmurai-je à mon fantôme secret. « Et tu ne voulais pas que je le voie ? Lorsque tu t'étais précipité vers mon lit ? »

Mes compagnons devaient avoir l'impression que je fredonnais. Il ne répondit pas. J'eus soudain terriblement pitié de lui. Stefan !

Nous étions arrrivés au pied de l'escalier, encadré de statues aux visages de bronze. Les rampes en marbre étaient d'un vert aussi transparent que la mer au soleil de l'après-midi, avec de massives balustres carrés ; l'escalier se divisait en deux branches, comme il est de rigueur dans tous les opéras. Nous commençâmes à monter, laissant derrière nous les trois hautes portes garnies de vitraux et surmontées d'impostes en éventail.

« Viendront-ils, ce soir ?

– Oh ! oui, dit la plus mince, qui s'appelait Mariana, ils viendront. Toutes les places sont vendues. Des gens attendent déjà devant l'Opéra. C'est pourquoi je vous ai fait entrer par la porte de côté. Et nous avons une surprise pour vous. Quelque chose de spécial !

– Je ne vois pas ce qui pourrait être plus extraordinaire que ceci. »

Nous montions l'escalier. Katrinka me parut soudain triste et désemparée. Je la vis échanger un long regard avec Roz.

« Si seulement Faye était là..., soupira-t-elle.

– Ne dis pas des choses pareilles, la reprit Roz. Ça va la faire repenser à Lily.

– Mesdames, dis-je, ne vous faites pas de souci. Sauf peut-être quand je dors, pas une heure ne s'écoule sans que je pense à Faye et à Lily. »

Katrinka était visiblement ébranlée. Martin l'avait prise par les épaules, pour la calmer, pour lui faire honte tout en feignant de la réconforter. Martin avait toujours été partisan de la discipline.

Arrivés au palier, nous prîmes l'escalier de gauche. En montant vers la grande mezzanine, je pus observer de près les trois magnifiques vitraux.

De sa voix douce, Mariana me disait les noms des personnages représentés, exactement comme elle l'avait fait dans le rêve. Lucrèce, l'adorable jeune femme qui était à ses côtés, souriait et faisait elle aussi des commentaires sur la signification des figures symbolisant divers aspects de la musique, de la poésie ou de l'art dramatique.

« Et là, dans la salle du fond, il y a des fresques, dis-je.

– Absolument, et dans celle qui se trouve du côté opposé, il faut que vous voyiez... »

Je m'immobilisai dans le halo lumineux diffusé par ces peintures sur verre, face aux beautés plantureuses à demi nues qui tenaient des motifs allégoriques entourés de guirlandes et de draperies.

Je levai les yeux pour admirer les peintures qui ornaient le haut plafond. J'avais l'impression que mon âme allait me quitter, paisiblement. Plus rien ne comptait, sauf ce qui s'était produit dans le rêve. Peu importait d'où cela venait, et pour quelle raison je l'avais vu ; ce qui me fascinait, c'était que ce lieu était réel, que quelqu'un l'avait tiré du néant, et qu'il existait toujours, pour nous, dans sa spectaculaire majesté.

« Cela vous plaît ? me demanda Antonio.

– Plus que je ne saurais dire. » Je soupirai. « Regardez, là-haut, ces plaques fixées au mur, ces visages coulés dans le bronze... Là, c'est Beethoven !

– Oui, acquiesça Lucrèce gracieusement, ils sont tous là, les grands compositeurs et auteurs d'opéras. Voilà Verdi, et... oui, Mozart, et là, c'est... le dramaturge...

– Goethe.

– Venez, nous ne voudrions pas vous fatiguer. Vous pourrez voir le reste demain. Venez, nous allons vous montrer notre grande surprise. »

Des rires fusèrent. Katrinka essuyait ses larmes et regardait Martin d'un air furieux.

A voix basse, Glenn dit à Martin de la laisser tranquille :

« Je n'en dors pas la nuit, à force de me demander ce qui est arrivé à Faye. Laisse-la donc pleurer en paix. »

Cela n'empêcha pas Martin de dire à Katrinka : « Cesse de te faire remarquer. »

Je pris Katrinka par la main. Elle serra la mienne très fort.

« Une surprise ? demandai-je à Mariana et à Lucrèce. Quelle surprise, mes chéries ? »

Nous redescendîmes ensemble les splendides escaliers. Vitraux radieux, marbre luisant, nervures d'or s'unissant en une glorieuse harmonie – objet créé par la main de l'homme, qui semblait capable de rivaliser avec la mer immense projetant ses fantômes d'écume, avec la forêt tropicale sous la pluie, où les bananiers descendaient la pente abrupte jusqu'à la clairière.

« Par ici, venez tous par ici... » Lucrèce était notre guide. « Vous verrez, c'est une vraie surprise.

– Je crois que je sais ce que c'est, dit Antonio.

– Oui, mais il y a aussi autre chose.

– De quoi s'agit-il ? demandai-je.

– Du plus beau restaurant du monde. Si, si, il est ici, juste sous l'Opéra. »

Je hochai la tête en souriant.

Le palais persan.

Il fallut sortir, puis rentrer par une autre porte. Du sol au plafond, tout était carrelé de céramique bleue. Et voilà les colonnes aux taureaux, joignant leurs sabots comme pour saluer ! Et dans la fontaine, Darius tuant le lion ! Et toutes ces étagères pleines de verrerrie étincelante, qui me rappelaient celles du palais incendié de Stefan.

« C'est à mon tour de pleurer, dit Roz. Je vous en supplie, laissez-moi pleurer. Vous avez vu cette lampe persane ? Ciel ! je voudrais passer le restant de mes jours ici.

– Oui, murmurai-je tout bas, ici : dans la forêt, dans le vieil hôtel en ruine, à un arrêt de tram du Christ de granit.

– Laissez-la pleurer », ronchonna Martin en regardant sa femme avec une visible contrariété.

Katrinka, elle, commençait à retrouver le sourire.

« C'est sublime ! s'exclama-t-elle.

– Cela se veut une reconstitution du palais de Darius, voyez-vous.

– Regardez ! dit Glenn. Au sein de cette splendeur, des gens viennent manger à ces tables, d'autres prennent du café et des gâteaux !

– Il faut absolument prendre le café ici !

– Mais d'abord, je voudrais vous montrer la surprise. Venez par ici. » Lucrèce nous fit signe de la suivre. Je savais.

Je savais où nous allions, tandis que nous passions devant le vieux bar en bois sculpté, que nous nous engagions dans le couloir. J'entendais déjà les énormes machines.

« Elles assurent le chauffage et la climatisation de l'édifice. Elles sont très anciennes.

– Mon Dieu, que ça pue ! » s'exclama Katrinka.

Ensuite, je n'entendis plus rien. Je vis le carrelage blanc, les placards métalliques. Ensuite, nous contournâmes les grandes machines avec leurs écrous énormes, comme dans les moteurs des très vieux bateaux. Nous continuions d'avancer, entourés de bavardages enjoués. J'aperçus le portail.

« Voilà notre secret ! annonça Mariana. Un passage souterrain ! »

J'eus un rire ravi. « Un passage souterrain ? Vraiment ? Où conduit-il ? » Je m'approchai de la lourde porte. Mon âme était douloureuse. Il faisait noir, si noir derrière ces barreaux rouillés auxquels je m'agrippais... Ma main devint aussitôt d'une saleté repoussante.

Des flaques d'eau luisaient sur le sol cimenté.

« Au palais. Le palais se trouve juste de l'autre côté de la rue, voyez-vous. Dans les temps anciens, quand l'Opéra a été construit, on pouvait venir par ce passage secret. »

Je pressai mon front contre les barreaux.

« Tout cela me plaît trop, j'adore ce pays ! s'exclama Roz. Je ne rentre pas à la maison. Personne ne me contraindra à rentrer ! Triana, je veux de l'argent pour pouvoir rester ici. »

Glenn hocha la tête en souriant.

« Tu l'auras, Roz. »

J'essayais de percer les ténèbres.

« Que voyez-vous de l'autre côté ? demandai-je à mes compagnons.

– Je ne vois rien de spécial, dit Katrinka.

– C'est tout mouillé, ajouta Lucrèce. On dirait que quelque chose coule, il doit y avoir une fuite... »

Ils ne voyaient donc pas l'homme allongé, les yeux ouverts, le sang coulant de ses poignets, ni le grand fantôme aux cheveux noirs adossé au mur, les bras croisés, qui nous fixait avec rage.

Personne ne le voyait, sauf cette folle de Triana Becker ?

Allez ! Fais ce que tu voulais ! Donne ton concert ce soir ! Joue sur mon violon ! Exhibe ta malfaisante sorcellerie !

L'homme qui agonisait se mit à genoux, tout hébété, son sang se répandant sur le sol crasseux. Il se leva et alla vers son compagnon, le fantôme qui l'avait rendu fou en chassant sa propre musique, juste avant de m'apparaître et de m'imposer ces souvenirs si tenaces – ce fantôme, cette âme insubstantielle contrainte d'agir ainsi, pour quelque mystérieuse raison.

Faux. Un instant, je fus au bord de la panique.

Les autres parlaient entre eux. Il restait assez de temps pour prendre du café et des gâteaux, et pour se reposer avant le récital.

Le sang. Il coulait des poignets de l'homme, coulait sur son pantalon, tandis qu'il s'avançait vers moi d'un pas incertain.

J'étais seule à le voir.

Je regardai au-delà du cadavre titubant. Je regardai le visage torturé de Stefan. Si jeune, si perdu, si désespéré. Terrorisé à la perspective de la défaite totale qui l'attendait une fois encore.

19

Avant de donner un récital, j'étais toujours très calme. Ainsi, les gens me laissaient en paix. Personne ne me parlait. C'était un cadre tellement somptueux et accueillant – loges anciennes, superbe salle de bains art déco, fresques, noms exigeant des explications... L'on éconduisait poliment les importuns.

Une grande quiétude m'envahit. Dans l'immense et invraisemblable palais de marbre, j'attendais, le violon sur les genoux. J'entendais l'immense salle se remplir. Les pas des spectateurs résonnaient au loin dans les escaliers. Le bourdonnement confus des voix s'amplifiait.

Je percevais les battements de mon cœur vaniteux, avide de jouer.

Et que feras-tu, ici ? Que peux-tu faire ? me demandais-je. Elle revint alors, cette idée, cette image que je pourrais peut-être fixer dans mon esprit comme l'on se concentre sur les Mystères du Rosaire, pour repousser ses attaques – *La Couronne d'épines* –, et alors, rien de ce qu'il ferait ne pourrait m'affaiblir, mais quel était ce terrible, ce douloureux amour que je lui portais, cette terrible peine, cette pitié aussi profonde et déchirante que tout ce que j'avais jamais ressenti pour Lev ou Karl, ou pour n'importe lequel d'entre eux ?

Je m'adossai au fauteuil recouvert de velours, laissant ma tête rouler sur le cadre en bois, tenant le violon dans son sac, refusant d'un geste l'eau, le café, les nourritures que l'on m'offrait.

Lucrèce vint m'annoncer que la salle était pleine. « Nous avons eu de nombreuses donations, ajouta-t-elle.

– Vous en recevrez d'autres, dis-je. C'est un lieu extraordinaire. Il ne faut pas laisser à l'abandon cette splendide création. »

De leurs voix douces si bien accordées, Glenn et Roz ne cessaient de parler – des innombrables décors de pierre et de mosaïque, de la fusion réussie entre la couleur locale et le style baroque, entre les légères nymphes européennes et la sensualité des tropiques.

« J'adore vos... vêtements en velours, ce que vous portez, dit Lucrèce. C'est du très beau velours, ce poncho et cette jupe, Miss Becker. »

Hochant poliment la tête, je murmurai des remerciements.

Le moment était venu de traverser les immenses et sombres coulisses. Le moment était venu d'entendre le bruit de nos pieds sur les planches, de regarder, tout en haut, les cordes et les poulies, le gigantesque rideau, les rampes, les machinistes nous observant avec curiosité, et des enfants aussi, oui, il y avait même des enfants là-haut, de petits resquilleurs peut-être, qui avaient réussi à se faufiler jusque-là, et, des deux côtés de la scène, d'impressionnants décors d'opéra, des colonnes en faux marbre... Tout ce que les monuments de pierre offraient au regard était ici recréé en stuc peint.

C'est ainsi : la mer est verte lorsque les vagues déferlent, et la balustrade de marbre est du même vert que la mer, et voici la même balustrade, peinte en trompe l'œil.

Je jetai un coup d'œil par la fente du rideau.

L'orchestre était plein, chaque fauteuil en velours rouge était occupé par un spectateur enthousiaste. Beaucoup agitaient des programmes, simples notes indiquant que personne ne savait ce que je jouerais ni comment, et pas davantage combien de temps cela durerait... Des pierres précieuses étincelaient à la lumière du gigantesque lustre, et trois grands balcons s'élevaient successivement, emplis de silhouettes mouvantes qui se bousculaient pour gagner leurs places.

Il y en avait en tenue de soirée, en robes sobres et élégantes ou gaiement colorées, et, tout en haut, en vêtements de travail.

Dans les loges, à gauche et à droite de la scène, avaient pris place les personnalités auxquelles j'avais été présentée, mais je ne me souvenais d'aucun nom, d'aucun détail. C'était sans importance, l'on ne s'attendait pas que je m'en souvienne, tout ce que l'on me demandait, c'était de faire ce que moi seule pouvais faire :

Jouer. Leur donner cette musique pendant une heure de temps.

Lorsque je leur aurai donné cela, ils se répandront dans le hall, parlant de la « sophistiquée savante, » comme l'on m'appelait, de la « naïve Américaine », ou de la femme boulotte qui ressemblait tellement à un bébé prématurément vieilli dans ses amples vêtements de velours, grattant les cordes comme si elle se battait contre la musique qu'elle jouait.

Je ne pensais à aucun thème, à rien qui indiquât une direction. Il n'y avait que cette idée dans mon esprit, une idée qui avait son origine ailleurs, et qui deviendrait musique.

Et l'intime conviction qu'ils étaient éparpillés dans tout mon être, les grains du Rosaire de ma vie, les éclats acérés de la mort et de la culpabilité, de la colère et de la rage. Lorsque je me couchais le soir, c'était sur du verre brisé, et au réveil mes mains étaient couvertes d'entailles. Ces mois consacrés à la musique avaient été un répit, un rêve qui ne pouvait durer, un don divin que nul être humain n'était en droit d'espérer.

Sort, Fortune, Gloire, Destinée.

Penchée vers l'immense rideau de scène, je scrutais intensément les visages des spectateurs du premier rang.

« Elles ne vous font pas mal, ces chaussures pointues en velours ? demanda Lucrèce.

– Elle choisit mal son moment pour poser une telle question, commenta Martin.

– Non, répondis-je. De toute façon, il n'y en a que pour une heure. »

Le rugissement de la salle couvrit nos voix.

« Donne-leur trois quarts d'heure, dit Martin, et ils seront aux anges. Toute la recette va à la Société des amis du Teatro Municipale.

– On peut dire que tu es bien informé, fit remarquer le brave Glenn.

– Raconte-moi tout, mon frère », dis-je avec un petit rire.

Martin n'avait pas entendu. Tant mieux. Katrinka tremblait, comme toujours avant le lever du rideau. Roz s'était déjà installée en coulisse, à califourchon sur une chaise, comme un garçon, accoudée au dossier, les jambes confortablement étendues devant elle ; je remarquai qu'elle avait mis un pantalon noir. Les autres disparurent dans la pénombre.

Les techniciens avaient cessé de s'agiter ; immobiles et silencieux, ils attendaient.

Je sentais l'air frais pulsé par les machines du sous-sol.

Quels hommes et femmes magnifiques ! Quels beaux visages, à la structure surprenante, des visages comme je n'en avais jamais vu nulle part ailleurs. Beaucoup de jeunes, aussi, de très jeunes, comme ceux qui m'avaient offert les roses.

Soudain, sans prévenir, sans demander l'autorisation à quiconque, sans même alerter un orchestre inexistant, sans avoir besoin de qui que ce soit, sauf de l'éclairagiste avec son spot, là-haut dans les cintres, je m'avançai vers le milieu de la scène.

Mes pas résonnaient sur les planches poussiéreuses.

Marchant lentement pour donner au spot le temps de me trouver, je gagnai l'extrême bord de la scène, face à tous ces visages alignés devant moi.

Les spectateurs cessèrent de parler et de s'agiter, comme si la grande rumeur de la salle avait été énergiquement refoulée. Encore quelques toux, quelques murmures, et le silence se fit.

Me tournant de côté, je levai le violon.

Avec une brutale stupéfaction, je pris conscience que la scène avait disparu et que je me trouvais dans le passage souterrain. Je le voyais, je sentais son odeur, je pouvais le toucher. Les barreaux rouillés étaient juste devant moi.

Ce serait la bataille décisive. J'inclinai la tête vers ce que je savais être le violon, faisant fi du charme qui le cachait à mes yeux, faisant fi du sortilège qui m'attirait dans ce tunnel crasseux aux eaux croupissantes.

Je levai l'archet, certaine que je le tenais à la main.

Objets spectraux et irréels ? Jouets faits pour un esprit ? Comment savoir ?

J'attaquai d'un ample coup d'archet, commençant par ce que j'appelais le mode russe, le plus tendre de tous, et aussi le plus triste.

Ce soir, ce mode devrait me permettre d'exprimer la grande marée ténébreuse ; j'entendais les notes, claires et brillantes, tomber dans la nuit telles des pièces sonnantes et trébuchantes.

Mais mes yeux voyaient le tunnel.

Un enfant venait vers moi, marchant dans l'eau, une fillette chauve vêtue d'une robe de bal paysanne.

« Tu es condamné, Stefan. » Mes lèvres n'avaient pas bougé.

« Je joue pour toi, mon adorable fille.

– Aide-moi, maman !

– Je joue pour nous, ma Lily. »

Elle se tenait de l'autre côté de la porte, pressant son petit visage contre les barreaux rouillés et s'y agrippant de ses minuscules doigts potelés. « Maman ! » s'écria-t-elle avec désespoir, d'une voix tremblante. « Maman, sans lui je ne t'aurais jamais trouvée ! J'ai besoin de toi, maman ! » Elle balbutiait comme un tout petit enfant.

Mauvais esprit, esprit infâme ! La musique devint un cri de protestation et de révolte. Libère, libère la colère...

« Il m'a amenée vers toi ! Il m'a trouvée, maman ! Maman, ne me fais pas ça !

« Maman ! Maman ! » C'était un cri déchirant.

La musique jaillissait, suivant son cours tumultueux, tandis que je ne pouvais détourner mes yeux exorbités de ces images que je savais pertinemment irréelles : ce vieux portail en fer, cette figure d'un réalisme tellement poignant que j'en avais le souffle coupé. Je me forçais à respirer régulièrement, en suivant le rythme de l'archet. Je joue, oui, je joue pour toi, désirant si fort que tu sois là, que tu reviennes, et je joue pour que nous puissions tourner la page, pour que tout soit oublié.

Karl apparut. Il s'avança lentement vers Lily et posa ses mains sur ses épaules. Mon Karl ! Déjà amaigri par la maladie.

« Triana... » Sa voix n'était qu'un murmure rauque. Sa gorge avait déjà été blessée par les tubes à oxygène qu'il détestait au point qu'il avait fini par les refuser. « Triana, comment peux-tu être aussi cruelle ? Je peux faire face, je suis un homme, j'étais mourant quand nous nous sommes rencontrés, mais elle, c'est ta fille. »

Tu n'es pas ici ! Tu n'es pas réel, seule la musique est réelle. Je l'entends, et il me semble que jamais encore elle n'a atteint de tels sommets, gravissant hardiment la montagne, comme si c'était le Corcovado et le ciel entrevu à travers les nuages.

Pourtant, je continuais à les voir.

Mon père se tenait maintenant aux côtés de Karl. « Renonce, ma chérie, disait-il. Tu n'y arriveras pas.

Tout ceci est mal, entaché de péché. Renonce, Triana ! Renonce. Renonce ! »

« Maman... » Mon enfant grimaçait de douleur. La robe campagnarde était le dernier vêtement que j'avais repassé pour elle, pour le cercueil. Mon père avait dit qu'ils allaient...

Non... Les nuages viennent cacher la face du Christ, et peu importe qu'Il soit le Verbe incarné ou une statue taillée avec amour dans la pierre, seule importe la posture : les bras écartés pour recevoir les clous, ou pour embrasser. Jamais je ne...

Avec une douloureuse stupéfaction, je vis apparaître ma mère. Je ralentis le rythme ; était-ce pour les supplier, leur parler, affirmer que je croyais en eux, ou pour capituler ?

Elle s'approcha de la grille en fer, ses cheveux noirs tirés en arrière de la façon que j'aimais tant, avec juste un soupçon de rouge à lèvres, comme si elle était réelle. Mais son regard était empli de haine. D'une haine glaciale.

« Tu es égoïste, tu es vicieuse, tu es détestable, disait-elle. Crois-tu que j'étais dupe ? T'imagines-tu que je ne me souviens pas ? J'étais venue ce soir-là, apeurée, en larmes, et toi, terrorisée, tu t'accrochais à mon mari dans l'obscurité, et il m'a dit de partir, et tu m'as entendue pleurer. Crois-tu que même une mère puisse oublier cela ? »

Soudain, Lily éclata en sanglots. Affolée, elle leva ses petits poings : « Ne fais pas de mal à ma maman ! »

Mon Dieu... Je voulus fermer les yeux, mais Stefan se tenait juste devant moi, les mains posées sur le violon. En dépit de ses efforts, il était incapable de le bouger, incapable de me faire rater une seule note, et je continuais à jouer, parlant de ce chaos, de cette épouvante, de...

Dis la vérité. Dis-la. Ce sont des péchés véniels, personne n'a jamais prétendu que tu les avais frappés avec une arme, tu n'étais pas une criminelle que l'on pourchasse dans les rues obscures, ni une vagabonde errant parmi les morts. Ce sont des péchés ordinaires, et c'est ce que tu es : commune, ordinaire, petite et sale, dénuée de ce talent que tu m'as volé. Rends-le-moi, salope, putain !

Lily sanglotait. Elle se précipita sur lui et le frappa de ses poings, le tira par le bras. « Arrête ! Fiche la paix à ma maman. Maman ! » Elle leva les bras au ciel.

J'eus enfin le courage de la regarder droit dans les yeux, et ma musique parlait de ses yeux. Je jouais sans prêter garde à ce qu'elle disait, j'entendais leurs voix et je les voyais bouger. Finalement, je levai les yeux. Je n'avais aucune conscience du temps, je n'étais guidée que par le mouvement changeant de la musique.

Je ne voyais pas le théâtre que je m'efforçais désespérément de voir. Je ne voyais pas davantage les fantômes qu'il présentait avec acharnement à mon regard. Les yeux levés, je voyais, au-delà de tout cela, la forêt tropicale sous la pluie, les arbres alanguis. Je voyais le vieil hôtel, et ma musique parlait de lui, elle parlait des branches montant jusqu'aux nuages, du Christ aux bras écartés, des arcades, des fenêtres aux volets ocre tout tachés de pluie, et elle parlait de la pluie.

Ma musique parlait de tout cela, et aussi de la mer, oh ! oui, de la mer non moins prodigieuse, de cette mer enflée, brillante, cette mer impossible avec ses danseurs fantomatiques.

« C'est ce que vous êtes ! Ah ! si seulement vous étiez réels ! »

« Maman... ! » cria-t-elle. Elle hurlait comme si quelqu'un la soumettait à une torture intolérable.

« Pour l'amour du ciel, Triana », dit mon père.

« Que Dieu te pardonne, Triana », dit Karl.

Elle hurla de nouveau. Je ne pouvais la porter plus longtemps, cette mélodie de la mer, cet appel des vagues triomphantes ; elle s'estompa pour faire place à la colère, au deuil, à la frustration et à la rage. Faye, où es-tu, comment as-tu pu t'en aller... Mon Dieu, papa, tu nous as laissées seules avec Mère, mais je ne.. Je ne peux... Maman...

Lily hurla de nouveau !

Je finirai par craquer.

La musique continuait à jaillir.

L'image. Il y avait eu une idée, une simple idée à peine formée, une toute petite idée, et elle me revint alors, unie à une affreuse vision du sang scintillant sur la serviette blanche jetée à côté du poêle à gaz. Le sang. Sang menstruel, sang grouillant de fourmis, sang qui coulait de l'entaille sur le front de Roz lorsque j'avais claqué la porte le jour où nous avions cassé le rosaire, sang qu'ils prenaient sans cesse à papa, à Karl, à Lily, et Lily qui pleurait, Katrinka qui pleurait, sang coulant de la tête de Mère quand elle était tombée, sang, sang sur les serviettes hygiéniques dégoûtantes, sur le matelas quand elle ne portait aucune protection et saignait, saignait sans arrêt.

C'est ainsi.

Tu ne peux dénier le mal que tu as fait. Tu ne peux dénier le sang que tu as sur les mains, ou sur la conscience ! Tu ne peux nier que la vie est faite de sang. La douleur est sang ; le mal est sang.

Pourtant, il y a sang et sang.

Une partie seulement du sang vient des blessures que nous nous infligeons ou que nous infligeons à autrui. Ce sang-là coule, rouge et accusateur ; il menace d'emporter la vie de celui qui a été blessé, ce sang – et comme il resplendit, le sang sacré, si souvent célébré, ce sang qui était le Sang de Notre Seigneur, le sang des martyrs, le sang sur le visage de Roz, et le sang que j'ai sur les mains, le sang du mal que l'on a fait.

Il existe un autre sang.

Le sang qui s'écoule du ventre des femmes. Il n'annonce pas la mort, ce sang, il témoigne d'une source grande et fertile, d'un fleuve de sang capable de former à partir de sa substance des êtres vivants – sang vivant, sang innocent, et il n'y avait rien d'autre sur cette serviette, sous les fourmis qui grouilllaient, dans la saleté et la poussière, rien que ce sang coulant sans répit, issu d'une femme qui libérait ainsi la force sombre et secrète lui donnant le pouvoir de faire des enfants, ce puissant fluide qui lui appartenait, à elle seule.

C'était ce sang que je répandais maintenant. Pas le sang des blessures qu'il m'infligeait, pas le sang de ses coups de poing et de pied, de ses ongles qui me griffaient tandis qu'il essayait de m'arracher le violon.

C'était ce sang que je chantais, et je laissais ma musique devenir ce sang, couler comme ce sang ; c'était le sang que je croyais voir dans le calice levé lors de la consécration de l'hostie, le sang doux et bienfaisant des femmes, le sang innocent susceptible, à la saison propice, de devenir le réceptacle d'une âme, le sang à l'intérieur de nous, le sang qui crée, le sang qui monte et descend comme la marée, sans sacrifice ni mutilation, sans perte ni ruine.

Je l'entendais maintenant, ma chanson. Je l'entendais, et il me semblait que la lumière qui m'entourait s'enflait démesurément. Je ne voulais pas d'une lumière aussi vive, et pourtant elle était si belle, cette lumière qui montait jusqu'aux cintres qui, je le savais, se trouvaient au-dessus de moi.

Ouvrant les yeux, je vis non seulement l'immense salle emplie de rangées successives de spectateurs, mais aussi Stefan ; la lumière était derrière lui, et il avançait les mains vers moi.

« Retourne-toi, Stefan ! m'exclamai-je. Stefan ! Retourne-toi et regarde ! »

Il se retourna. Dans la lumière, se tenait une silhouette trapue, qui lui faisait des signes impatients. Je donnai une ultime impulsion à la musique.

Viens, Stefan ! Tu es l'enfant perdu ! Stefan !

Je ne pouvais plus continuer à jouer.

Stefan me foudroya du regard. Les poings serrés, il me maudit. Pourtant, son expression changeait. Son visage connut une transformation totale, dont il n'était apparemment pas conscient. Ses yeux qui me fixaient étaient maintenant agrandis par la peur.

Derrière lui, la lumière faiblissait tandis qu'il s'approchait, ombre noire qui planait au-dessus de moi, devenant de plus en plus ténue, forme obscure aussi insubstantielle que les ombres des coulisses.

Le concert était terminé.

Je vis les spectateurs se lever en masse. Une nouvelle victoire. Comment était-ce possible, mon dieu ? Comment ? Trois balcons pleins, et ils acclamaient ce tintamarre qui est mon seul langage.

La salle croulait sous les applaudissements et les vivats.

Une nouvelle victoire.

Aucun son, aucun signe n'indiquait la présence de ces fantômes créés de toutes pièces.

Quelqu'un était arrivé pour m'accompagner à ma loge. Faisant face à ces centaines de visages, je souriais et hochais la tête. Surtout, ne pas décevoir, parcourir toute la salle du regard, à droite puis à gauche, sans oublier le dernier balcon et les loges, ne pas lever les bras par vanité, se contenter de saluer en s'inclinant, murmurer des remerciements, des remerciements venant de mon âme ensanglantée.

Un instant, j'aperçus confusément sa forme toute proche, courbée, évanescente, à peine visible. Une misérable, malheureuse créature. Mais qu'était cette stupéfaction incrédule dans son regard ? Il disparut.

D'autres me tenaient de nouveau, me serraient dans leurs bras. Quelle chance tu as de trouver des mains aussi douces et serviables ! Ô Sort, Fortune, Gloire, Destinée !

Stefan, tu aurais dû aller vers la lumière. Tu aurais dû, Stefan !

Arrivée dans les coulisses, je me mis à pleurer, à pleurer...

Tout le monde trouvait cela parfaitement normal. Les flashes se succédaient, les journalistes prenaient fébrilement des notes. Au fond de mon cœur, j'avais l'intime conviction que ceux que j'avais perdus connaissaient la paix – sauf Faye... et Stefan.

20

Je suis allée jouer au Teatro Amazonas de Manaus, parce que c'est un lieu hors du commun, et aussi parce que je l'avais vu dans un film du metteur en scène allemand Werner Herzog, *Fitzcarraldo* ; après les heures terribles qui avaient suivi la mort de Lily, Lev et moi avions passé une soirée paisible au cinéma, vraiment ensemble pour une fois.

Je ne me souvenais pas de l'intrigue du film, seulement de cet opéra, et de tout ce que j'avais entendu raconter sur le boom du caoutchouc et sur cet extraordinaire théâtre d'un luxe inouï, bien qu'aucune salle sur terre ne pût se comparer au palais de Rio de Janeiro.

En outre, il fallait que je donne sans tarder un autre récital. Absolument. Je voulais voir si les fantômes reviendraient. Je voulais m'assurer que c'était vraiment terminé.

Avant notre départ pour l'État d'Amazonas, il y avait eu un petit contretemps.

Grady avait appelé pour nous demander de regagner immédiatement La Nouvelle-Orléans.

Il n'avait pas voulu nous dire pour quelle raison, mais continuait à insister pour que nous rentrions sans tarder. Martin avait fini par prendre la communication, et, avec sa calme autorité, avait demandé à Grady de s'expliquer :

« Écoutez, si Faye est morte, dites-le-nous. Dites-le, simplement. Il est inutile que nous soyons de retour à La Nouvelle-Orléans pour apprendre la nouvelle. Dites-le nous mainenant. »

Katrinka frissonna.

Martin écouta un long moment, puis posa la main sur le combiné. « C'est votre tante Anna Belle.

– Nous l'aimions de tout notre cœur, dit Roz. Nous enverrons des montagnes de fleurs.

– Non, elle n'est pas morte. Elle prétend que Faye lui a téléphoné. »

Roz haussa les épaules. « Tante Anna Belle ? Tante Anna Belle s'entretient avec l'archange saint Michel quand elle prend son bain. Pour lui demander de la protéger, pour qu'elle ne se casse pas de nouveau le col du fémur en glissant dans sa baignoire.

– Passe-moi l'appareil », dis-je.

Tous se rapprochèrent pour écouter.

C'était bien ce que je supposais. Tante Anna Belle, qui avait quatre-vingts ans passés, pensait avoir reçu un coup de téléphone au beau milieu de la nuit. Aucune indication de l'origine de l'appel.

« Elle a dit qu'elle pouvait à peine entendre ce que disait l'enfant, mais qu'elle était certaine que c'était Faye. »

Y avait-il un message ? Non, aucun.

« Je voudrais rentrer », dit soudain Katrinka.

J'eus beau insister, Grady ne pouvait pas nous en dire davantage : une voix indistincte qui serait celle de Faye, pas de message, pas d'origine, aucune information. Et la facture du téléphone ? Elle ne devrait pas tarder à arriver – mais il serait difficile de s'y retrouver, parce que tante Anna Belle avait perdu sa carte téléphonique et qu'un inconnu habitant apparemment Birmingham, dans l'Alabama, s'en était copieusement servi.

« Il faudrait envoyer quelqu'un sur place, décréta Martin. Pour surveiller le téléphone de tante Anna Belle et le nôtre, au cas où Faye rappellerait.

– Je veux rentrer, répéta Katrinka.

– Pour quoi faire ? demandai-je en raccrochant. Pour rester jour et nuit à côté du téléphone dans l'attente d'un appel éventuel ? »

Mes sœurs me regardèrent.

« Je sais, murmurai-je. Je ne m'en étais pas rendu compte, mais maintenant j'en suis sûre. Je suis très fâchée contre elle. »

Silence.

« Agir de cette façon...

– Ne dis pas des choses que tu regretteras par la suite, me prévint Martin.

– C'était peut-être Faye, après tout, intervint Glenn. Écoutez, cette histoire m'intrigue vraiment, et je veux bien rentrer à la maison. Je suis prêt à regagner le 2524, St Charles Avenue pour attendre un appel de Faye. Oui, je vais rentrer, mais vous, restez ici. Par contre, je ne me vois pas tenir compagnie à tante Anna Belle. Va à Manaus, Triana, et ne te fais pas de souci. Va à Manaus avec Martin et Roz.

– Oui. Ce sera la dernière étape. Nous sommes venus de si loin, et j'adore tellement ce pays. Je vais à Manaus. Il faut que j'y aille. »

Katrinka et Glenn regagnèrent donc La Nouvelle-Orléans.

Martin resta pour organiser le concert de Manaus, Roz m'accompagna, et nous pensions tous à Faye. Manaus était à trois heures d'avion de Rio.

Le Teatro Amazonas était un vrai bijou – plus petit, certes, que l'imposant palais de marbre de Rio, mais d'une grande beauté, et plein de détails singuliers : ferronneries ornées de feuilles de caféier, fresques représentant des Indiens, sans oublier les fauteuils en velours que j'avais vus dans *Fitzcarraldo* – mélange de baroque et de folklore indigène voulu par l'audacieux et délirant baron du caoutchouc qui l'avait fait construire.

J'avais l'impression que dans ce pays, comme d'ailleurs à La Nouvelle-Orléans, tout, ou presque, était créé non par le groupe ou la conscience collective, mais par une unique personnalité extravagante.

Le concert fut très excitant. Aucun fantôme ne se manifesta. Pas un seul ne vint me troubler. Mon jeu était plus contrôlé, et prenait des couleurs à la fois plus sombres et plus sereines. Je me laissais porter par le courant de la musique au lieu de m'y noyer, et je savais où elle allait. Ses profondeurs les plus obscures ne m'effrayaient plus.

Sur la place, il y avait une église dédiée à saint Sébastien. Il pleuvait. Je suis entrée dans la nef et suis restée assise une heure entière à penser à Karl et à bien d'autres sujets, en particulier à la sensation de la musique, réalisant que je me souvenais maintenant de ce que j'avais joué, du moins du faible écho que j'en percevais.

Le lendemain, Roz et moi sommes allées faire un tour sur le port. La ville de Manaus était aussi délirante que l'opéra lui-même. Cela me rappelait le port de La Nouvelle-Orléans quand j'étais toute petite, quand notre ville était encore un vrai port, avec plein de bateaux pareils à ceux-ci le long des quais.

Des ferry-boats ramenaient des centaines d'ouvriers vers leurs villages. Des marchands ambulants vendaient des objets hétéroclites apportés par les marins : piles de lampes de poche, cassettes, stylos-bille... A mon époque, c'étaient des briquets décorés de femmes nues. Je me souvenais clairement que, aux abords de l'entrepôt des douanes, l'on trouvait des briquets bon marché ornés de ces décalcomanies vulgaires, aux couleurs criardes.

Aucun appel des États-Unis.

Était-ce bon signe ? Était-ce inquiétant ? Ou bien sans signification ?

A Manaus, coule le rio Negro. De l'avion qui nous ramenait à Rio, nous avons vu ses eaux noires se mêler aux eaux blanches de l'Amazone.

Au Copacabana Palace, une lettre m'attendait. Je l'ouvris, m'apprêtant à affronter quelque nouvelle tragique ; dès que j'y jetai un coup d'œil, je me sentis défaillir.

Mais cela ne concernait pas Faye.

La brève note était rédigée d'une main sûre, dans l'élégante écriture ornée du dix-huitième siècle :

Il faut que je te voie. Viens au vieil hôtel. Je ne te ferai pas le moindre mal, c'est promis. Ton Stefan.

Je regardai fixement le billet. C'était tellement inattendu... « Monte dans la chambre, dis-je à Roz.

– Qu'est-ce qui te prend ? »

Pas le temps de répondre. Il fallait que je rattrape Antonio, qui venait de nous amener de l'aéroport. Portant en bandoulière le sac contenant le violon, je courus vers la porte.

Nous prîmes le tram seuls, sans les gardes du corps, mais Antonio lui-même était un homme assez imposant, qui n'avait pas peur des voleurs à la tire. Nous n'en vîmes d'ailleurs aucun. Antonio téléphona avec son portable. Un des gardes du corps viendrait nous rejoindre à l'hôtel ; il serait là dans quelques minutes.

Pendant le trajet, je n'ouvris pas la bouche. Je ne cessais de déplier la petite feuille de papier, lisant et relisant les mots. C'était bien l'écriture de Stefan, la signature de Stefan.

Seigneur Dieu...

Nous descendîmes à l'avant-dernier arrêt. Je demandai à Antonio de m'attendre sur le banc mis à la disposition des voyageurs, lui expliquant que je n'avais pas peur d'aller seule dans la forêt ; si jamais j'appelais à l'aide, il m'entendrait.

Je montai lentement la colline, une marche après l'autre, me remémorant soudain, avec un pincement de cœur, le deuxième mouvement de la *Neuvième* de Beethoven. J'entendais la musique dans ma tête.

Stefan se tenait devant le garde-fou en béton, au bord du profond ravin. Il portait des vêtements noirs assez quelconques. Le vent ébouriffait ses cheveux. Il paraissait vivant, solide. Un homme comme les autres, venu admirer le panorama – la ville, la jungle, la mer.

Je m'arrêtai à quatre ou cinq pas de lui.

« Triana... » Il se retourna, me faisant face. Ses traits, son corps entier n'exprimaient que tendresse. « Triana, mon amour. » Jamais son visage n'avait été aussi pur.

« Quel est ce nouveau stratagème, Stefan ? Une force diabolique t'a-t-elle indiqué la bonne tactique pour me le prendre ? »

Je l'avais blessé, je l'avais frappé juste entre les yeux, mais il se ressaisit rapidement et je vis de nouveau – oui, de nouveau – des larmes emplir ses yeux. Le vent fouettait ses longues mèches noires, et il baissait la tête, les sourcils froncés.

« Moi aussi, je recommence à pleurer, dis-je. Je croyais que le rire était devenu notre langage, mais je vois que c'est de nouveau l'heure des larmes. Que puis-je faire pour mettre fin à cela ? »

Il me fit signe d'approcher.

Je ne pouvais refuser. Soudain, je sentis ses bras autour de mon cou, mais il ne tenta pas de s'emparer du sac en velours, que j'avais précautionneusement ramené devant moi.

« Pourquoi ne l'as-tu pas fait, Stefan ? Pourquoi n'es-tu pas allé vers la lumière ? Ne la voyais-tu donc pas ? Ne voyais-tu pas celui qui te faisait signe, prêt à te guider ?

– Je voyais tout », dit-il en s'écartant de moi.

« Qu'est-ce qui te retient ici, alors ? D'où te vient cette nouvelle vitalité ? Qui paie cela maintenant, avec ses souvenirs ou sa peine ? Comment t'y prends-tu, utilises-tu ta belle voix de ténor, certainement travaillée à

Vienne, aussi belle sans doute que les sons que tu tires du violon...

– Chut, Triana. » Sa voix était humble et sereine. Son regard était empli d'une paisible patience.

« Triana, reprit-il, je vois continuellement cette lumière. Toujours. Je la vois en ce moment même. Mais, Triana, mais... » Je vis frémir ses lèvres.

« Dis-moi.

– Triana, et si, quand j'irai vers cette lumière...

– Vas-y ! Mon Dieu, pourrait-ce être pire que le purgatoire que tu m'as révélé ? Je ne crois vraiment pas. Je l'ai vue. J'ai senti sa chaleur. Je l'ai vue de mes propres yeux.

– Et si, quand j'irai vers cette lumière, le violon m'accompagnait ? »

Il fallut une seconde pour que la connexion s'établisse, pour que nous nous regardions dans les yeux, pour que je voie moi aussi la lumière – une lumière qui n'appartenait pas au monde qui nous entourait. Le soleil de cette fin d'après-midi était toujours aussi radieux, la forêt était toujours aussi silencieuse. La lumière l'entourait entièrement ; je vis son expression changer une fois de plus, transcendant la colère, la rage, le chagrin, et même la confusion.

J'avais pris ma décision. Il le savait.

Levant le sac qui contenait le violon et l'archet, je le lui remis.

Il leva la main en signe de dénégation. « Peut-être pas, après tout..., murmura-t-il. J'ai peur, Triana.

– Moi aussi, jeune Maestro. Et au moment de mourir, j'aurai peur, également. »

Il se détourna et leva les yeux pour contempler un monde dont je ne pouvais prendre la mesure. Je ne vis qu'un éclat radieux, une clarté de plus en plus vive qui ne blessait ni mes yeux ni mon âme, et en la voyant je ne ressentais qu'amour, amour immense et confiance infinie.

« Adieu, Triana.

– Adieu, Stefan. »

La lumière avait disparu. J'étais dans la forêt vierge, sur la route, au-dessus de l'hôtel en ruine. Je restai un long moment à regarder les murs décrépis, la ville qui s'étendait à perte de vue, succession de collines et de vallées couvertes de taudis et de gratte-ciel.

La violon avait disparu.

Le sac que je tenais à la main était vide.

21

Inutile de dire à Antonio que le violon avait disparu ; c'eût été absurde. Le garde du corps était arrivé avec la voiture.

Je tenais le sac comme s'il contenait toujours mon violon. Nous redescendîmes la montagne en silence. Les vitres étaient baissées. Par les trouées de l'épais feuillage, le soleil projetait des rayons glorieux sur la route ; le vent frais caressait mon visage.

Mon cœur débordait – mais je n'aurais su dire de quelle émotion. Amour, oh oui ! amour et émerveillement, certes, mais il y avait autre chose aussi, une vague crainte, oui, la peur de ce que l'avenir me réservait, maintenant que le sac était vide : peur pour moi-même, pour ceux qui m'étaient chers, pour tous ceux qui maintenant dépendaient de moi.

Pendant que nous traversions Rio à toute allure, des pensées confuses, vaguement rationnelles, se bousculaient dans mon esprit. Lorsque nous arrivâmes à l'hôtel, il faisait presque nuit. Je descendis, remerciai d'un geste mes loyaux compagnons et entrai, sans même m'arrêter au bureau pour voir s'il y avait un message.

Ma gorge était si serrée que j'aurais été incapable de parler. Il ne restait qu'une seule chose à faire. Demander à Martin l'un des violons que nous avions emportés, le Strad que nous avions acheté, ou le Guarneri, et voir ce qui se passerait.

Oh ! petits détails amers dont dépend le destin d'une âme, ainsi que tout l'univers connu de cette âme. Je ne voulais pas voir les autres. Mais il fallait que je voie Martin, j'avais besoin de ce violon.

Dès que les portes de l'ascenseur s'ouvrirent, je les entendis tous rire et pousser des cris dont la signification m'échappait.

Je traversai le couloir et frappai du poing à la porte de la suite présidentielle. « C'est Triana, ouvrez-moi ! »

Glenn me fit entrer ; il semblait délirer et ne cessait de s'exclamer : « Elle est là, elle est là ! »

Grady Dubosson apparut derrière lui. « Nous l'avons mise dans le premier avion, ma chérie, dès qu'elle a eu son visa. »

Je la vis alors, debout contre la fenêtre du fond. Sa petite tête, son petit corps, cette minuscule créature qu'était Faye. Seule Faye était aussi petite, aussi délicate, aussi parfaitement proportionnée, à croire que Dieu aimait tout autant créer des elfes et de doux petits enfants que des créatures adultes.

Elle portait ses habituels jeans délavés, son inévitable chemise blanche. Ses cheveux auburn étaient coupés court. La lumière du soir qui tombait de la fenêtre était trop faible pour distinguer ses traits.

Elle courut se jeter dans mes bras.

Comme elle était mince et fragile ! Elle devait faire la moitié de mon poids, j'aurais pu l'écraser comme un violon.

« Triana, Triana, Triana ! s'écria-t-elle. Tu sais jouer du violon ! Tu sais jouer, tu as le don ! »

J'étais trop émue pour dire un seul mot. J'aurais voulu lui donner de l'amour, j'aurais voulu lui souhaiter la bienvenue, lui donner une chaleur pareille à celle émanant de la lumière qui nimbait Stefan sur la route de la forêt. Mais je ne pouvais que regarder son petit visage radieux, ses jolis yeux bleus étincelants, et penser : elle n'est pas morte, elle n'est pas dans la tombe, elle est ici, elle est saine et sauve !

Une fois encore, nous étions tous réunis.

Roz arriva en trombe, m'enlaça et dit de sa voix profonde : « Je sais, je sais, nous devrions être fâchés, nous devrions l'engueuler, mais elle est revenue, elle va bien, elle a vécu une dangereuse aventure, mais elle est de retour à la maison ! Elle est ici, Triana ! Faye est avec nous ! »

Je hochais la tête. Serrant toujours Faye sur mon cœur, j'embrassais sa joue amaigrie, je passais la main sur sa tête aussi petite qu'une tête d'enfant. Je sentais sa légèreté, sa fragilité, et aussi la terrible force qui l'habitait, une force issue des eaux noires de la matrice, de la maison obscure, de la mère titubante, du cercueil confié à la terre.

« Je t'aime, murmurais-je. Je t'aime, Faye, je t'aime. »

Elle s'écarta de moi en dansant. Comme Faye aimait danser ! Une fois, à l'époque où nous étions éparpillées aux quatre coins des États-Unis, nous nous étions retrouvées en Californie ; elle avait dansé en rond et bondi de joie de nous voir réunies, les quatre sœurs, comme nous l'étions maintenant. Elle gambadait et folâtrait tout autour de la pièce ; soudain, elle fit un bond et se retrouva campée sur un guéridon, un tour d'adresse que je l'avais déjà vue faire. Elle souriait, ses petits yeux pétillaient de malice, ses cheveux étaient rougis par la lumière du couchant.

« Triana, joue du violon pour moi. Rien que pour moi ! S'il te plaît, Triana. Joue pour moi. Pour moi. »

Aucun regret ? Pas un seul mot d'excuse ?

Pas de violon !

« Martin, pourrais-tu aller chercher les autres instruments ? Le Guarneri. Je crois que le Guarneri est prêt et qu'il y a un bon archet dans l'étui.

– Qu'est-il arrivé au Stradivarius longuet ?

– Je l'ai rendu, dis-je à voix basse. S'il te plaît, pas de discussions inutiles. »

Il sortit en ronchonnant.

J'aperçus alors Katrinka, affalée sur le sofa, à bout de forces, les yeux rougis. « Je suis tellement heureuse que tu sois revenue », disait-elle d'une voix éraillée et torturée. « Tu ne peux pas savoir. » Comme elle avait souffert, notre Trink !

« Il fallait qu'elle parte, qu'elle aille à l'aventure à ce moment-là », commenta Glenn de sa voix traînante, en regardant Roz. « Le principal, c'est qu'elle soit de retour. Elle a fait ce qu'elle devait faire. Elle a réussi.

– Ne parlons pas de cela ce soir, répondit Roz. Joue pour nous, Triana ! Mais pas une de ces horribles danses de sorcières, je ne le supporterais pas.

– On s'improvise critique ? » ricana Martin en refermant la porte derrière lui. Il apportait le Guarneri. C'était l'instrument le plus proche de celui dont j'avais l'habitude.

« Oui, joue quelque chose pour nous, s'il te plaît », ajouta Katrinka de sa voix rauque, sans cesser de fixer Faye de son regard qui exprimait à la fois une profonde blessure et un immense soulagement.

Faye se tenait toujours sur la table. Elle me regarda. Il y avait une sorte d'indifférence en elle, une dureté, quelque chose qui l'empêchait de dire que nous lui importions, qu'elle éprouvait le moindre sentiment envers nous, quelque chose qui signifait peut-être : « Ma douleur était plus intense que vous ne pouviez le savoir », exactement ce que nous craignions lorsque, emplis de sombres pressentiments, nous téléphonions aux morgues pour donner sa description. Peut-être cela signifiait-il seulement : « Ma douleur est égale à la vôtre. »

Elle était là, devant nous, vivante.

J'avais pris le nouveau violon. Il ne me fallut pas longtemps pour l'accorder. La corde de *mi* était détendue. Je tournai la cheville. Doucement. Il n'était pas aussi parfait que mon longuet, pas aussi bien entretenu, mais il avait été restauré avec soin, m'avait-on assuré. Je tendis l'archet.

Et si le chant m'avait abandonnée ?

Ma gorge se serra. Je regardai en direction de la fenêtre. Une partie de moi-même se serait contentée d'aller à cette fenêtre et de regarder la mer, d'être heureuse qu'elle fût revenue, sans se sentir obligée de dire que cela ne faisait rien qu'elle fût partie si longtemps, sans se demander qui était fautif, qui avait été aveugle, ou avait manqué d'amour.

Surtout, j'aurais voulu ne *pas* savoir si j'étais ou non capable de jouer.

Vœu pieu : ce genre d'événement n'arrive jamais quand on le souhaite. Je pensais à Stefan dans la forêt tropicale.

Adieu, Triana.

J'accordai la corde de *la*, puis la corde de *ré*, et enfin celle de *sol.* J'étais capable de le faire seule. En fait, j'avais réussi très tôt à accorder mon violon.

J'étais prête. Jusqu'à présent, l'instrument avait réagi normalement à ce que je faisais. Je ne l'avais entendu que le jour où on me l'avait présenté ; je me souvenais qu'il avait une sonorité plus feutrée, plus riche que le Strad, un son rappelant un peu celui de l'alto. Je ne savais pas grand-chose sur ce type de violon. L'unique objet de mon amour avait été le Stradivarius.

Faye s'approcha et leva les yeux sur moi.

J'avais l'impression qu'elle aurait voulu me dire bien des choses, mais qu'elle était aussi incapable que moi d'exprimer ce qu'elle ressentait. Je ne pouvais que penser : tu es en vie, tu es avec nous, nous pourrons essayer de te protéger.

« Tu veux danser ? lui demandai-je.

– Oui ! Joue du Beethoven pour moi ! Joue du Mozart ! Joue ce que tu voudras !

– Joue un air joyeux, ajouta Katrinka, une de ces adorables chansons que tu joues souvent, tu sais. »

Je savais.

Je levai l'archet. Mes doigts martelaient les cordes, l'archet s'emballait, et la musique s'élevait, joyeuse, chantant la liberté et le bonheur, jaillissant tout naturellement du violon, généreuse et brillante, parfaite, si belle et si claire, et si nouvelle pour moi, à cause du bois différent, que je faillis me mettre à danser moi aussi, à tourner, pivoter, cabrioler, entraînée par l'instrument, tandis que du coin de l'œil, je les voyais danser : mes sœurs, Roz, et Katrinka, et Faye.

Je jouais, jouais, et la musique se déversait sur nous.

Ce soir-là, pendant qu'elles dormaient dans le silence de l'hôtel, pendant que les femmes à vendre grandes et minces arpentaient le boulevard, je pris le violon et j'allai à la fenêtre située au centre de l'hôtel.

Longtemps, je regardai le spectacle des vagues fabuleuses. Elles dansaient, exactement comme nous avions dansé.

Et je jouai pour elles – avec assurance et naturel, sans peur ni colère – je jouai pour elles un chant douloureux, un chant glorieux, un chant joyeux.

FIN

Terminé le 14 mai 1996, 1 h 50.
Première révision : 20 mai 1996, 9 h 25
Dernière révision : 7 janvier 1997, 2 h 02.

Anne Rice

OUVRAGES DE LA COLLECTION « TERREUR »

Roderick Anscombe
La vie secrète de Laszlo, comte Dracula

Iain Banks
Le seigneur des guêpes

Clive Barker
Secret Show
Le royaume des devins
Imajica 1
Imajica 2
Everville

William P. Blatty
L'Exorciste : la suite

Robert Bloch
L'écharpe
Lori
Psychose
Psychose 2
Psychose 13
Contes de terreur

J. R. Bonansinga
Black Mariah
Pire que le mal

Randall Boyll
Froid devant
Monssstre
Territoires du crépuscule

Marion Zimmer Bradley
Sara

Ramsay Campbell
Envoûtement
La secte sans nom
Soleil de minuit

Cathy Cash Spellman
Dans les griffes du diable

Matthew J. Costello
Cauchemars d'une nuit d'été
La chose des profondeurs
Né de l'ombre

Martin Cruz-Smith
Le vol noir

Thomas Disch
Le caducée maléfique

Katherine Dunn
Un amour de monstres

Jeanne Faivre d'Arcier
Rouge flamenco
La déesse écarlate

John Farris
L'ange des ténèbres
Le fils de la nuit éternelle
Sacrifice

Raymond Feist
Faërie

Bernard Florentz
Noces d'enfer

Christopher Fowler
Le diable aux trousses
L'illusionniste

Ray Garton
Crucifax
Extase sanglante

Christopher Golden
Des saints et des ombres
L'illusionniste

Linda C. Gray
Médium

William Hallahan
Les renaissances de Joseph Tully

Barbara Hambly
Le sang d'immortalité
Voyage avec les morts

Thomas Harris
Dragon rouge
Le silence des agneaux

James Herbert
Dis-moi qui tu hantes
Fluke
Fog
La lance
Les rats
Le repaire des rats
L'empire des rats
Le survivant
Sanctuaire
Sépulcre
Présages

Shirley Jackson
Maison hantée
La loterie
Le cadran solaire
Nous avons toujours habité le château

Graham Joyce
L'enfer du rêve
Requiem
Sorcière ma soeur
L'intercepteur de cauchemars

Kalogridis Jeanne
Pacte avec le vampire
Les enfants du vampire

Stephen King
La part des ténèbres
Salem
Dolores Claiborne
Les yeux du dragon

Andrew Klavan
Il y aura toujours quelqu'un derrière vous
L'heure des fauves

Dean Koontz
Le masque de l'oubli
Miroirs de sang
La mort à la traîne
La nuit des cafards
La nuit du forain
La peste grise
Une porte sur l'hiver
La voix des ténèbres
Les yeux des ténèbres
La maison interdite
Fièvre de glace
Lune froide
La cache du diable
Mr Murder
Démons intimes
Tic Tac
Etranges détours
Les larmes du dragon
Le rideau des ténèbres
Le visage de la peur
L'heure des chauves-souris
Spectres
L'antre du tonnerre
La semence du démon

Steven Laws
Train fantôme
Gideon
Macabre

Tanith Lee
La danse des ombres
Le festin des ténèbres
Caïn l'obscur

Charles de Lint
Mulengro
Symphonie macabre
Les murmures de la nuit

Bentley Little
Le postier
Révélation

Brian Lumley
Nécroscope

Charles McLean
Le guetteur

Robert Marasco
Notre vénérée chérie

Graham Masterton
Démences
Le démon des morts
Le djinn
Le jour « J » du jugement
Le miroir de Satan
La nuit des salamandres
Le portrait du mal
Les puits de l'enfer
Rituels de chair
Hel
Transe de mort
Manitou
La vengeance de Manitou
L'ombre du Manitou
Le trône de Satan
Apparition
La maison de chair
Les guerriers de la nuit
Les rivages de la nuit
Le fléau de la nuit
Tengu
Sang impur
Le maître des mensonges
Les visages du cauchemar
Magie vaudou
Walhalla
Rook 1 – Magie vaudou
Rook 2 – Magie indienne
Rook 3 – Magie maya

Robert McCammon
L'heure du loup
La malédiction de Bethany
Scorpion
Le mystère du lac
Soif de sang

Michael McDowell
Les brumes de Babylone
Cauchemars de sable

Andrew Neiderman
L'avocat du diable
Confessions androgyues

Pierre Pelot
La nuit sur terre

D. Preston/L. Child
Relic

John Pritchard
Les sœurs de la nuit
Les anges du désespoir
Les cavaliers du crépuscule

Garfield Reeves-Stevens
Contrat sur un vampire
La danse du scalpel

Anne Rice
Chronique des vampires
1. Entretien avec un vampire
2. Lestat le vampire
3. La reine des damnés
4. Le voleur de corps
La momie
Le lien maléfique
L'heure des sorcières
Taltos
Memnoch le démon
Le violon

Anne Rivers Siddons
La maison d'à côté

Fred Saberhagen
Un vieil ami de la famille
Le dossier Holmes-Dracula
Les confessions de Dracula
Un amour de Dracula

John Saul
Cassie
Hantises
Créature

Peter Straub
Ghost Story
Julia
Koko
Mystery
Sans portes, ni fenêtres
La gorge
Le club de l'enfer

Michael Talbot
La tourbière du diable

Bernard Taylor
Le jeu du jugement

Sheri S. Tepper
Ossements

Thomas Tessier
L'antre du cauchemar

Thomas Tryon
L'autre
La fête du maïs
Noire magie

Jack Vance
Méchant garçon

Lawrence Watt-Evans
La horde du cauchemar

Chet Williamson
La forêt maudite

Paul F. Wilson
La forteresse noire
Liens de sang
Mort clinique

Bari Wood
Amy girl
Double vue

Bari Wood/Jack Geasland
Faux-semblants

T. M. Wright
L'antichambre
Manhattan Ghost Story
L'autre pays

XXX
Michèle Slung présente :
22 histoires de sexe et d'horreur
21 nouvelles histoires de sexe et d'horreur

Jeff Gelp présente :
Shock Rock

Douglas E. Winter présente :
13 histoires diaboliques

Dernières nouvelles de Dracula
L'année de la terreur
Nouvelles histoires de sexe et d'horreur

Achevé d'imprimer en décembre 1999
sur les presses de l'Imprimerie Bussière
à Saint-Amand (Cher)

POCKET - 12, avenue d'Italie - 75627 Paris Cedex 13
Tél. : 01-44-16-05-00

— N° d'imp. 2594. —
Dépôt légal : mai 1999.

Imprimé en France